幼稚園／保育士試験

（増補改訂新版）

役立つ

保育・教育用語集

植　原　清　編

大阪教育図書

編集のことば

21 世紀は、少子・高齢化の時代といわれ、少子化対策や高齢者対策として種々の施策がたてられています。とりわけ乳幼児に関する施策については、待機児童の解消や質の高い保育を求める時代になってきました。

就学前の児童に関する保育・教育に関する問題は、保育所、幼稚園、幼保連携型認定こども園に期待するものが多く、単なる量の拡大や制度の拡充、幼児教育・保育の無償化に伴い、保育・教育に従事する保育士や幼稚園教諭に関わる資質が問われるようになってきました。

こうしたときに、これから幼児教育に携わろうとする人たちに、より便利でより利用しやすい辞書をと長年考えてまいりました。そこで、ここに用語集だけではなく法に基づく諸制度や最新の情報を提供する本書を発刊することとしました。

本書の特徴は、保育・教育に関する用語を多岐にわたってまとめている点です。

また、「障害児」「障害者」という表記については、「障がいを受けている」というように表記しました。「害する人」ではない、何らかの原因によって生じた特徴として把握していただきたいと思います。

今後とも制度の改正や社会のニーズ・読者のご意見に添いながら版を重ねてまいりたいと思います。

幼児教育に携わる多くの人たちの保育・教育現場で又幼稚園採用試験・保育士試験を志す人たちにも大いに活用されんことを願うものです。

執筆者代表　植　原　　清

保育・教育用語　目次

【す】

【せ】

【そ】

【た】

◇◇

以下の法令等は QR コードからの検索が可能です。幼稚園教諭、保育士を志す皆さんにとって教育関係の法令・条文等は必須の知識です。PC・タブレット・スマートホンなどで随時検索しながら勉強して下さい。

基本法令体系

●教育関係法令体系●学校教育関係法令体系●社会福祉関係法令体系●児童福祉（社会福祉）の実施体系

法令・条文等

●教育基本法●学校教育法（抄）●学校教育法施行規則（抄）●幼稚園設置基準（抄）●児童福祉法（抄）、児童福祉施設の設備及び運営に関する基準（抄）●子ども・子育て支援法（抄）●就学前の子どもに関する教育●保育等の総合的な提供の推進に関する法律（抄）第３章　幼保連携型こども園●幼保連携型認定こども園の学級の編制、職員、設備及び運営に関する基準（抄）●児童虐待の防止等に関する法律（抄）●民生委員法（抄）●関係行政機関等●児童憲章●全国保育士会倫理綱領

基本法令体系

法令・条文等

乳幼児教育関係年表

これらの法令等は下記よりダウンロードできます。

基本法令体系	https://osaka-kyoiku-tosho.net/pdf/appendix04.pdf
法令・条文等	https://osaka-kyoiku-tosho.net/pdf/appendix05.pdf
乳幼児教育関係年表	https://osaka-kyoiku-tosho.net/pdf/appendix06.pdf

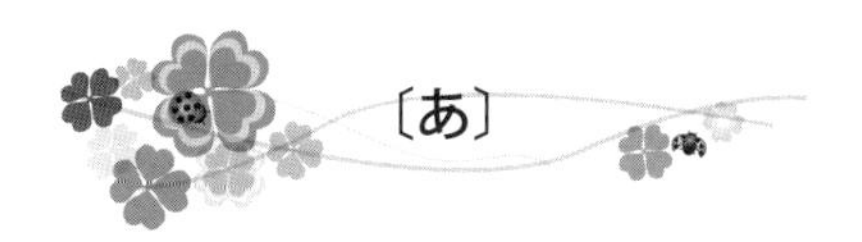

〔あ〕

〔Rh 式血液型〕

ABO 式に次ぐ重要な血液型分類法の一種で、血球抗原 Rh 因子（抗原 D）の有無によって区別されます。他の血液型と同様 Rh 因子の有無は特に輸血のときに重要で、Rh 陰性の患者に Rh 陽性の血液を輸血すると患者の体内で抗体が生産され、次回の輸血から抗体抗原反応によって溶血発作を起こす原因となります。

新生児溶血疾患も母子間の Rh 因子の不一致で起こる疾患で、Rh 陽性の血液の輸血を受けたことがあるか、もしくは Rh 陽性胎児の出産経験を持つ Rh 陰性の母親が、Rh 陽性の胎児を妊娠・出産した場合に起こります。

ABO 式血液検査に加え、Rh 式血液検査が多く実施されています。⇒〔ABO 式血液型〕

〔RS ウイルス感染症〕

RS ウイルス感染症は、RS ウイルスによって引き起こされる呼吸器感染症のこと。0 歳～ 1 歳児に発症が多いと言われており、2 歳までにほぼ 100 パーセントの子どもが感染すると言われています。潜伏期間は 3 ～ 5 日、症状は鼻水、発熱、その後、咳が出ます。接触感染や飛沫感染をするため、保育園でも流行りやすい感染症の一つです。予防のために保育室やおもちゃのアルコール消毒やうがい、手洗いを徹底することが必要です。

〔ICT〕

ICT とは（Information and Communication Technology）の頭文字。2011 年 4 月、文部科学省は今後の教育の情報化の推進にあたっての基本的な方針として、「教育の情報化ビジョン」を公表し 1）情報活用力の育成、2）教科指導における情報通信技術（ICT）の活用、3）校務の情報化の３つの側面を通して教育の質の向上を目指すことを明らかにした。「ICT を活用した教育の推進に関する懇談会」

〔愛染橋保育所（あいぜんばし）〕

岡山孤児院の設立者石井十次によって、1909（明 42）年、大阪市南区の愛染橋西詰めに造られた大阪で最初の保育所です。「児女多クシテ家計困難ナル労働者ノ為ニ其子女ヲ預リテ昼間保育」することを目的としました。1916（大 5）年、石井十次の死去により石井記念愛染園として再編成されました。乳児から３歳未満児までの託児所、満３歳から就学までの幼稚園、そして小学校も付設され、乳児から小学校までの一貫した「貧児教育」を行いました。1934（昭 9）年、愛染園診療所の設立のため保育事業は一時中止され、その後空襲により焼失したが、1952（昭 27）年に愛染橋保育所は再建され、今日に至っています。⇒〔石井十次〕

〔赤い鳥運動〕

1918 年鈴木三重吉がこどもの純性を育むための話し・歌を創作し世の中に広める運動を宣言し「赤い鳥」（1918-36）を発刊しました。

創刊号には、芥川龍之介、有島武郎、泉鏡花、北原白秋、高浜虚子、徳田秋声らが賛同を表明しました。その後、菊池寛、西条八十、谷崎潤一郎、三木露風らが作品を寄稿しました。このような運動は誌名から「赤い鳥運動」と呼ばれました。代表作品として、カナリア・赤い靴・砂山等があります。

〔赤沢鐘美（あつとみ）（1867 ～ 1937）〕

わが国で最初の常設託児所を創設し、幼児教育に力を注いだ教育者です。1890（明 23）年、小学校教員をやめ、自宅の私塾を「新潟静修学校」と改名し、さまざまな事情で県立の中学校へ入れない貧しい子どもたちに勉学の道を開くとともに、生徒が子守りから開放されて勉強できるように、生徒の幼い兄弟を校内で預かり、妻のナカが世話をしました。これらは一切無料で行われ、次第に託児所として発展しました。1908（明 41）年、この保育事業を「守孤扶独（しゅこふどく）幼稚児保護会」とし、わが国初の常設保育所といわれ、今日の児童福祉事業へと発展する手掛かりとなりました。

〔アクセレーション〕

発達加速現象・発育加速現象などと呼ばれています。子どもの発達状態を年次別に比較すると、若い世代ほど、成長（形態的）または成熟（機能的）指標が増大したり、発達の指標となる成長（形態的）・成熟（機能的）変化が、早期に出現する現象をいいます。

〔アクティブ・ラーニング〕

学習指導方法の一形態で、従来の講義型の一斉授業ではなく、児童生徒が主体的に学ぶ方式で児童・生徒自らが課題を設定し、共に討議し合うとか、指導者による課題をグループごとに討議し、課題を解決する学習指導の方法です。2016 年の全国学力テスト結果を分析すると、アクティブラーニングによる指導が進んでいると文科省は評価しています。

〔預かり保育〕

預かり保育とは、保護者の希望に応じて、4 時間を標準とする幼稚園の教育時間の前後や土曜・日曜・長期休業期間中に幼稚園において教育活動をおこなうことをいいます。

従来から地域に応じて、個々の幼稚園の判断で実施されていましたが平成 12 年から施行の幼稚園教育要領において初めて位置づけられました。現行の幼稚園教育要領では「第 3 章教育課程に係る教育時間の終了後等に行う教育活動などの留意点」に幼児の心身の負担に配慮し、教育活動の計画に基づき地域や保護者の事情等により弾力的に取り組む等が示されています。

〔暑さ指数（WBGT）〕

「暑さ指数」とは、熱中症を予防することを目的として 1954 年にアメリカで提案された指標のこと。人体と外気との熱のやりとり（熱収支）に着目した指標、人体の熱収支に与える影響の大きい「湿度」「日射・輻射（ふくしゃ）」「気温」の 3 つを取り入れています。

〔アスペルガー症候群〕

広汎性発達障害の一類型で、興味・関心やコミュニケーションが特異であるものの、著しい言語の遅れや知的障害がみられない発達障害のことです。他人との情緒的交流が困難で関心の幅が狭いが、自分の関心のある事柄には熱中します。「知的障害がない自閉症」として扱われることも多く、決定的な不適応には至らず、成人に達していることもあります。

最近、米国精神医学会の診断の手引き（DSM）の改定によって「アスペルガー症候群」から「自閉症スペクトラム（連続体）障害」に一本化され、「社会コミュニケーション障害」として位置づけられる動きもあり、コミュニケーション技術のための支援教育を受けられなくなる可能性もある。

〔遊び〕

保育の中で遊びが重視されているのは、「幼児の自発的な活動としての遊びは、心身の調和のとれた発達の基礎を培う重要な学習である」と幼稚園教育要領に示されているように、遊びには乳幼児の発達に意味のある経験が多様に含まれており、遊びを通じて、子どもたちは発達に必要な経験を積み重ねているためです。例えば、鬼ごっこという遊びには、走る―逃げるという動きに代表されるような身体的な要素、集団で遊ぶことによる社会性の要素、ルールを理解したり、知的な要素などが含まれています。

しかし、遊びにはさまざまな発達に意味のある要素が含まれているものの、遊び手である子ども自身は、発達に必要な経験を重ねることを目的に遊んでいる訳ではありません。子どもにとって遊びは「面白さ」を求める活動であり、遊びの中で、自発的に環境に関わり、さまざまな工夫をし、全身を最大限動かし、仲間と協力し、そうした結果として発達に意味のある経験を積み重ねていくのです。従って、遊びを通しての指導が必要となってくるものです。

子どもの遊びに関わるおとなの役割として、子どもが十分に遊べるための場を設定することや、遊びに必要な環境を構成すること、遊んでいる子どもの内面を理解し、適切な援助や遊びの面白さを膨らませるための指導などを行うことなどが求められます。⇒〔幼稚園教育の基本〕

〔アタッチメント〕

アタッチメント（愛着）とは、ボウルビィが用いた言葉で、特定の人物に対して結ぶ情緒的な絆をいいます。新生児期にみられる微笑や泣くこともアタッチメント形成のシグナル行動です。乳児は、生後数カ月で自分のシグナルに対して、適切に一貫して応答してくれる人を選んで反応し、アタッチメントを形成します。生後半年以降は、他人と区別された特定の人（母親など）が探索のための安定基地の役割を果たし、乳児はこの安定基地を安心感のより所としていきます。このようなアタッチメントを形成することができるかできないかは、人間形成の上で重要な意味を持っています。

〔アデノイド〕→扁桃腺

アデノイドとは、咽頭円蓋（いんとうえんかい）のリンパ組織の増殖によって、扁桃腺が肥大するものです。小児特に小学生に多く、成人には少ない疾病で、ひどくなると咽頭後壁や耳管隆起（じかんりゅうき）まで一帯の腺様組織が肥大するようになります。原因は不明ですがリンパ体質の小児に多く見られます。

麻疹・猩紅熱・ジフテリア・インフルエンザ等の感染症、鼻腔（びくう）・副鼻腔（ふくびくう）、咽頭の反復する炎症がこの発生を促すといわれ、主症状は鼻閉塞です。そのため口呼吸、いびき、鼻声となり、睡眠障害やいわゆるアデノイド顔貌（がんぼう）を呈します。

〔アトピー性皮膚炎〕

乳児湿疹、湿疹、アレルギー性湿疹、慢性湿疹や苔癬化湿疹などを含む遺伝性疾患で、肘や膝などの関節屈曲部に発症し、時に気管支喘息やアレルギー性鼻炎、蕁麻疹や薬剤アレルギーなどが合併します。その治療にはステロイド系の外用薬が広く用いられます。また病変部に感染が合併している場合には抗生剤軟膏を併用します。原因抗原（原因食品）の特定ができる症例ではその食品の摂取を制限または禁止し、衣類は綿製品のものが適しています。

〔アドボガシー〕

アドボガシ―とは代弁という意味です。保育士は一日の大半を過ごす子どもの状況を把握することが大切で、子どもや保護者との信頼関係を築くことが不可欠です。その為にも、子どもの意見を代弁（アドボガシー）することが必要です。

〔アフター・ケアー〕

アフター・ケアーは、もともと疾病に対する医療を、退院後、または通院終了後も本人の生活上の独立（自立）や保護のため継続的に援助するため考案されたものですが、現在は一般に病院または施設において治療などを受けた後、社会復帰してから与えられる治療的保護をいいます。

現在は、特別支援学校等を卒業した人たちの、卒業後の社会自立支援・援助についてもいいます。

〔アポイントメント〕

カウンセラー（相談者）とクライエント（来談者）が、面談（面接）あるいは各種検査・治療・相談を行うために、時間・場所・日時などを前もって約束することをいいます。定期的継続の場合は最初の相談時に面接の曜日・時間・１回の所用時間などを約束しておきます。不定期継続の場合は、その都度次回の予約をすることはアポイントといいます。

アポイントメントは非常に大切なことで、相談者は生活時間の計画ができ、また治療上の資料の収集や心の準備（検討）ができます。またクライエントも時間的な予定が立ち、心の準備もできます。

〔アレルギー〕

免疫系の過剰反応による生体障害作用をアレルギーといいます。アレルギーにはアナフィラキシー型、細胞溶解型、免疫複合型、遅延型があり、その抗原や発症部位、症状やその程度も個人によってさまざまです。治療や予防のためにはまず原因となる抗原の断定や過敏性の把握が必要なので、問診や入念な検査が重要となります。

アレルギー疾患には多岐にわたる疾患部位と症状がみられますが、気管支喘息、蕁麻疹、アトピー性疾患アレルギー性鼻炎、アレルギー性結膜炎、糸球体腎炎、感染防御反応などがよく知られています。

〔アレルギー除去食〕

アレルギー除去食は、食物アレルギーを持つ子どもに対してアレルギーの抗原（アレルゲン）

を抜いた食事のことです。アレルギー除去食と代替食との違いは原因となる食物の代わりに食べられる食物を使って調理することです。

〔アンギーナ〕

アンギーナとは、急性扁桃炎のことで、いろいろな細菌の感染によって起こります。主なものを挙げると、溶血性連鎖状球菌、肺炎球菌、ブドウ球菌などです。

発熱とともに咽頭部が赤く腫れ咽頭痛が激しく、せきもよく出るようになります。抗生物質を投与すると数日で解熱し治ってしまうことが多いのですが、くり返し発病する子どもについては、扁桃腺（へんとうせん）の摘出も必要です。扁桃炎はリウマチ熱や急性腎炎の原因となることがあるので、十分に治るまで治療しておくことが大切です。

〔暗示療法〕

暗示を中心として治療をする精神療法を暗示療法といっています。現代の研究では、薬物の効果は自己暗示で30％、他者暗示を加えると80％、暗示効果で精神治療としては、大きな役割を果たしているという報告がなされています。治療対象者は、神経症・心身症・性格の偏りによる不適応者や各種心因性患者に効果があります。

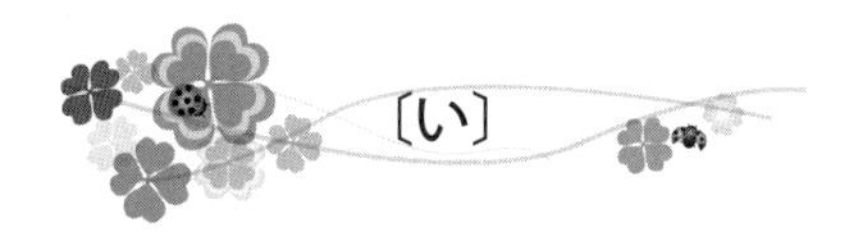

〔家なき幼稚園〕

その名の通り園舎のない幼稚園です。家なき幼稚園は、大正デモクラシーの思潮を背景に、大正末期から昭和の初期にかけて、池田、宝塚、箕面、大阪、雲雀丘、千里山などの近畿地区に設立されました。野外の自然環境を生かして「青空保育」「露天保育」が行われ、1922（大11）年、橋詰良一によって始められたのが最初です。大阪府池田市にある呉服神社の境内に子どもたちが集まると、今日はどこに行こうかと相談し、近くの森や山へ出掛け、そこで遊んだり昼食をしたりして帰ってきました。子どもには、子どもの世界があり、子ども同士の関係の中で育つことが大切で、自然の中で思い切り遊ばせなければならないという考えから生まれた幼稚園でした。大阪市周辺でこのような幼稚園が多く造られ、大阪市内の子どもたちを郊外で遊ばせるという運動も起こったほどです。しかし、1934（昭9）年、橋詰良一が亡くなるとその後継者がなく、まもなく中止となっていきました。

〔いかのおすし〕

「いかのおすし」とは、子どもたちを不審者から守るために作られた語呂あわせ防犯標語のことです。いざという時の5つの対応①知らない人について行かない②知らない人の車に乗らない③大声を出す④すぐ逃げる⑤何かあったらすぐ知らせる。現在では園での防犯訓練や園児への安全指導でもよく使われています。

〔生きる力〕

平成30年施行幼稚園教育要領では、「幼稚園教育は、生涯にわたる人格形成の基礎を培う重要なものであり、学校教育法に規定する目的及び目標を達成するため幼児期の特性を踏まえ、環境を通して行うものであることを基本とすると明記されています。また、幼児期の終わるまでに育ってほしい姿として「生きる力」の基礎を育むため幼稚園教育の基礎を踏まえ資質・能力を一体的に育むよう務めるとされています。「知・徳・体」にわたる「生きる力」を子どもたちに育むために「知識及び技能の基礎」「思考力・判断力・表現力等の基礎」「学びに向かう力・人間性」等が明記されています。

この「生きる力」という言葉は、1996年7月の中央教育審議会答申の中で教育改革のスローガンとして示され、「変化の激しい、先行き不透明な、厳しい時代」を生きて行く子どもたちに育むべき力として「自分で課題を見つけ、自ら学び、自ら考え、主体的に判断し、行動し、よりよく問題を解決する能力」や「自ら律しつつ、他人と協調し、他人を思いやる心や感動する心など豊かな人間性とたくましく生きるための健康や体力」を挙げています。これらの力を「生きる力」と捉え、「生きる力」の育成を学校教育の基本として位置づけられています。この答申を受けた教育改革では、「生きる力」を育てるために子どもたちの生活に「ゆとり」を持たせることが必要であるとされ、「ゆとり教育」路線が目指されましたが、学力低下論争における「ゆとり教育」批判の中で、「生きる力」という言葉は、教育改革のスローガンとしては次第に聞かれなくなってきました。しかし、「生きる力」を育てることの重要性が去ったわけではなく、「生きる力」を育成するために必要な教育のあり方が論議されていると捉えることが必要であると考えられます。特に幼児期には、豊かな生活体験の中で、生きる上で大事なことを学ぶこと（生きる力を身につけていくこと）が、これからも重視されていくと考えられます。

いしいじゅうじ
〔石井十次（1865～1914）〕

宮崎県に生まれ、郷里で小学校教員をした後、岡山医学校に学びました。在学中、英国の孤児院の新聞記事に感銘し、巡礼者の孤児を世話したことをきっかけに医学校を中退し、1887（明20）年キリスト教主義による岡山孤児院を創設し、さらに、ルソーの『エミール』に共鳴し、宮崎県に開拓農場を設け自立自営の教育に力を注ぎました。また、岡山孤児院12則（家族主義・委託主義・満腹主義・実行主義・非体罰主義・宗教主義・密室主義・旅行主義・米洗主義・小学校教育・実業教育・託鉢主義）を提起し、孤児の処遇内容の向上に貢献しました。さらに乳幼児の里親制度を導入したり、大阪の貧しい地域で愛染橋保育所を開設するなど、児童福祉事業の先駆的役割を果たしました。⇒〔愛染橋保育所〕

〔ECEC〕

「ECEC」とは、「Early Childhood Education and Care」の頭文字を取って作られた略語で、「幼児教育・保育」を表す言葉、直訳すると「乳幼児期の教育と保育」。幼児教育に対する考え方や対象範囲、指針、制度は国によっても異なりますが、概ね幼児期の教育や保育を指す共通の言葉として国際的に使われています。

いしいりょういち
〔石井亮一（1867～1937）〕

日本で最初に知的障がい児施設「滝乃川学園」をおこし、ほとんど何の処遇もされなかった知的障がい児の教育に取り組みました。その契機となったのは濃尾地震のときに、障がい者と出会ったのがきっかけとなったといわれています。教育からも、医療からも、制度の面からも見放されていた知的障がい児を「教育、医療、看護」からその処遇を唱え、知的障がい児教育の在り方を確立した人です。

〔意識〕

意識は、記憶・感情・知覚・思考など全ての精神的現象活動の基調であると定義されています。意識を持つ状態は、目覚めて周囲に気配りしている状態で、人間が、環境に適応して生きるための基本的状態であって、人間以外の動物にも、もちろん乳幼児にもその原形は認められます。

意識という用語は、きわめて多義的であって、「ある状態を保つ機能」としての生物学的意味と、他に心理学的、社会学的には「何をどう意識するか」という意味から、内容や態度の面などを意識するいろいろな種類の意識という言葉もあります。

〔意識障害〕

中枢神経系・代謝性・内分泌性や感染症など、様々な原因・疾患によって意識の明瞭度や認識度が低下することをいいます。

意識レベルによって傾眠・昏迷・昏睡に分けられます。

①傾眠（けいみん）：嗜眠状態ですが質問には答えます。感覚はありますが、正確な思考や記憶はありません。

②昏迷（こんめい）：疼痛（とうつう）刺激に対しては反応を示します。呼びかけを繰り返せば眼を開き、簡単な命令には応じることができます。

③昏睡（こんすい）：刺激に対して無反応で、瞳孔は散大または縮小し、嚥下（えんげ）・咳嗽（がいそう）反射は消失しています。

〔いじめ〕

平成25年度「いじめ防止対策推進法が施行」されました。そこで以下のとおり定義されました。

「いじめ」とは、「児童生徒に対して、当該児童生徒が在籍する学校に在籍している等当該児童生徒と一定の人間関係のある他の児童生徒が行う心理的又は物理的な影響を与える行為（インターネットを通じて行われるものも含む。）であって、当該行為の対象となった児童生徒が心身の苦痛を感じているもの。」とする。なお、起こった場所は学校の内外を問わない。「いじめ」の中には、犯罪行為として取り扱われるべきと認められ、早期に警察に相談することが重要なものや、児童生徒の生命、身体又は財産に重大な被害が生じるような、直ちに警察に通報することが必要なものが含まれる。これらについては、教育的な配慮や被害者の意向への配慮のうえで、早期に警察に相談・通報の上、警察と連携した対応を取ることが必要である。

いじめの態様（※）	刑罰法規	事例
ひどくぶつかられたり、叩かれたり、蹴られたりする。	暴行（刑法第208条）	同級生の腹を繰り返し殴ったり蹴ったりする。
	傷害（刑法第204条）	顔面を殴打しあごの骨を折るケガを負わせる。
軽くぶつかられたり、遊ぶふりをして叩かれたり、蹴られたりする。	暴行（刑法第208条）	プロレスと称して同級生を押さえつけたり投げたりする。

<table>
<tr><td rowspan="2">嫌なことや恥ずかしいこと、危険なことをされたり、させられたりする。</td><td>強要
（刑法第 223 条）</td><td>断れば危害を加えると脅し、汚物を口にいれさせる。</td></tr>
<tr><td>強制わいせつ
（刑法第 176 条）</td><td>断れば危害を加えると脅し、性器を触る。</td></tr>
<tr><td>金品をたかられる。</td><td>恐喝
（刑法第 249 条）</td><td>断れば危害を加えると脅し、現金等を巻き上げる。</td></tr>
<tr><td rowspan="2">金品を隠されたり、盗まれたり、壊されたり、捨てられたりする。</td><td>窃盗
（刑法第 235 条）</td><td>教科書等の所持品を盗む。</td></tr>
<tr><td>器物損壊等
（刑法第 261 条）</td><td>自転車を故意に破損させる。</td></tr>
<tr><td rowspan="2">冷やかしやからかい、悪口や脅し文句、嫌なことを言われる</td><td>脅迫
（刑法第 222 条）</td><td>学校に来たら危害を加えると脅す。</td></tr>
<tr><td>名誉毀損、侮辱
（刑法第230条、231条）</td><td>校内や地域の壁や掲示板に実名を挙げて、「万引きをしていた」、気持ち悪い、うざい、などと悪口を書く。</td></tr>
<tr><td>パソコンや携帯電話等で、誹謗中傷や嫌なことをされる。</td><td>名誉毀損、侮辱
（刑法第230条、231条）</td><td>特定の人物を誹謗中傷するため、インターネット上のサイトに実名を挙げて「万引きをしていた」、気持ち悪い、うざい、などと悪口を書く。</td></tr>
<tr><td>パソコンや携帯電話等で、誹謗中傷や嫌なことをされる。</td><td>児童ポルノ提供等
（児童買春、児童ポルノに係る行為等の処罰及び児童の保護等に関する法律第 7 条）</td><td>携帯電話で児童生徒の性器の写真を撮り、インターネット上のサイトに掲載する。</td></tr>
</table>

幼児期におけるいたずらは「いたずら」として見のがされがちです。幼児の発達から考えて、大人や他児の関心をひこうとする場合もあるかと思われますが、幼児期から「他者を思いやり自分を大切にする心を育てる」ことが大切です。

文部科学省が発表した、令和 4 年度の国立、公立、私立の小・中学校の 30 日以上の不登校児童生徒数が約 29 万 9000 人です。そのうち学校内外で相談を受けていない児童生徒数が約 11 万 4000 人で、90 日以上の欠席している生徒数は 5 万 9000 人でした。それぞれの数値は過去最高でした。

小・中・高・特別支援学校におけるいじめの認知件数は約 68 万 2000 件、うち重大事態の発生件数は 923 件、それぞれ過去最高の結果となりました。また、小・中・高等学校での自殺した児童生徒が 411 人でした。また、暴力行為の発生件数は約 9 万 5000 件、過去最高との結果も明らかになりました。

〔異常行動〕

正常と異常の相違は判断に迷うことがありますが、一応ここでは、正常（常識的）から逸脱した行動を異常行動と定義しておきます。

子どもの異常行動というのは、生理的・社会的行動の異常などが挙げられ、社会的行動の異常が大きく、神経症的不安・退行的行動・多動・注意散漫・反抗など多種にわたっています。治療法としては初期経験、薬物による治療とともに、症状を条件づける諸療法を用いて人格を変容させることが大切です。

〔一時的保育事業〕

女性の就労の増加や断続的勤務、短時間勤務などの勤務形態の多様化、保護者の疾病などの、緊急一時的な保育の需要に対応するために、1990（平２）年から実施されている制度です。その内容は、「非定形的保育サービス」（パート就労や就学などによるもの）と「緊急保育サービス」（疾病や冠婚葬祭などの場合）と「私的サービス事業」に分けられます。実施主体は市町村で、保育所に委託して行っています。この事業の対象となる児童は、保育所に入所していない就学前の児童で週に３日を限度として、１ヶ月に 14 日間まで預かることを原則としています。専用の部屋の面積は 30 ㎡以上です。また、事業を担当する保育士を配置することになっています。保護者は飲食費などの利用料を負担します。1995（平７）年、「特別保育事業」に統合され、非定形的保育の１日当たりの人員はおおむね 10 人程度です。時間は、午前８時 30 分～午後４時（土曜日は午前 11 時 30 分）までですが、家庭の状況により、保育時間の延長もあります。

〔１歳６か月児健康診査〕

１歳６か月児の健康診査は、1977（昭 52）年度から、母子保健対策の一貫として、市町村の事業に位置づけられて実施されるようになりました。１歳６か月という時期は、乳児から幼児への移行期に当たり、身体発育と精神発達をチェックして、心身の障がいを早期発見することになっています。また、母親や保護者に対して、適切な発育・発達を可能にする食事などに関する栄養指導を行うとともに、歯科保健指導にも重点を置くこととしています。

〔一斉保育〕

幼稚園や保育所における保育形態や保育方法の一つで、学級や学年全体で同じ活動を保育者主導のもとに行う活動をいいます。1989（平元）年に幼稚園教育要領が改訂され、一人一人の幼児の主体性を尊重する保育の形態が主体となり、保育現場における保育形態や保育方法としては影を潜めていきました。しかし、一斉保育の形態がすべて否定されるものではなく、一人一人の興味関心が幼児の間で共通のものとなって活動が広がり、外見的にみんなが一斉に同じ活動をしているように見えることもあります。また、保育者の願いを踏まえて活動の見通しを持ち、幼児期にふさわしい生活として行う一斉保育は有効な保育方法でもあります。しかし、保育者は幼児の発達や興味関心を十分捉えて、管理的な保育に陥らないよう一人一人について留意する必要があります。⇒〔愛染橋保育所〕

〔溢乳（いつにゅう）〕

乳児が授乳後に乳を少量口から出したり、げっぷで吐いたりすること。首が座る生後３ヶ月ごろまでの赤ちゃんの胃の入り口の筋肉も発達していないので、胃に入ったミルクやおっぱいが逆流しやすくなっています。噴水状に吐くときは、幽門狭窄症などの腸の病気や髄膜炎など可能性もあります。病院を受診することが大切です。

〔遺尿〕

夜間に起こる排尿の失敗は夜尿といいますが、目を覚ましている時に排尿の失敗や意識しない内に膀胱活躍筋の統制が不十分で排尿することを遺尿といいます。夜は夜尿、昼は遺尿と定義しています。排尿の失敗も他の発達と同様に自立にも個人差があります。普通両者とも２～３歳になると膀胱活躍筋の統制で排尿の失敗はまれになります。治療法としては、排尿をコントロールできるように育てることですが、原因が生理的か心因的かを確かめてそれに応じた治療をすることです。生理的要因は医学的治療を先行させ、心因的要因の場合は、精神的葛藤など親の養育態度を改めることによって改善されていきます。

〔異年齢交流〕

幼稚園・保育所での学級は、基本的には同年齢の幼児で編制することとなっています。したがって幼稚園の生活では、一般的に同年齢の幼児間の交流が多くなります。近年、少子化、社会環境の変化などにより家庭や近隣社会において、年齢の異なる子ども同士の触れ合いが少なくなっており、このような現状を踏まえ、幼稚園や保育所においても学級の枠をはずし異年齢の交流を意図的に行うようになりました。このような異年齢の交流を意図的に行う保育は、解体保育や異年齢混合保育とも呼ばれ保育現場でさまざまな実践が試みられています。保育の場における異年齢の交流では、年長児にとっては自覚や責任感が養われ、年少児にとっては見習ったり、憧れを持ったりして意欲を喚起することにもなります。今日少子化がますます進み、幼稚園への入園者の減少から、必然的に異年齢学級が編制され、交流が行われている幼稚園もあります。⇒〔縦割り保育〕

〔インクルージョン〕（inclusion）〔包摂〕インクルーシブ教育

人間の多様性をそれぞれ尊重し、障がいのある者、障がいのない者が共に学び、一人一人の教育的ニーズにあった適切な教育的支援を通常の学級において行い、相互理解を深め、社会参加を可能にする教育。

〔インテイク〕

専門的相談を求めて来たクライエントに対する最初の面接のことをいいます。相談内容が何であるか、助言・検査・治療であるかを明らかにします。初回のみで目的が達することなく継続的相談・検査・治療が必要であるかどうかを明らかにする必要があります。したがって初めて接するので安心感・信頼感をクライエントに与えることが先決です。自分が責任を持って相談できるか、他の機関との協力関係において引き受けるか、全面的に他の機関に依頼するかなど責任を持って対応することが必要です。

〔咽頭結膜熱（いんとうけつまくねつ）（プール熱）〕

アデノウィルスが原因で、盛夏から初秋に多くみられる小児の夏風邪の一種です。発病すると38～40℃の熱が４～７日間続き、咽頭炎、結膜炎を起こします。常にこの三症状があるとは限らず、一つ二つの症状が出る場合もあり、感染しても発症しない場合もあります。しばしば夏のプールを介して小流行するので、プール熱とも呼ばれます。

ウィルスは患者の咽頭より約２週間、糞便（ふんべん）より数週間排泄されてそれが感染源となります。又、タオルの共用や手指を介した感染もあります。特効薬はありませんが対症療法により１週間くらいで治ります。

〔インフルエンザ〕

インフルエンザはウィルスによって起こる、学校で予防すべき伝染病の一つです。潜伏期は１～２日で急な悪寒（おかん）、頭痛、高熱、食欲不振、疲労脱力感、筋肉痛、関節痛を伴い、咽頭痛、咳など呼吸器症状が現れます。

インフルエンザウィルスに有効な薬剤はありませんので、治療は安静、保温、水分補給、栄養補給、解熱剤など対症療法を行います。学校感染症の第二種に分類されているため、インフルエンザと診断された園児・児童には「出席停止」の指示が出され、解熱した後５日を経過し、かつ解熱した後２日（幼児にあっては３日）を経過するまでは登校（園）できません。

〔飲料水検査〕

学校（園）での飲料水は十分に管理する必要があります。学校（園）での飲料水管理は日常点検と定期検査があり、定期検査は学校（園）の薬剤師の指導と助言の下によって行われ、日常点検は教職員で行うことができます。項目は、①外観、②臭い、③味、④残留塩素――です。①～③は検査実施者の五感で行いますが、④については簡易残留塩素測定機を用います。ＤＰＤ試薬を用いて測定し、遊離残留塩素が0.1 mg / ℓ 以上認められることが必要とされています。結果は記録しておき、もしも異常があれば直ちに園長・校長に報告し薬剤師に連絡します。

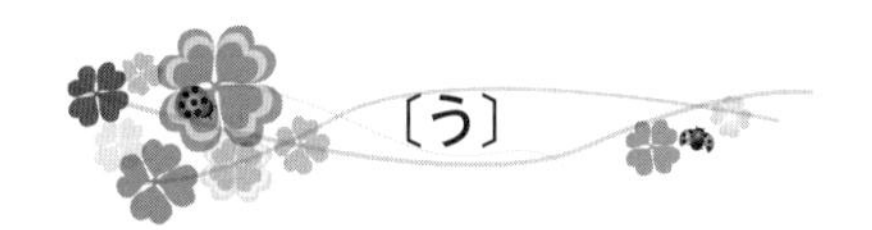

〔ヴィゴツキー（1896 ～ 1934）〕

ロシアの心理学者です。ヴィゴツキーは、子どもを取り巻く社会的世界と子ども自身の心理的世界との間に密接な関係があることを強調しました。特に子どもの精神発達の理論、中でも新しいレディネスの概念「発達の最近接領域」は最も重要なものです。子どもが現在達している発達水準から、さらに困難な水準の課題に自ら挑戦し、到達できるようにすることが教育であると主張しました。従って教育は、発達の最近接領域を創り出すことであり、発達の後から進むのではなく、先回りをしてこれを導き出さなければならないとしました。遊びと発達の関係も同様で、子どもは本質的に遊ぶことを通して発達するとして遊びの重要性を強調しています。そして、子どもたちが最もよく発達することを保証するような幅広い刺激を持つ環境の必要性を説いています。

〔うつぶせ寝〕

「うつぶせ寝」とは、下を向いた状態で寝ている状態のこと。SIDS（乳幼児突然死症候群）においては、うつぶせ寝をしているときの発症率は、あおむけ時よりも高いことが報告されています。

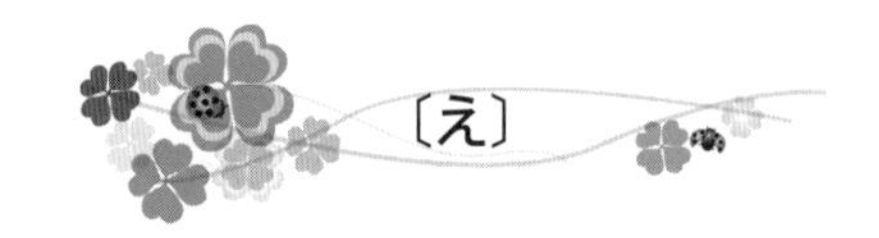

〔え〕

〔永久歯〕

永久歯は、満6歳～7歳頃に、第1大臼歯（6歳臼歯とも呼ばれる）が生え、続いて乳歯発生の順序で乳歯から永久歯に生え変わり、13歳から16歳頃に第2大臼歯、17歳から25歳頃に第3大臼歯（親知らず、または智歯とも呼ばれます）が生え、合計32本となります。この時期を「第2生歯期」といいます。乳歯も永久歯もう触（齲歯）の可能性があり、う触は完治すること（元の健康な歯に戻ること）はあり得ませんので、う触を起こさないように予防・管理することが大切です。

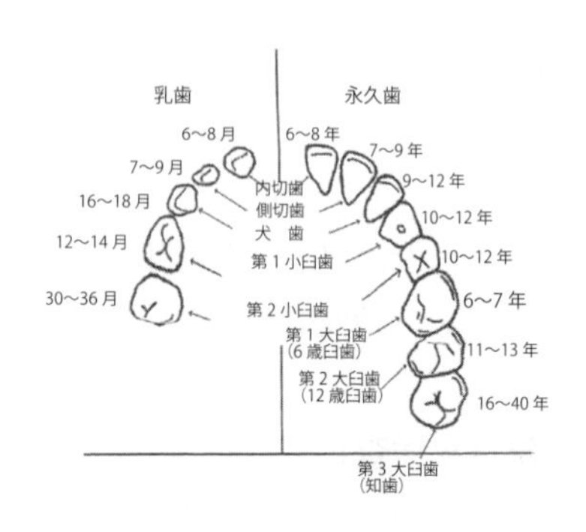

〔AIDS（エイズ）〕

後天性免疫不全症候群の略で、ヒト免疫不全ウィルス（HIVまたはエイズウィルス）の感染によって起こります。1981（昭56）年にウィルス性疾患として認められて以来、年々感染者数及び死亡者数を増やしていますが、いまだ効果的な治療薬・治療法のない疾患です。

HIV感染は医療器具、輸血用血液や血液製剤等の安全管理に加え、避妊具の使用の普及などで予防できます。

〔ABO式血液型〕

赤血球に見られる抗原物質の一種である血球抗原AとBの組み合わせによって血液型を四種類に分類する方法です。

血中の血球抗原がAのみの場合をA型、Bのみの場合をB型、両方の場合をAB型、そして血球抗原を持たない場合をO型と分類します。

一方、血清中には赤血球に対する抗原、すなわち血液凝集素 α と β があり、抗原Aは凝集素 β と、そして抗原Bは凝集素 α と反応して血液を凝固させます。このため、輸血などの際には供血者と受血者の間で血液型を一致させることが重要で、交差適合試験が不可欠となります。⇒〔Rh式血液型〕

〔栄養教諭〕

学校教育法（昭22、法律22）が改正（平19、法律98）されて、学校には栄養教諭を置くことができるようになりました。幼稚園には、学校教育法第27条で「副園長、主幹教諭、指導教諭、養護教諭、栄養教諭、事務職員、養護助教諭その他必要な職員を置くことができる。」とし、第37条は小学校の職員の規定条文ですが、幼稚園において準用されることとなっています。37条13項「栄養教諭は、児童の栄養の指導及び管理をつかさどる」とされており、栄養教諭の職務が規定されています。

幼稚園児の栄養管理を担当し、個々の園児の発育状況について常に把握し、保護者と連携しながら栄養面の指導を行うことを業務とする教員ということになります。

学校給食栄養職員が、栄養教諭の資格を習得するためには一定の経験年数と免許認定を受講し、必要単位数を取得すると授与されます。

〔栄養失調症〕

重い疾患がないのに食物のカロリーあるいは栄養素の不足が原因で栄養の低下をきたし、痩せ・浮腫（ふしゅ）・疲労・倦怠感（けんたい）・無気力・下痢などを起こすものを栄養失調症といいます。

近年、我が国においては高度の栄養失調症は見られなくなったといわれていますが、地球規模で見れば、開発途上国では蛋白質不足による栄養失調が多い状況にあります。栄養失調の原因としては、第１に母乳の不足、ミルク不足又はミルクが薄い、離乳の遅れが考えられ、それぞれの原因に応じた処置が必要です。

〔疫痢（えきり）〕

疫痢は、細菌性赤痢の重症型で２～６歳くらいの小児にみられる疾患です。血圧低下などの循環障害を引き起こし、単時間で死に至ります。日本では、1994年に死亡例が報告されているものの1964年以降は、ほとんどみられなくなりました。

〔エゴイズム〕

本来、乳幼児は自己中心的で自分の欲求を充足することしか考えていないのが普通です。それが成長するに従って、他者との人間関係の中で欲求をコントロールすることを体得していきます。しかし、その人間関係に何らかの歪み（ひず）が生じたり、その過程に障害が起こると抑制力のない自己中心的な子どもが育ちます。「わがまま」「協調性のなさ」「見栄っぱり」等々の態度が日常化します。その原因は過保護・溺愛（できあい）など、心理的・物質的に恵まれ過ぎるとこの行動が多発し自己中心的な人間となります。これは、極端にいえば子ども本人の問題でなく、子どもを取り巻く人間関係に問題があり、養育態度にも問題があります。

〔エディプス・コンプレックス〕

フロイトの説で無意識心理の精神分析の基本概念の一つで、フロイトは幼児にも性的な意識・行動が存在するとし幼児は3～4歳から男根期に入り6～7歳まで続くと説きました。男根期に入ると、幼児は性に目覚め、異性の親に性的関心を持つようになり、特に男子は、母親に対して性欲の兆しが現れ、父親を恋敵として父親をしっとしたり、父親の不在を願うようになります。反面男子も父親を愛しているので自分の抱いている敵意を苦痛に感じ父親に罰せられないかと不安を持ちます。異性の親に愛着、同性の親に敵意、罰せられないかという不安を持つ観念複合体を、エディプス・コンプレックスと名づけました。

〔ADHD（注意欠如・多動性障害／注意欠陥・多動性障害）〕

ADHAD（注意欠陥・多動性障害）とは、身の回りの特定のものに意識を集中させる脳の働きである注意力に様々な問題があり、または、衝動的に落ち着きのない行動により、生活上、様々な困難に直結している状態を言います。

注意欠陥多動性障害のある子供が各教科等を学ぶ場合、障害による困難さに対する指導上の工夫や個に応じた手立てが必要となります。例えば、黒板の周囲の掲示物を減らしたり、座席の位置を前方にするなど、教育における合理的配慮を含む支援が必要です。学習指導要領総則のほか、各教科等編の解説に示されている「学習活動を行う場合に生じる困難さに応じた指導内容や指導方法の工夫」等を参考とし、子供一人ひとりの教育的ニーズを踏まえ指導うるようにしています。

〔エピソード（挿話）分析〕

ある事象を説明するために、記憶していることや観察した個人的な出来事を文章化したものを分析して、全体の理解に役立てる研究法をいいます。幼児教育現場では、幼児理解のために有効な方法です。一般に保育者は、一日の保育を終えて自分の保育を振り返り、幼児との関わりを詳察します。その時、記憶に残っている出来事や幼児の姿をエピソードとして書き残して行きます。幼児理解を深めるためには、個人について継続的にエピソードを蓄積していき、蓄積されたエピソードを読み取ることによって、個人の姿をより客観的に理解することができます。保育の場面の具体的な姿の一つ一つを詳しく記録したものを集めて、保育者の関わりの傾向を知ることもできます。本来エピソードとは「挿話（そうわ）」のことで、前後の脈絡を意識しない短文を意味していますが、保育研究に用いられるエピソードとは、実際の出来事を要領よくまとめた話としての機能を果たしています。保育者がエピソードとして書き留めて置きたいと思う出来事は、保育者自身が「ハッ」としたことや子どもらしい発想、意外性など、子どもから学ぶことが多く見られます。

〔エピペン〕エピペン注射

ハチ毒等の虫刺されや、食物アレルギー、薬物などによるアナフィラキシーに対する緊急補助治療に使用される自己注射薬です。

「エピペン」は本来、本人もしくは保護者が自ら注射する目的で作られたものであり、子ども、もしくは保護者が管理・注射することが基本です。しかし、保育所においては、低年齢の子どもが自ら、管理・注射することは困難であり、緊急時には保育士が注射することも想定されることから、保育所職員全員の理解と 保護者、嘱託医との十分な協議、連携のもと、「エピペン」の保管等の体制を整えることが必要です。

〔エプロンシアター〕

エプロンシアターとは、胸当て式のエプロンに、面ファスナー（マジックテープ、マジックファスナー等）を縫い付け、そこに布で作った登場人物を貼り付けながら、物語を演じるものをいいます。幼稚園や保育所等で、保育者が子どもに話を聞かせる一つの方法として用いられています。子どもたちは、演じ手（保育者）が、エプロンのポケットから人形を取り出すことに大変興味を持ち、特に年齢の低い子どもたちに話への動機づけとしては、非常に効果的です。子どもたちは、信頼する保育者が身に着けているエプロンに、親しみや安心感を持ちます。このようにエプロンシアターは、演じ手が身につけているエプロンが舞

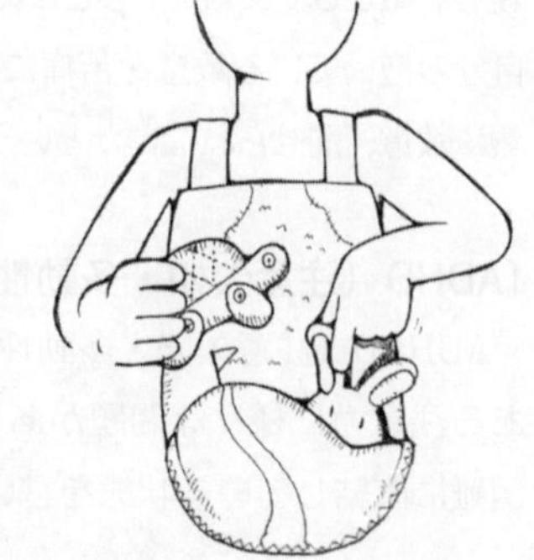

台となっていることに意義があります。大人は、エプロンを「舞台」とみますが、子どもは大好きな保育者の体そのものと見ています。すなわち、保育者そのものが物語りになっていますので、そのものに同化してより深く目的や感情を知ろうとします。エプロンシアターを見るときの子どもたちの集中力は、保育者との信頼関係を基盤としています。従って演じる者は、語り手ではなく、登場人物そのものになり切ることが必要です。人形をポケットから出し入れするだけではなく、人形を持って子どもたちの中に入っていくなど、動きを大きくして演じることも必要です。

〔エボラ出血熱〕

エボラウィルスの感染によるウィルス性出血熱を伴う疾病で、中央及び南アフリカでまれに発生します。2～21日の潜伏期間を経て急に発病し、2～3日で状態は急激に悪化、6～9日で激しい出血とショック症状を呈し、患者の半数以上は死に至る致死率の高い感染症です。感染経路は明らかにされていませんが、患者や感染動物の血液・体液などへの接触と考えられています。

治療法やワクチンは開発されていませんので、人や動物の移動に伴うウィルスの拡散を防ぐことが重要です。

〔『エミール』〕

フランスの思想家ルソーが1762年に出版した世界で最も優れた教育書の一つです。一人の男の子の出生から青年期まで一人の教師の教育理念によって、新しい人間像を目指して育て上げるという小説です。第1編は総論と乳児期、第2編は幼児、児童期、第3編は少年期、第4、第5編は青年期の教育について書いています。この小説の特色は、新しい人間を純粋培養することによって、より良い社会を創ろうとしているところにあります。そして、その理念に対する教育方法が具体的に示されている点です。『エミール』は一般に「自然の教育」「消極的教育」などといわれていますが、これは、虚飾に満ちた注入主義の教育を行わないという意味で「消極的」であり、環境設定の面ではむしろ「積極的」であるといえます。また、人間の本性を発揮させるという意味で「自然」と解釈するべきでしょう。今日、保育を学ぶものにとって必読の書といわれていますが、その奥に潜んでいるルソーの真意を読み取ることが大切です。

〔MMRワクチン（新3種混合ワクチン）〕

はしか（Measles）、おたふく風邪（Mumps）、風しん（Rubella）の3疾病を予防する混合ワクチンのことで、それぞれの頭文字をとってMMRワクチンといっています。ワクチンは、ウイルスやその毒性を弱めたり、不活性化して、抵抗力をつける医薬品です。

日本では1988～1993年まで実施されていましたが、ムンプスワクチンによる無菌性髄膜炎発生率が高いことが問題になり、現在では個別接種が行われています。

〔エリクソン（1902～1994）〕

米国の精神分析学者で、フロイトの人格発達の心理性的段階をもとに自我発達の心理社会的段階を発達分化と同一性（アイデンティティ）の概念を用いて理論化しました。子どもの自我が遊びの中で成長することに注目し、遊びを治療に活用しました。自我の発達の観念から社会にどのように適応していくかを論じ、乳児期に始まり成熟期に至るライフサイクルを８段階に区分しました。各段階で解決されなければならない課題を成功的、不成功的な両極端の言葉で示しています。各段階は次の通りです。

①乳児期：信頼対不信、②幼児前期：自律性対恥・疑惑、③幼児後期：積極性対罪悪感、④児童期：勤勉性対劣等感、⑤青年期：同一性対同一性拡散、⑥初期成年期：親密感対孤独感、⑦成年期：生殖性対自己吸収、⑧成熟期：自我統合感対嫌悪・絶望

特に生後１年頃までの乳児期において、母親との間に形成される信頼感を基本的信頼感とし、人間としての基本的態度を培う要因になるとしました。母親の子どもに対する愛情豊かな適切な対応を重視しています。主著『幼児期と社会』(1950) では、人生の第一の不平等が子どもと大人の関係であるとし、無力な子どもの依存性を安易に利用する大人の意識と行動を告発しています。他に『洞察と責任』『自我同一性』『玩具と理性』などの著書があります。

〔エレン・ケイ（1849 ～ 1926)〕

スウェーデンが生んだ偉大な女性解放の運動家であり、教育思想家でもあります。20 歳代は政治家である父親の秘書をしていましたが、婦人解放運動にも取り組むようになりました。その後教職につく傍（かたわ）ら、文筆活動を盛んにし、19 世紀から 20 世紀初頭にかけて活躍し、多くの著作を残しました。中でも 1900 年に出された『児童の世紀』は有名で、「20 世紀は児童の世紀である」という言葉が多くの人々によって語られました。他に『恋愛と結婚』『婦人運動』があります。彼女の教育思想の基本は、意図的にプログラム化された教育からは、決してオリジナルな新しい考え方や人格は生まれてこないというものであり、幼少年期における画一的、形式的な教育を排しています。日本においては、女性解放の面から、大正時代に多く紹介され、日本の婦人運動に大きな影響をもたらしました。

〔園医〕

学校保健安全法にいう「学校医」のことで（幼稚園には園医、保育所には嘱託医)、学校における保健管理に関する専門的事項に関し、技術の提供と指導にあたることになっています。

具体的には、①学校保健安全計画の立案に関与、②学校環境衛生の維持改善の指導、③健康診断、④疾病の予防措置と保健指導、⑤健康相談、⑥感染症予防の指導と感染症及び食中毒の予防措置、⑦救急処置、⑧就学時健康診断や職員の健康診断、⑨その他の指導―――を行います。公立学校における学校医は、地方公務員法上非常勤の嘱託の性格を持つ「特別職」となり、学校歯科医、学校薬剤師も同様です。

〔園外保育〕

幼稚園や保育所などで、保育の場を施設の外に移し、直接かつ具体的にさまざまな体験をさせる保育をいいます。幼児を園外で自然に親しませようとする保育の考え方は、明治の末頃から多く取り入れられるようになり、1926（大 15）年の幼稚園令の中で「観察」という項目が加わり「手技等」の「等」に含まれるものとして、徒歩による園外での保育が定着してきました。今日では、一日の保育時間の中で、散歩をしながら近隣の自然や社会環境を観察するものや、交通機関を使っ

て一日を園外で過ごすものなどがあります。芋堀りや虫取り、ドングリ拾い、動物園や水族館、プラネタリウム見学などの自然と触れ合う体験や、商店街、町の博物館、老人施設の訪問なども行われています。また年長児などでは、園外で一泊する宿泊保育も行われています。園外保育実施にあたっては、事前の下見を十分にして安全に留意しなければなりません。⇒お泊まり保育

〔エンカウンター・グループ〕

これは感受性訓練といわれるものと同様に、人間の主体性の回復を目指す有効な人間関係の訓練方法の一つであり、「出会いグループ」ともいわれています。ロジャーズのエンカウンター・グループ手法の来談者中心療法の中から、人間開発の原理が個人的人間関係からグループ内の人間関係に拡大されたものです。方法としてグループの構成は、10名程度で構成し、リーダー（１～２名）と構成員によって、個人的表現、感情の探求、相互の人間関係のため全く自由な雰囲気でメンバー間の相互作用の中で、深い愛情と信頼感を起こさせ、その結果日常生活の中で、他人とより適切で効果的な関係を持つようにするトレーニング方法です。

〔援助〕

幼稚園や保育所において、一人一人の幼児の興味や関心を捉(たずさ)え、一人一人の幼児の発達特性やその子らしさを受け止めながら、発達を支える保育者の活動を総称して援助といいます。一般的に幼児期の教育では、保育者が一方的に知識や技能を教えて身につけるものではなく、生活の中で自分の興味や欲求に基づいた直接的、具体的な体験を通して身につくものです。しかも一人一人の発達には共通性が見られますが、生活経験の違いや月齢差によって一人一人違うのが普通です。援助には、直接的な援助と間接的な援助があります。直接的な援助とは、遊具や用具の使い方に戸惑っていれば教える、できないことに力を貸す、幼児とともに活動するなど保育者自身が保育に参加する積極的な関わりが援助といえます。間接的な援助では、ヒントを与える、アイデアを出す、幼児の活動の停滞を見通して素材や用具などを加えたり削除したりなど環境の再構成や保育者自身の人的環境も間接的な援助といえます。これらのことから考えて、幼児期における指導は援助であるともいえます。⇒〔支援教育〕

〔エンゼルプラン〕

エンゼルプランとは、1994（平６）年に制定された「今後の子育て支援のための施策の基本方針」の呼び名です。これに先立ち、「21世紀福祉ビジョン—少子・高齢化社会に向けて—」を受けて策定されたもので、当時の文部、厚生、労働及び建設の各大臣の合意で、次の５項目を施策の基本的方向として掲げています。

①子育てと仕事の両立支援の推進　②家庭における子育て支援
③子のための住宅及び生活環境の整備　④ゆとりのある教育の実現と健全育成の推進
⑤子育てコストの軽減

1999（平11）年12月に「少子化対策推進基本方針」に基づき、大蔵・文部・厚生・建設・自治の各大臣の合意によって「重点的に推進すべき少子化対策の具体的実施計画について」が2000（平12）～2004（平12）年まで計画されました。

①保育サービス等子育て支援　　　　　　②仕事と子育ての両立
③働き方についての固定的な性別役割分担や職場優先の企業風土の是正
④母子保健医療体制の整備　　　　　　　⑤地域で子どもを育てる教育環境の整備
⑥子どもたちがのびのびと育つ教育環境　⑦教育に伴う経済的負担の軽減
⑧住まいづくりやまちづくりによる子育て支援
等の施策を〔新エンゼルプラン〕と呼んでいます。

〔エンパワーメント〕

エンパワーメント（empowerment）とは、差別を受けているなど、社会的に弱い立場に立たされている人が、自分が本来持っている個性や力の大切さに気付き、自分の存在を肯定的に捉え、他者に向かって発言し、社会を、自らの力を全面的に発揮できるような環境へと変えていくようになっていくことやそのプロセスを指します。日本では、このエンパワーメントの思想は、1990年代から、女性、人権やマイノリティ運動の中で使われるようになってきました。エンパワーメントを「弱者への力づけ」と、外から力を与えるという意味で理解される傾向がありますが、むしろ逆の意味を持っており、社会的な関係性の中で「弱者」と位置づけられている人々が、自らの内なる力を発見し、他者との関係性をよりよいものに変革していくことにこそ、その真意はあります。そうした意味で、エンパワーメントの思想は、さまざまな違いを持っている人々が共生できる社会の根本思想の1つであるといえます。

〔延長保育〕→　長時間延長保育

特別保育事業として、延長保育として規定されていることは、11時間の開所時間の前後において、さらに概（おおむ）ね30分以上6時間までの保育を行うことです。対象児童には、保育所の児童、放課後の児童がそれにあたるとされています。そして、特に2時間以上6時間以内の延長保育の場合を「長時間延長保育」として区分しています。

〔エンデ（1929～1995）〕

ドイツの児童文学作家、小説家及び俳優です。ミュンヘンの演劇学校で学び、俳優のかたわら劇作家を目指しましたが、作品が認められず、1960（昭35）年に初めて書いた童話『ジム・ボタンの機関車大旅行』で翌年のドイツ児童文学賞を受けました。これをきっかけに児童文学作家となり、1973（昭48）年、時間の倹約を呼びかける『灰色の男たち』から、人間らしい時間を取り戻してくれる女の子のスリリングな冒険物語『モモ』を発表し、再びドイツ児童文学賞を受賞し、以後世界各国に知られる作家として活躍しました。豊かな人生哲学を含み、現代社会を鋭く風刺するファンタジーは、大人も共感するものを多く持っています。

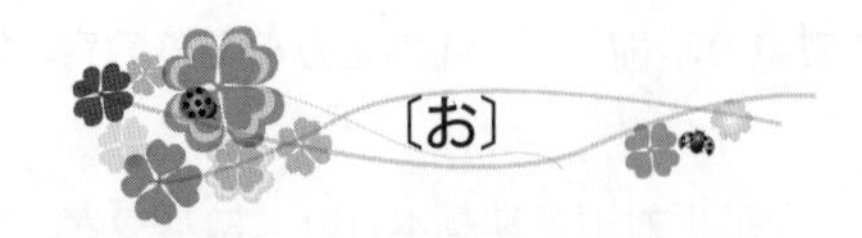

〔O157〕⇒〔腸管出血生大腸菌感染症〕参照

〔応答的環境〕

子どもが話しかけてくることに対して保護者が愛情を込めて応える、又は子どもに対して優しく問いかけ、返ってくる子どもの言葉を受けとめるといった相互作用のある環境のことを言います。この考え方は、アメリカの発達心理学者ハントによるもので、ハントは、アメリカにピアジェ理論を導入し、ヘッドスタート計画の推進に当たって理論的根拠を提供したとして知られている人です。ハントは、環境条件によって知的発達が可塑(かそ)性を持つこと、子どもが環境と関わる際に、自分の能力に気づき、これを使いたいという内的動機づけによって環境との関わりが促進されるとしました。この気づきは、子どもが過去に蓄積した経験や知識と新たに取り入れる刺激との間に生ずるズレによるものであるとし、そのようなズレを生じさせる環境を「応答的環境」と呼び、その環境が発達を促進するといっています。今日の幼児教育の基本は、環境を通して行うものとしています。環境に関わる子どもの力を大切にするとともに、環境を構成する保育者の側も、子どもの能力と適切なズレを持った環境を構成することが求められます。

〔オーエン（1771 ～ 1858)〕

イギリスにおける幼児学校の創設者です。産業革命期のイギリスで、自分の経営する紡績工場の労働者の生活の向上に努め、中でも労働者の子弟の教育に努力しました。1816 年、ニューラナークの紡績工場内に、「性格形成学院」を創設し、幼児学校（1 歳～ 5 歳)、昼間学校（5 歳～ 10 歳)、夜間学校（10 歳～ 15 歳）の 3 部から構成し、幼児や児童の教育を行った。オーエンは「良き性格は環境内に形成される」という「環境教育論」を主張し、この施設がイギリスの「幼児学校」運動の口火となった。

〔オージオメータ〕

聴力の検査に用いられる計器のことで、日本工業規格（JIS）で定められている正常人の最小可聴閾(いき)値の平均値（平均閾値）を基準＝ 0 dB（デシベル）としています。聴力はこれを基準に周波数や音の強さをダイヤルで調節し、基準値よりどれだけ大きな音（dB）でないと聞き取れないかという値を測定します。学校保健法に定められた健康診断では、周波数の 1,000 ヘルツと 4,000 ヘルツの音について、それぞれ 30dB（1,000Hz）と 25dB（4,000Hz）の音量での聞き取りの可・不可をもって聴覚障害の有無のスクーリーニング検査をするとしています。

〔オーベルラン（1740 ～ 1826)〕

フランスの牧師で、赴任した村の経済発展を図る一方親が働いている間放任されている子どものために「幼児保護所」を開設、6 歳すぎから入る「中間学校」大人を対象とした「編み物学校」を開設しました。

〔お泊まり保育〕

園外保育の一つとして位置づけられている「宿泊保育」と同義語で、「お泊まり保育」という用語は幼児や保護者の間で使用されています。今日実践されている宿泊保育は、私立の幼稚園において多く見られます。宿泊保育は、幼児が自然にじっくり触れ合う機会を生み出すために、「少年自然の家」などの施設を利用して行うものや、幼児同士の触れ合いを深め、社会性を育てるという意味から自園で行うものもあります。いずれにしてもその目的をしっかり持って臨まなければなりません。宿泊を伴うということで、年長児でも負担に感じることもあります。特に日常生活の過ごし方や、夜尿、疾病などについて、事前に保護者と話し合う必要があります。園外での場所選定に当たっては、入念な下見をして幼児にとってふさわしい施設であるかどうかをチェックする必要があります。

〔オノマトペ〕

主に自然界にある音や声など、人の言語で表現した言葉でです。例えば、「ブーブー」「わんわん」「にゃーにゃー」や、音には聞こえませんが、「ドキドキ」「ワクワク」のように、感覚的な表現もあります。擬音語、擬声語、擬態語等々があります。言葉が未発達な子どもたちが相手でも伝わりやすい、覚えやすい、発声しやすいといったメリットがあります。

オノマトペを使用することは、子どもたちが多くの言葉に触れ、多くの言葉を話し、心の成長にもつながります。

〔オペレッタ〕

「オペレッタ」とは、保育園や幼稚園、認定こども園で発表会やお遊戯会などの行事の際に子どもが演じるミュージカルのような出し物のこと。子どもが歌ったり、踊ったり、演じたりする表現活動の一つです。イタリア語で「小さいオペラ」を意味します。

〔親業（おやぎょう）〕

アメリカの心理学者ゴードン（1918 年～ 2002 年）が提唱した、親が子どもに対する効果的な訓練プログラムのことです。親業訓練では、つぎの３点が強調されます。

（1）子どもの気持ちを受けとめるべく、共感的かつ受容的な態度で、積極的に耳を傾ける。
（2）子どもの言動を受容できないときにも、子どもを非難することを避け、親としての気持ちや意見を率直に語りかける。
（3）親子の意見や思いが対立した場合、お互いが納得できるような解決策を探す。

最近、核家族化、家族意識の稀薄化、近隣関係の変化等によって子どもへの接し方が複雑化し、従来の親子関係の絆が変化してきたように思われます。親と子のあり方がどうあるべきかについて、親子が共感し、互いに受容し、尊重しあうことを主唱して、親の子育てのあり方を理論化しています。

〔親子関係〕

親と子どもの人間関係をいいます。親子関係は父子・母子関係を一括した表現であり、子どもが乳幼児の間は特に母子関係が重要であって、子どもが最初に接し体験する人間関係が母親です（特に母親の存在は成長後の手本となる）。親は責任を持って、子どもを養育し、しつけをします。子どもはこれを受動的に受け入れ、また親の日常生活から、多くのことを学習します。親子関係の在り方は、子どもの全人格的発達に大きく影響するので、その責任は大です。また、両親の間の人間関係が安定していなければ子どもは混乱して、どちらの親に従うべきか困ることになります。両親の間に子どもの養育の不一致がないことが大切です。

〔親子関係診断テスト〕

サイモンズの親子関係テストの構想を品川不二郎が、親子関係診断テストを考案し、広く教育相談に活用されています。内容は、第１部と第２部に分かれ（〔親用〕と〔子用〕）、親用には親が自分の態度と行動と子どもの問題とを記入し、子用には子どもが親の態度と行動と自分自身の問題とを記入し、それを定められた基準で採点し検査結果を子どもの養育に活用するものです。子どもの問題の多くは、家庭（親）から起こっているといわれています。毎日の家庭生活の中で、親がどのような態度で子どもに接しているか具体的に知ることによって、親と子の間の問題点を少しでも科学的に診断し、明るい家庭をきずくため活用する場合が多くあります。

〔オルフ（1895 ～ 1982)〕

今世紀のドイツを代表する作曲家です。彼の提唱した音楽教育は、「音楽劇」と呼ばれ、身振り手まね音楽を目指し、子どもが自ら音楽を作り出す即興的表現を大切にするというものです。音楽だけを単独に取り出すのではなく、聴く者と表現する者を分けない音楽を理想とし、これまでの音楽教育の考え方と大きく違っています。また、創造的表現は無から生まれるのではなく、系統的な指導が重要であるとしました。一定の指導方法を示すものではなく、その理念を自国の伝統的音楽文化に適用して展開すべきものとされています。

〔恩物（おんぶつ）〕

幼稚園の創設者フレーベルによって考案された一連の教育遊具の総称です。1876（明９）年、東京女子師範学校附属幼稚園設立時に、関信三によって「神からの贈り物」(das Gabe) を「恩恵によって仏や父母から贈られた物」という仏教的意味合いで恩物と訳されました。恩物は、フレーベルが、1838 年ドイツのブランデンブルグに設置された「幼児・児童のための作業教育所」で考案、製作され、世界で最初の体系的な教育遊具であると言えます。この作業教育所が幼稚園の始まりであり、その後全世界に展開された幼稚園教育とともに恩物も普及していきました。恩物は、第一恩物から第二十恩物まであり、立体から平面へ、平面から直線へ、直線から点へ、点から線へ、線から平面へ、平面から立体への活動形式の中で立体から点への分析、点から立体への総合が認識され、形、大きさ、数の認識の形式、同じ素材で家などを造る生活の認識、同じそれで花や星を作る美の形式が総括されています。フレーベルは子どもが自由に遊ぶことを強調しましたが、日本では系列の順序を固守し、一斉授業形態で用いられました。⇒〔フレーベル〕

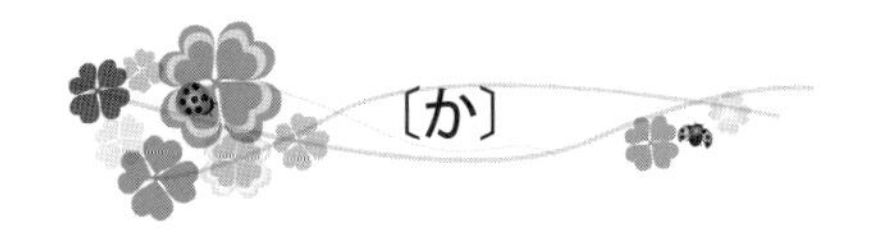

〔か〕

〔外傷経験〕

外傷経験とは、個人が個人で消化することができず、その経験した記憶を抑圧して意識から除去しようとすることをいいます。精神分析学の研究初期、ヒステリー・神経症の病因に、大きな役割を持つものとして研究された考えといわれています。

フロイトは幼児性欲に関心を持ち、外傷の代表例として、去勢不安・エディプス葛藤などを挙げています。また少し後の時代の研究では、外傷は外界からのものだけでなく、個人の内部からの刺激、本能的・衝動的緊張から経験することもあるとされています。また現在では、自我心理学上から母子関係の自我発達に及ぼす影響が研究され、外傷概念も母子関係面から問題提起されています。⇒〔フロイト〕

〔解体保育〕

学級の枠をはずして、園児が自由に交流する保育をいいます。学級は、基本的に同一年齢の幼児で編制されていますが、解体保育では学級集団の枠にこだわらず、子どもの興味や関心、行動の仕方、友達関係などから自由にグループを作って活動を展開する保育方法です。解体保育といっても一日中解体保育の形態を取る場合や、一日のある部分について解体保育の形態を取る場合、土曜日を解体保育日とする場合、また、一年のうちのある期間において解体保育の形態をとる場合などさまざまです。解体保育では、保育者全員が一人一人の子どもについて十分理解することや、お互いに情報交換をし、保育者相互の密接なチームワークが必要です。⇒〔異年齢交流〕

〔外発的動機づけ〕

どのような学習であれ、如何にして児童、生徒の学習意欲を喚起（かんき）させ、興味を持たせるかが教師にとって重要な課題です。その方法の一つに外発的動機づけがあります。これは、ほめたり叱ったり、競争心を高揚させながら学習活動を喚起させようとすることです。従ってこの方法の適用を誤ると、学習させるための手段であった賞賛や叱責にだけ注意が向き、賞を得ようとしたり、罰をうまく逃れるための行動のみになってしまうことが起こるので留意しなければなりません。

外発的動機づけの代表的なものは賞罰による動機づけですが、対応によってはよい結果が出ない動機づけだといえます。

〔カイヨワ（1913～1978）〕

文学、社会学、美学、宗教学など様々な分野で活躍した現代フランスを代表する知識人です。『遊びと人間』を著したことでよく知られています。

『遊びと人間』では、ホイジンガの遊びの理論を批判的に継承しました。そこでは、遊びを動機づけ、成立させる「本質的で他に還元不能の諸衝動」に照応した四つの基本的分類として、競争（アゴン）、運（アレア）、模擬（ミミクリ）、めまい（イリンクス）を掲げています。また、「聖」「俗」とともに遊びの意義を強調し、さらに遊びを自由な活動、隔離された活動、未確定の活動、非生産的活動、規則のある活動、虚構の活動として定義づけています。

〔解離（かいり）〕

互いに密接な関係にありながら、統合されているはずの心理活動が、その関係の密接さや統合を失ったまま存在することをいいます。

異常なケースとしては、昼は優秀なサラリーマンが、夜には犯罪者であるという二重人格があり、解離の見本のようなものです。

フロイトは、ヒステリーについては、意識内容の一時的解離が起こると論じています。

〔カウプ指数〕

乳幼児期の発育・栄養状態の評価判定に用いられるもので、カウプが 1921（大 10）年に栄養指数として発表したものです。身長の２乗に対する体重比をもって表すもので、計算式は次の通りです。

カウプ指数＝（体重 (g) / 身長^2（cm））×10

	やせすぎ	普通	太
3ヶ月	14.5 未	16 ～ 18 未	20 以上
満 3 歳	13.5 未	14.5 ～ 16.5 未	18 以上

〔カウンセラー〕

個人が直面する諸問題について種々相談にのったり、適切な助言を与える専門家をカウンセラーといい、カウンセリングを行う人をいいます。カウンセリングは、さまざまな人びとの問題解決に関与する広範囲な諸活動に適用されています。学校カウンセラーについてみると、カウンセリングが成立するかどうかは、良いカウンセラーが得られるかどうかにかかっています。ワーカー（ケースワーカー）ともいわれて、援助者としての基本的態度として、個人に共通した感情と態度について「バイステックの７原則」があげられます。

1．事務的に扱ってもらいたくない。一人の人間として接してもらいたい。

2．怒り、悲しみ、憎しみ、不安、喜び、安心感等自分の気持ちをありのままにあらわしたい。

3．自分のあらわした気持ちに、好意ある理解と応答が欲しい。

4．人として尊ばれたい。価値ある人間として受け入れられたい。

5．自分が直面している問題に対して、善悪の判断をして欲しくない。

6．自分の生活や一生に関することについては、自分で決定し、自分で選択したい。

7．自分に関することは、人に知られたくない。

といった気持ちがクライエントにはあり、ワーカーの基本的態度とされ、○個別化　○受容・共感　○非審判的態度　○秘密保持　○自己決定等が必要とされています。こうしたカウンセラーとして基礎的技能も褒(ほ)めることが大切です。

〔カウンセリング〕

個人が適応上のさまざまな問題に直面した時に、助けを必要とする人と、その人に援助の手を差し出そうとする専門的カウンセラーとの間に成り立つ関係を、広く総称したものです。相談を受ける人をクライエント、相談を担当する援助者をカウンセラーと呼んでいます。

カウンセリングの対象となる適応上の問題とは、成因が主として心理的メカニズム（心因性）によるもので、過去、現在のあらゆる生活経験からきた、歪み・葛藤・偏りなどが問題の成立に関係しています。それらを解決したり、解決できるよう援助することです。

〔カウンセリングマインド〕

保育の営みで大切なことは、保育者と一人一人の幼児との間に信頼関係を築くことです。また、同時に幼児の言動や表情から何を感じているのか、何を実現したいのかを受け止め、自分で課題を乗り越えるための適切な援助が必要です。そのために、

・心のつながりを大切にする
・相手の立場でともに考える
・ありのままの姿を温かく受け止め見守る
・心の動きに応答する

といった保育者の姿勢や援助は、カウンセリングと共通しており、それらを総称してカウンセリングマインドと呼んでいます。カウンセリングというと、日常の保育とは関係が薄いように受け止められますが、保育の営みの中でのカウンセリングマインドとはカウンセリングそのものではなくカウンセリングの基本的な姿勢を保育・教育の場に生かしていこうとするものです。

〔課外教室〕

幼稚園の正課とは別に設けられた活動・教室。希望者は、個別に申し込んで利用します。園内で実施されるもの、幼稚園を通して、近隣の施設などで実施されるものなどがあります。外部の教室や講師などと提携して指導を行っているところもあり、スポーツ、音楽、絵画、英会話、文字（書道）など、内容は様々です。就園前の幼児や小学生も対象としているところもあります。

〔鏡文字〕

まるで鏡に映っているように左右逆の文字を書いたものをいいます。これは、幼児が文字を覚えて書き始める頃によく起こる幼児特有の誤りです。この原因は、発達的な幼児の未分化性と方向知覚の認知が未熟であることに起因しています。幼児は物事を捉えるとき、自分中心に捉えることが多いように、文字に興味を持って認知していく過程においても、全体の位置関係を理解できないまま形だけが独立して認知されていくことによります。幼児期の文字指導では、字形の誤りに神経質になるのではなく、遊びの中で出会う環境に関わりながら、絵本を見たり読んでもらったり、いろいろな形に触れたり、まねて書いたり、線遊びを楽しんだりするなどさまざまな機会に無理なく正しい文字を学んでいくことが望ましいのです。左右の識別ができると字形の誤りにも気づくようになるので、そのときが指導の機会でもあります。（鏡映文字）

〔学童保育〕⇒放課後児童クラブ

〔学力〕

過去の経験の上に立って新しい知識や技術を習得することを学習と定義しています。よって、学力とは、学習によって習得された能力や到達した水準を示すものといえます。

①望ましいとされる目標に到達するための成功度、②獲得した目標や成功した成就度――など一般的な領域で到達した成功のレベルや程度を学力といいます。教育現場での学力とは、学習によって教科内容をどれだけ理解しているか、児童が学習できる能力があるかといった現実の具体

的な学力と、将来的に可能性としての学力が想定されます。学力の測定も、標準検査・学力検査・作文・論文による検査等多く実施されています。

幼児期の学力については、幼稚園教育要領から教科的学習内容は除外されています。「生きる力」を育てるための基礎を形成することが、この時期における学力ということになります。

〔家族葛藤〕

現代社会においてこの種の要因により家族間の問題が急増しています。家族間に、敵意、しっと、競争など家族でありながら家族間で対立していることを家族葛藤といい、社会的集団内での場合と違って深刻化し、長期化すると、離婚、別居・家出など家庭崩壊に進むことが多くみられます。具体的には、夫婦間の葛藤が特に危険であり、家庭内で夫婦は中心的存在であるが故に深刻です。また、親子間の葛藤も子どもによる多くの問題行動が連動するので重大であり、特に思春期以後の場合、家族葛藤に至る以前にこの兆候があるのが普通ですので、親の子どもに対する配慮が大切です。

〔家庭支援専門相談員〕

家庭支援専門相談員は、「乳児院における早期家庭復帰等の支援体制の強化について」という厚生省（現：厚生労働省）通知に基づいて、1999（平 11）年度から乳児院に配置されている。この通知では、家庭環境上の理由により乳児院に入所する児童の割合が増加しているため、家庭復帰等が可能な児童の早期家庭復帰を支援する総合的な体制を強化するために、乳児院に家庭支援専門相談員を配置するとしています。

家庭支援専門相談員は、当初、乳児院に配置されていましたが、虐待による児童の児童福祉施設への入所が増加したことに対応するため、児童養護施設、情緒障害児短期治療施設、児童自立支援施設への配置が 2004（平 16）年度から拡大されました。

〔カタルシス〕

日本では浄化法と訳されているものです。精神分析では、無意識の状態下で抑圧されている心的外傷経験を想起し、言葉や行動を通して外部に表出し、それによって不安や緊張を解消するものと定義されています。

ブロイエルの命名したもので、その契機になったのは、アンナという女性患者の治療です。感覚麻痺・視力障害・失声などの症状を持つ 21 歳のピアニストですが、教養豊かな女性でありました。ブロイエルは催眠術を用いた治療で、あるとき、催眠状態になると覚醒状態では話せないようなことを話し、話した後、その話に関連のあった症状が消失するということが起こりました。ブロイエルはこの効果をうっ積した感情の発散によるものと考え、「催眠浄化法」、のちに「カタルシス」と命名しました。

〔学級崩壊〕

学級崩壊とは、中学校や小学校において子どもの荒れによって、学級づくりができず、授業が成り立たない状態をいいます。具体的な学級崩壊の状態は、教師側からいえば、①子どもとの対話ができず、授業が進まない、②子どもに一言いわれると、それにこだわってしまい授業が進行しない、③教務や教頭が入るなど、特別の入り込みがなければ、授業が成立しない――などが挙げられています。一方子どもの状態では、①人の話を聞かない、②勝手に立ち歩く、③勝手に遊び出す、④罵りあったりけんかをして殴り合ったりする――などが挙げられています。その対策として、早期の実態把握と早期対応、子どもの実態を踏まえた魅力ある学校づくり、TTなどの協力的な指導体制の確立と校内組織の活用、保護者などとの緊密な連携と一体的な取り組み、教育委員会や関係組織との積極的な連携などが挙げられています。今日、学級崩壊の低年齢化を憂う状態にきています。小学校1年生を中心に低学年の児童が「先生の話を聞かない」「教室に入らない」などで授業が成立しにくいことが問題となっています。これらは、集団形成後に荒れる学級崩壊と区別して「小1プロブレム」と呼ばれています。

〔学校感染症〕

学校（園）は、幼児・児童・生徒が集団で活動する場であり、感染症が流行し出すと大勢に伝播する可能性があります。学校保健安全法第1条に「学校における児童生徒等及び職員の健康保持を図るため、学校における保健管理に関し必要な事項を定め……」とあり、学校保健安全法施行規則第3章には「学校において予防すべき感染症」が明示され、これを簡略化して「学校感染症」といっています。学校安全保健法施行規則第18条で感染症の種類を、第19条で出席停止期間を規定しています。

感染症の種類と登校停止期間の基準

感染症の種類		登校停止期間の基準（以下の基準に基づき、主治医が判断する）
第1種	エボラ出血熱	治癒するまで
	クリミア・コンゴ出血熱	
	痘そう	
	南米出血熱	
	ペスト	
	マールブルグ病	
	ラッサ熱	
	急性灰白髄炎	
	ジフテリア	
	重症急性呼吸器症候群（SARSコロナウイルス）	
	中東呼吸器症候群（NERSコロナウィルス）	
	特定鳥インフルエンザ	
	新型インフルエンザ等感染症（新型コロナウイルス感染症）	
	指定感染症	
	新感染症	
第2種	インフルエンザ（特定鳥インフルエンザを除く）	発症した後5日を経過し、かつ、解熱した後2日を経過するまで
	百日咳	特有の咳が消失するまで又は5日間の適正な抗菌性物質製剤による治療が終了するまで
	麻しん（はしか）	解熱した後3日を経過するまで
	流行性耳下腺炎（おたふくかぜ・ムンプス）	耳下腺、顎下腺又は舌下腺の腫脹が発現した後五日を経過し、かつ、全身状態が良好になるまで
	風しん（三日はしか）	発しんが消失するまで
	水痘（水ぼうそう）	すべての発しんが痂皮化するまで
	咽頭結膜熱（プール熱）	主要症状が消退した後2日を経過するまで
	結核 髄膜炎菌性髄膜炎	病状により学校医その他の医師において感染のおそれがないと認めるまで

第３種	コレラ	病状により学校医その他の医師において感染のおそれがないと認めるまで
	細菌性赤痢	
	腸管性出血性大腸菌感染症	
	腸チフス	
	パラチフス	
	流行性角結膜炎	
	急性出血性結膜炎	
	その他の感染症　※	

※　溶連菌感染症、手足口病、伝染性紅斑、ヘルパンギーナ、マイコプラズマ感染症、流行性嘔吐下痢症（ノロウイルスなどによる感染性胃腸炎）

（学校とは、学校教育法第１条に規定する学校で、幼児、児童、生徒等が含まれます。）

〔学校選択制〕

公立小・中学校は通学区域を設定し、区域外の小・中学校に就学するいわゆる越境入学は禁じられていました。しかし規制緩和の一環として文部科学省（当時は文部省）が 1997 年に通学区域の弾力的運用を認め、2003 年に学校教育法施行規則を改正して選択制が制度化されました。（第 32 条　第 33 条）学校選択制によってメリット、デメリット種々ありますが、今後選択制を実施する市町村は増えるものと思われます。

〔学校保健安全法（昭 33、法律第 56 号）〕

2008（平 20）年法第 73 号によって、学校保健法を学校保健安全法に変更されました。学校における児童・生徒・教職員の健康保持増進を保つため、学校における保健管理に関する必要な事項を定めるとともに、児童・生徒等の学校における安全管理に必要な事項が規定されています。就学時の健康診断、児童生徒等の健康診断、学校安全計画の策定、学校環境の安全、危険時発生時対応要領の作成等が定められ、施行令、施行規則では、感染症対策等が定められています。「学校における保健管理及び安全管理」について規定した法律ということになります。

かっとうたいけん
〔葛藤体験〕

一般に葛藤とは、二つ以上の対立する欲求が同時に心の中に起こり、どちらの欲求を優先させ行動に移るべきかを決定しかねて迷っている状態をいいます。幼児期の道徳性の発達は、家庭や幼稚園、保育所などでの生活において、親や保育者、友達、兄弟などの他者との相互作用の中で進行していきます。幼児が、自分や他者の気持ち、自他の行動の結果などに徐々に気づくようになり、善悪の判断ができるようになるのは、友達とのやりとりの中で行われます。大人との関係では、子どもに配慮してくれることが多いが、子ども同士の関係では欲求が対立したり、いざこざや葛藤の経験が多くなります。そのような葛藤を多く経験していくことで、自分とは異なる他者も自分と同じようにそれぞれの意志や欲求、感情を持つこと、そしてそれは自分のものとは異なることに気づいていきます。また、いざこざを解決するために、自分を主張したり自分の欲求や気持ちを抑えたりし、さらに自分の視点からだけではなく、相手の視点からも考えられるようになっていきます。このように、幼児期における道徳性の発達を促すための貴重な体験の一つが葛藤体験であるといえます。

〔家庭教育支援〕

家庭は、子どもたちの健やかな育ちの基盤であり、すべての教育の出発点です。

一方、地域とのつながりの希薄化や、親が身近な人から子育てを学んだり助け合う機会の減少等、子育てや家庭教育を支える地域環境が大きく変化しています。

幼稚園教育要領に「子育て支援のために保護者や地域の人々に機能や園内施設を開放して、園内体制の整備や関係機関との連携と協力に配慮しつつ、幼児期の教育に関する相談に応じたり、情報を提供したり、幼児と保護者との登園を受入れたり、保護者同士の交流の機会を提供したりするなど、幼稚園と家庭が一体となって幼児と関わる取組を進め、地域における幼児期の教育のセンターとしての役割を果たすよう努める。」とし、保育所保育方針において、「地域の保護者等に対する子育て支援」として「地域に開かれた子育て支援（子育て支援・一時預かり保育など）、地域の関係機関等との連携」が示されています。⇒〔子育て支援〕

〔家庭的保育事業〕

平成12年度より、待機児童解消のために、特定保育事業の一環として「保育ママ」と呼ばれる指導員（保育士）によって、保育者の居宅において少人数の乳幼児を対象として行う事業です。平成18年度より、「保育所実施型家庭的保育事業」として、保育所と連携しながら居宅保育が実施されています。

〔紙芝居〕

物語の内容をいくつかの場面に区切って絵で表現し、ストーリーの順に場面ごとの絵を重ねて主に子ども達を対照に見せ、順番に絵を引き抜きながら物語っていくものです。紙芝居の起源は、江戸末期から流行した写し絵（幻燈劇の一種で立絵ともいった）とされ、昭和初期に平絵となり現在の形式になりました。現在の紙芝居形式は、1930（昭5）年頃から全国的に流布した街頭紙芝居に始まります。紙芝居は、宗教教育、校外教育、学校教育とともに保育にも取り入れられました。高橋五山は、1935（昭10）年「幼稚園紙芝居」を刊行、開始しました。城戸幡太郎らの保育問題研究会では「幼児紙芝居」を頒布し、教育的な活用を図りました。これらの紙芝居は、街頭紙芝居に対して教育紙芝居といわれています。1938（昭13）年には、日本教育紙芝居協会が設立され、協会が出版した紙芝居を中心に興隆していきました。戦後は、学校教育より保育に多く取り入れられるようになりましたが、現在は、メディアの多様化によって紙芝居の活用は減少傾向にありますが、一方でコンピュータの導入による紙芝居のデジタル化も試みられています。紙芝居の原点である演者と子どもとの間の人間的な触れ合いを大切にしたいものです。

〔カリキュラム〕

カリキュラムの語源は、ラテン語のクレレ（Currere）から来ています。競争路とか道程という意味を持つ語で、一定の枠の中で馬を走らせる道筋です。今日では、英語の〔Curriculum〕が一般的に用いられ、教育課程あるいは教育計画と訳されています。現在では、小・中・高校の学習指導要領や幼稚園教育要領の中で、教育課程という表現で統一されています。保育所ではカリキュラムに相当するものを〔保育計画・保育課程〕と呼んでいます。カリキュラムは、教育のゴールに達するためのコースですから、子どもたちが望ましい成長発達を遂げるために経験する内容の全体構想であるといえます。従ってカリキュラムの捉え方は、人間観や教育観によって異なります。カリキュラム観には、大きく分けて系統主義的カリキュラム観と児童中心主義的カリキュラム観があります。前者は、「教科カリキュラム」ともいわれ、人類が今までに築き上げてきた歴史的、文化的遺産を将来にわたって伝達することに主眼がおかれます。従って保育者側が、教材を管理、組織して園という集団の場を通して系統的に伝達することが中心となります。後者は「経験カリキュラム」とか「生活カリキュラム」といわれるもので、子どもの活動を中心とした経験が子どもの全人格を陶冶するという考え方です。子どもの自主性、主体的取り組みを中心に内容を展開するものです。また、コアカリキュラムは、子どもの生活課題を中心に問題解決的内容を設定し、周辺にその問題解決に必要な基礎知識・技能の学習を置く統合されたカリキュラムです。⇒〔教育課程〕

〔川崎病〕

主に4歳以下の乳幼児に見られる熱性発疹性疾患です。病因は不明ですが、臨床症状の特徴として5日以上続く発熱、四肢末端の局所性硬性浮腫、不定形の発疹、眼球結膜の充血、口唇口腔所見（口唇の紅潮、苺舌、咽頭粘膜のびらん性発赤）や頸部リンパ節腫脹などの症状を現します。抗生剤での治療に効果はなく、冠状動脈を中心として全身の血管に炎症を起こします。

疾患からの回復後も冠動脈後遺症が残り、罹患中形成された冠状動脈の動脈瘤が心筋梗塞及び突然死の原因となることがあるので、後遺症検査、経過観察が大切です。

〔環境〕

幼稚園教育要領／保育所保育指針／幼保連携型認定こども園教育・保育要領に示された五領域の中の一つです。この領域では、周囲の様々な環境に好奇心や探求心を持って関わり、それらを生活に取り入れていこうとする力を養う観点からねらいと内容が示されています。ねらいは、幼児期に必要な生きる力の基礎となる心情、意欲、態度の三つの視点から、

1　身近な環境に親しみ、自然と触れ合う中で様々な事象に興味や関心をもつ。

2　身近な環境に自分からかかわり、発見を楽しんだり、考えたりし、それを生活に取り入れようとする。

3　身近な事象を見たり、考えたり、扱ったりする中で、物の性質や数字、文字などに対する感覚を豊かにする。

また11項目（保育指針は12項目）の内容が示され、その取り扱いに当たっては、自分なりに考える過程を大切にすること、幼児が自然との関わりを深めることができるように工夫すること、自然に対する畏敬の念、命の大切さ、数量や文字に対する感覚を養うこと――などが示されています。

保育所保育指針の五領域の中に「環境」という項目があります。平成10年度版保育所保育指針では、そのねらいを年齢別にまとめています。

3歳児…身近な環境に興味を持ち、自分から関わり、生活を広げていく。

4歳児…身近な環境に興味を持ち、自分から関わり、身のまわりの事物や、数、量、形などに関心を持つ。

5歳児…身近な社会や自然の環境と触れ合う中で、自分たちの生活との関係に気づき、それら

を取り入れて遊ぶ。

6歳児…身近な社会や自然との環境に自ら関わり、それらと自分たちの生活との関係に気づき、生活や遊びに取り入れる。

平成21年度版では、ねらいと内容は年齢別ではなく、幼稚園教育要領と同様、一括表示されています。

平成28年度版幼稚園教育要領には12項目の内容が示され、その取り扱いにあたっては ①自分なりに考える事ができるようになる過程を大切に。②幼児が自然との関わりを深めることができるように工夫する。③様々な関わり方を通てそれらに対する親しみや、畏敬の念、生命の大切さを学ぶ。④文化や伝統に親しみ、また異なる文化に触れて社会とのつながりの意識を養う。⑤数量や文字に対する感覚を養う。平成29年度版保育所保育指針、第2章では乳児保育に関わるねらい・内容の中で、1歳以上3歳未満児に「環境」という項目があります。「周囲の様々な環境に好奇心をもって関わりそれを生活に取り入れようとする力を養う。」と示されています。

〔環境基本法（平5、法律第91号）〕最終改正　平20法46

この法律は1993（平5）年11月19日に制定され、1994（平6）年8月1日から施行されました。環境の保全についての基本理念を定め、国、地方公共団体、事業者及び国民の責務を明らかにするとともに、環境の保全に関する施策の基本となる事項を定めることによって、環境の保全に関する施策を総合的・計画的に推進し、もって現在及び将来国民の健康で文化的な生活の確保に寄与するとともに、人類の福祉に貢献することを目的にしています。第2条では、この法律において使用する用語（環境への負荷、地球環境保全、公害）について定義しています。この環境基本法をもとに、大気汚染防止法同施行令、同施行規則、騒音規正法、悪臭防止法、同施行令、同施行規則、水質汚濁防止法、農薬取締法、道路交通法、毒物及び劇物取締法、公害健康被害の補償等に関する法律、同施行令、同施行規則、公害の防止に関する事業に係る国の財政上の特別措置に関する法律、公害の防止に関する国の財政上の特別措置に関する法律、同施行令等が規定されています。前述の法律はどれをとっても、幼児・児童・生徒等一人一人にとって、関わりの深いものであり、決して無縁のものではありません。

〔環境の構成〕

一人一人の幼児が自らの興味や関心を持って身近な環境に関わり、さまざまな活動が展開できるように、物や人、自然や社会の事象、時間や空間、醸(かも)し出す雰囲気などを含めて環境を構成し、一人一人の幼児の発達にとって必要な体験ができるように状況を作り出すことをいいます。

幼児の教育は、環境を通して行うということが幼稚園教育要領、保育所保育指針で示されています。保育者は、ねらいや内容を直接幼児に与えるのではなく、保育者の意図や願いを環境の中に散りばめていくことが必要です。そのためには、まず具体的な指導のねらいや内容を設定し、それらが達成できるように幼児にとって魅力的な環境を構成しなければなりません。また、環境は一度構成すればそれでよいものではなく、幼児の活動の展開によって変わって行くものであり、変えなければならないことも生じてきます。さらに環境は、保育者のみが作るものではなく、子どもとともに作り出すことが大切です。子ども自身が必要だと思うもの、もっとこうしたいと思う中で環境を作り替えていくことこそ、子どもにとっての環境の構成です。環境の構成では、単なる物だけではなく、状況を作り出すことが大切になります。そのための保育者の励ましや共感や方向づけ、友だちの役割も忘れてはなりません。⇒〔幼稚園教育の基本〕

〔関係的子どもの権利論〕

子どもの権利について、これまでの保護を中心とした関係から発達を促す関係をすべての子どもに保障する理論です。子どもの権利を大人中心の立場からではなく、双方の関係でとらえるべきとする考えかたです。

〔観察法〕

観察法は最も基本的な他者理解の上で効果的な手段といえます。観察法の中の、非組織的観察（自然観察法）は、日常、自然な状況の中で生じてくる行動や出来事を観察する方法で、着眼点としては背景の条件・事実と解釈を分別した記録、及び客観的記録が考えられます。

一方では、組織的観察法、対象とする子どもと場面をあらかじめ決定し、誰の、どのような行動を、いつ、どこで観察するかという目標を明らかにしてから観察する方法です。観察場面としては場所を園、校内のさまざまな活動の場面が対象となります。方法として、時間見本法・品等尺度法などがあります。

〔間食〕

幼児は一日３回の食事だけでは所要栄養量を十分に取ることができないので、その他に１～２回の軽い食事を間食として与えます。子どもの好みに合わせることも必要ですが、甘い菓子類に偏ることのないようにし、一日の食事のバランスを考えて与えるのが一般的です。午前10時頃と午後3時頃に与えると良いでしょう。ただし、次の食事に影響を与えないよう時間帯の他、各食事のエネルギー配分についても配慮が必要です。（目安の例――朝食：20～30%、昼・夕食：25～30%、間食：10～20%）

〔感性〕

幼児期は、美しいものに出会って「きれい！」と心を動かしたり、不思議な出来事に出会って「なぜだろう？」と探求する心が芽生えます。このような経験は、感覚として心に留められます。その感覚は、やがて時がきて自らを表現できる場面に出会ったとき、その印象を言葉で表現したり、絵や体でも表現しようとします。感じる心は、自然界からばかりではなく、文化や様々な印象深い出来事からも芽生えてきます。このように出会う美しさ、驚き、不思議、悲しみ、喜びなどが幼児の心に深くきざみこまれ、さまざまな形で表現される一連の働きを感性といいます。このようにして育った感性は、幼児の生活を豊かにし、情緒が安定し、創造性、想像性を育てるためにはなくてはならないものです。感性は、豊かな環境と関わる中から育つもので、保育者等大人が醸し出す雰囲気や人間性が関わってきます。

〔感染経路〕

病原体が感染源から感受性のある第三者へ感染する経路のことです。病原体によってその経路はさまざまですが、①病原体に汚染された飲食物の摂取による経口感染、②蚊や蚤などの媒介生物による媒介感染、③鼻腔や咽頭で増殖した病原体が唾液などに混じってひろがる飛沫感染、④性行為によって病原体が感染する性感染―― 以上の４つが一般的です。

感染経路
- 接触感染
  - 直接感染：接吻、性交等による性病、呼吸器疾患
  - 間接感染：病原体などで汚染されたタオルの使用によるトラコーマ・流行性角結膜炎など
- 空気感染
  - 飛沫感染
  - 塵埃感染
  - 飛沫核感染
  - ― 空気中の病原体を吸入することによるもの 麻しん、ジフテリア、猩紅熱 インフルエンザ、水痘、肺結核等
- 経口感染：患者や保菌者の排泄物から…水系感染で腸チフス、赤痢、コレラ、食中毒等
- 経皮感染：節足動物によるもの…蚊（日本脳炎、マラリア、デング熱等）、ノミ（ペスト）、ダニ（つつが虫病）等
- 経胎盤感染：妊婦から胎児への感染…梅毒、トキソプラズマ症等

保育所で問題となる主な感染症の感染経路には、飛沫感染、空気感染、(飛沫核感染)、接触感染、経口感染、などがあります。感染の種類によっては複数の感染経路をとるものがあります。

病原体の感染経路を知ることで、公衆衛生の向上や媒介生物の駆除、患者の隔離などといった感染症の感染及び流行予防が効果的に実施可能となります。

〔感染症法について（平 10、法律第 114 号）〕

正式な名称は「感染症の予防及び感染症の患者に対する医療に関する法律」です。1998 年(平 9)に従来の伝染病予防法、性病予防法および後天性免疫不全症候群の予防に関する法律を廃止・統合して制定されました。2003（平 15）年の改正（感染症対策における国の権限強化と対象疾患の拡大）後、2006 年に結核予防法が感染症法に統合されて、2007（平 19）年４月より施行されました。2006（平 18）年の改正により、結核は二類感染症に定義され、病原体の種類では、四種病原体（ただし多剤耐性菌は三種病原体）に定義されました。また、従来の結核予防法で施行されていた乳児への BCG 接種は、予防接種法に統合されました。平成 10 年 10 月２日に制定され平成 11 年４月１日から施行されました。〔学校感染症参照〕

感染症の予防と感染症の患者に対する医療に関して必要な措置を定めることによって、感染症の発生を予防し、そのまん延の防止を図り、結果的に公衆衛生の向上と増進を図ることを目的としています。また、本法律には施行令、施行規則があり、より詳細な規定が定められています。

〔感動体験〕

子どもが出会うさまざまな出来事の中で、心が揺さぶられたり、満ち足りた思いを持つことによって、子どもの豊かな心の発達が促されます。どのように小さな出来事であっても子ども自身にとって、大切な出来事があります。例えば雨上がりの園庭で見た虹、砂場の砂に吸い取られるバケツの水、幼稚園で生まれたウサギの赤ちゃんとの出会いなど子どもの世界の中で感動したときには、表情や言葉や体の動きなどで表現します。保育者は、幼児の感動を受け止め、共感し、子どもの裏側にある内的世界を理解することが大切です。子ども自身の感動体験こそが子どもの発達を支えているといえます。

〔緘黙〕

緘黙とはことばを発しない状態をいい、無言症ともいわれています。幼稚園場面で多くみられるのは心因性の緘黙であり、家では元気に話しているのに、園では口をきかなくなるというように場面を選択して無言となるので、「場面緘黙」ともよばれます。

自閉症の研究で知られるカナーは緘黙を次のように分類しています。①「ろう」による緘黙（deaf mutism）、②重度の知的発達の遅れ（idiot）による緘黙、③統合失調症（schizophrenia）にしばしばみられる緘黙、④自閉症（autism）にしばしばみられる緘黙、⑤トラウマ（trauma）やストレスがきっかけとなる全緘黙、⑥場面緘黙症（selective mutism）と分かれており、臨床場面（教育現場）でも緘黙の多くは心因性緘黙とされています。原因との関連では、知的障害、養育態度上の問題、社会的接触経験のなさ、心理的外傷体験などが挙げられ、不安から生ずる防衛、自己防衛反応から起こるものとされています。

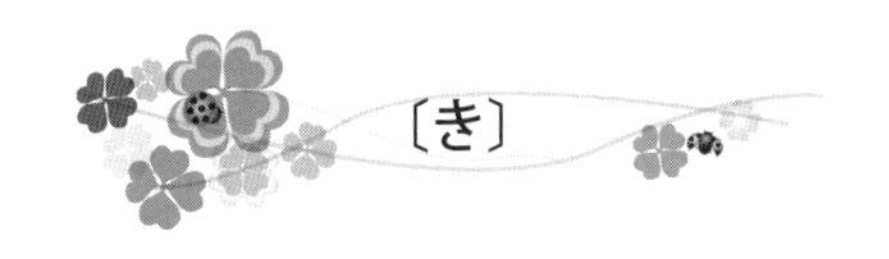

〔気管支喘息〕

気管や気管支がさまざまな刺激に対して過敏で、そのため容易に収縮し、臨床的な喘鳴、呼吸困難、咳、痰、チアノーゼ、発熱やその他アレルギー症状を伴う疾患です。

発症因子には、感染症に伴う発症のほか、アレルギー反応の弊害として発症する場合が多く認められており、アレルギー性気管支喘息の子どもには日頃から生活習慣や生活環境を整えるほか、発作時の対応や治療などが重要とされています。また、発作を恐れるあまり過保護にすることには注意が必要です。病気に対する認識が、甘えや逃げに結びつきやすくなるからです。

〔企業主導型保育所（事業所内保育所）〕

2016（平 28）年待機児童解消のための一方策として、事業所内に従業員のための施設「認可外保育所」を内閣府管轄として制度化したのが企業主導型保育所です。企業主は自社の従業員のために空き地を確保する必要があり、その実態については内閣府も公表していません。

〔寄生虫〕

寄生虫とは、一時もしくは一生涯を他の生物（宿主）の体組織内で過ごし、生命維持と繁殖のために必要な利益を宿主から得て生活する生物をいいます。人体に寄生するもの（人体寄生虫）でも、日本で知られているだけで既に百を超え、そのうち半数以上が人獣共通感染症であるため、生態、感染経路、感染部位や発現症状が多様で予防及び治療方法も異なります。しかし、公衆衛生の改善や集団検診、また家庭での食品衛生管理などで予防できるものも多くあります。

〔吃音〕

「リズムの障害」といわれています。発語のリズムが普通より偏った乱れがあります。スムーズに発声できず、繰り返す反復があって、聞き手は理解しにくくなります。本人はますます緊張し、あせって、より聞き取りにくくなります。原因は諸説あって究明されていません。出現率は人口

か行

の約１％といわれ、男女比は圧倒的に男子が高く６：１～10：１程度といわれています。発症は大半が幼児期、特に３歳前後に集中しています。小学校入学前後にも発症する場合もあり、成人になっての発症はないとされています。原因がはっきりしないので、治療法もなかなか有効な手段が無く、各自適確な診断結果で治療することが大切です。

〔城戸幡太郎（1893～1985）〕

社会主義的思想の立場から、「社会中心主義」の保育を主張した心理学者・教育学者です。

城戸は、倉橋惣三を理論的支柱とする「児童中心主義」を批判し、児童の「社会性の発達」を中心とした保育の考え方を、理論的にも実践的にも発展させ、「子どもは子ども達自身から何を自由に発展させ何を自由に発展さすことができるであろうか。子どもを園に生える花の如く観るのは美しい思想である。しかし朝顔の種子から撫子の花は咲かない。子どもは果して草花のように運命付けられた遺伝的存在に過ぎないものであろうか。もしそうだとすれば児童から新しい社会の発展などは望まれる筈がない」と述べているように、その保育思想は、子どもを既成の社会に順応させるだけでなく、新しい「共同社会」を建設しうる「生活力」のある子どもの育成を期したものであり、その為に子どもに「要求」を出し、集団生活、共同作業などを通じて、「社会協力」の必要性と重要性を自覚させていくことが大切であるとしました。

戦後は教育刷新委員会委員として活躍し、1936年には、研究者と保育者の共同による幼児教育の実証的研究を推進する「保育問題研究会」を設立しました。『幼児教育論』（1938）、『生活技術と教育文化』（1939）などの著書があります。

〔期の指導計画〕

幼児教育における長期の指導計画の一つです。長期の指導計画には、期の指導計画の他に、年、学期、月などの指導計画があります。期の指導計画を作成するためには、それぞれの園において幼児の発達の過程の見通しを持つことが必要です。その上において、幼児の発達の節目（ふしめ）に沿って期を区切り指導計画を作成します。発達の節目は、それぞれの園で視点を持ち、子どもの実態を把握して決めるものですが、平成元年に当時の文部省から発刊された幼稚園教育指導書増補版の中で、入園から修了までを通して幼児の生活する姿がどのように変容するかを見ることによって発達の時期を捉えたものを参考として、次の五つの期を示しています。（Ⅰ）一人一人の遊びや教師との触れ合いを通して幼稚園生活に親しみ安定していく時期、（Ⅱ）周囲の人や物への興味や関心が広がり、生活の仕方や決まりが分かり自分の遊びを広げていく時期、（Ⅲ）友だちとイメージを伝え合い共に生活する楽しさを知っていく時期、（Ⅳ）友だち関係を深めながら自己の力を十分に発揮して生活に取り組む時期、（Ⅴ）友だち同士で目的を持って幼稚園生活を展開し深めていく時期――としています。発達の過程では、時期や期間も一定したものではないので、それぞれの園の独自性を生かすことが大切です。

〔基本的生活習慣〕

日々の生活の中で繰り返される基本的な生活行動であり、人として心身ともに健康に生きていく上で必要な生活習慣をいいます。具体的には、睡眠、食事、排泄、清潔、衣服の着脱などです。

基本的生活習慣の確立は３～４歳頃とされ、その時期はちょうど幼稚園や保育所で過ごす時期でもあります。幼稚園教育要領における「健康」領域のねらいや内容の中に示され、内容の取り扱いにおいても指導上の留意事項が述べられています。幼児期は周囲の行動を模倣しながら自分でやろうとする時期なので保育者は、モデルとなって幼児に示すとともに、幼児が自分でやろうとする行動を温かく見守り、励まし、時には手を添えて自分でやり遂げた満足感を味あわせることが大切です。また、幼稚園教育要領でも示されているように、「家庭での生活経験に配慮」するために家庭と連携していくことも必要です。

〔虐待〕⇒「保育・教育に関するQ&A」参照

〔義務教育学校〕

小学校６年、中学校３年の義務教育制度を、小学校・中学校を通して９カ年の制度とする。例えば小学校５年・中学校４年として小中一貫教育として教育課程を編成し、９年間を通して小中学校の区別をなくして義務教育を実施しようとする制度で、平成28年４月１から学校教育法第１条が改正されました。第１条に「学校とは幼稚園、小学校、中学校、義務教育学校、高等学校、中等教育学校、特別支援学校、大学及び高等専門学校とする。」と改正されました。義務教育学校では、原則として小学校教諭免許状と中学校教諭免許状の併有が必要となり、小学校中学校一貫校にあっては必ずしも併有しなくてもよい。学年の区分も４、３、２、とか４、４、１或は４、５といった区切りで行われます。

〔キャリア教育〕

将来の進路や職業との関わりに資する教育。「児童生徒一人一人のキャリア発達を支援しそれぞれにふさわしいキャリアを形成して行くために必要な意欲・態度や能力を育てる教育」（キャリア教育の推進に関する総合的調査研究協力者会議報告書）現在中学校等で職業意識を向上させるため各職種の研修をいろいろな形で取り入れて指導が行われています。

〔救急法〕

救急法とは、病気やけがや災害から自分自身を守り、けが人や急病人（傷病者）を正しく救助して、医師または他の救助者（救急隊員など）に渡すまでの応急手当をいいます。

基本は、①事故災害が起きた時点を最悪と捉え、それ以上に悪化させないこと、②その人の命を守るためにはどんな手当てが必要なのか、③医師の治療の邪魔にならない手当てであること――などです。特に、心（臓）停止、呼吸停止、意識障害、大出血、ひどい熱傷、服毒などの傷病者は、発見した者が直ちに手当てをしないと生命に関わるので手当ては重要です。⇒心肺蘇生法

〔急性灰白髄炎（きゅうせいかいはくずいえん）（ポリオ）〕

１型～３型のポリオウィルスによって起こる急性熱性疾患で、四肢の運動麻痺（まひ）や呼吸麻痺を伴う急性脊髄前角炎を起こします。感染の多くは排便中に排泄されたウィルスの経口感染で起こり、軽症の場合は発熱など軽い風邪様症状が起こります。重症例では１～２日の風邪様症状の後、解熱に前後して突然下肢筋の弛緩性麻痺、腱反射消失などの症状を引き起こします。一旦起きた麻

痺は後遺症として残ります。予防として、2012 年 9 月に不活性ワクチンが、同 11 月に従来の三種混合ワクチン（DPT）との四種混合ワクチンが導入された。

〔急性出血性結膜炎〕

主にエンテロウィルス 70 型が原因の、結膜や白目の部分に特徴的な出血を起こす炎症をいいます。

一般に 24 ～ 36 時間の潜伏期間の後、急性の激しい炎症症状を伴って発症します。強い感染力を持ち、接触によって二次感染が起こることから、患者の目脂、分泌物に触れないことと手洗いの励行、洗面具・タオルなどの共用をしないことが有効な予防方法となります。

〔急性腎炎（急性糸球体腎炎）〕

上部気道の連鎖球菌感染後、1 ～ 2 週間後に急激に発病します。主要症状は浮腫、高血圧、及び血尿・蛋白尿・円柱などの異常尿所見で、これらの症状は 4 ～ 10 日間ほど続きますが、その後腎機能は自然に回復します。本症は 3 ～ 10 歳、特に 6 ～ 7 歳の幼少時期によく発症しますが、小児期感染の長期的予後は一般に良好です。

治療は対症療法のみですが、高血圧性脳症や急性腎不全、心不全などの合併症を防ぐ意味も兼ねるので、適切な対処が重要です。

〔教育課程〕

一般には、学校における教育の目的や内容を、幼児、児童生徒の心身の発達に応じて組織配列した教育計画の全体をいいます。わが国における教育課程の基準は、幼稚園においては「幼稚園教育要領」、他の学校では「学習指導要領」として定められています。幼稚園教育要領では、教育課程は「幼稚園生活の全体を通してねらいが総合的に達成されるよう、教育期間や幼児の生活経験や発達の過程などを考慮して具体的なねらいと内容を組織しなければならないこと。この場合においては、入園から修了に至るまでの長期的な視野を持って充実した生活が展開できるように配慮しなければならないこと」と述べられています。教育課程の編成は、各園で全職員の協力の下に園長の責任において編成するものとしています。市区町村単位で各園から選出された委員によって標準的な教育課程を編成し、それを各園の実態に応じてさらに独自なものとしている所もあります。教育課程編成の手順について、「幼稚園教育指導書増補版」で次のように述べられています。①編成に必要な基礎的事項についての理解を図る、②各幼稚園の教育目標に関する共通理解を図る、③幼児の発達の過程を見通す、④具体的なねらいと内容を組織する、⑤教育課程を実施した結果を反省、評価し、次の編成に生かす――というようになっています。⇒カリキュラム・指導計画

また、保育所保育指針（平成 21 年度版、平成 29 年度版）にあっても、総則において「この指針において規定される保育の内容に係る基本原則に関わる事項等を踏まえ、各保育所の実情に応じて創意工夫を図り、保育所の機能及び質の向上に努めなければならない。」また、幼・保連携型認定こども園教育・保育要領においては「乳幼児全体を通して、その特性及び保護者や地域の実態を踏まえ、環境を通して行うものであることを基本とし、家庭や地域での生活を含めた園児の生活全体が豊かなものになるように努めなければならない。」とされています。

〔教育週数〕

幼稚園において、幼児が１学年間に登園して保育を受ける週の数をいいます。学校教育法施行規則第37条「幼稚園の毎学年の教育週数は特別の事情のある場合を除き、39週を下ってはならない」（幼保連携型認定こども園も同じ）と定められています。この法の規定を受けて、幼稚園教育要領においても同様のことが示されています。1956（昭31）年の教育要領では、週数ではなく日で示されており「220日」以上、1964（昭39）年の改訂以降は、「220日を下ってはならない」と示されていました。1989（平元）年の改訂で初めて小学校以上の授業時数の示し方と同じ週数で示されることとなりました。なお、ここでいう「特別の事情のある場合」ということは、台風、地震、豪雪、などの非常災害、その他急迫の事情がある時や伝染病の流行など、やむを得ない事情が生じた場合のことを指しています。また、年度途中の開園の場合もこの条項が適用されます。保育所の場合は、特に保育週数についての規定はなく、日曜、祝祭日でも休日保育を行っているところもあります。

か行

〔教育時間〕

幼児の登園から降園までの一日の生活時間をいいます。幼稚園教育要領では、「幼稚園の一日の教育課程に係る教育時間は４時間を標準とすること。」とされています。これは正確に４時間ということではなく、在園児の心身の発達の程度や季節、地域の状況などさまざまな条件を考えて、柔軟性のある適切な時間を設定することを示しています。４時間を越えて教育時間を設定することは、幼児の発達段階からいって好ましいことではありませんが、近年の少子化、女性の社会進出など社会の変化により、子育て支援の観点から幼稚園でも預かり保育などが行われ、実質的な教育時間の延長とも考えられる保育が行われています。一方、保育所の保育時間は、児童福祉施設の設備及び運営に関する最低基準第34条により「一日につき８時間を原則とし、その地方における乳児または幼児の保護者の労働時間その他家庭の状況等を考慮して保育所の長がこれを定める」としています。近年、婦人労働の様態の変化から保育に対する多様なニーズがあり、それに対応できる長時間保育、夜間保育などの施策がなされています。いずれの場合も乳幼児の発達にとって障がいとならないよう、保育者は保育の在り方を工夫しなければなりません。

〔教育振興基本計画〕

2013（平25）年６月に第２期教育振興基本計画が閣議決定し、2013（平25）年～2017（平29）年度までの教育基本法に基づく教育の総合計画が示されました。

教育行政の４つの基本的方向性と目標

1. 社会を生き抜く力の養成
   - ① 生きる力の確実な育成（幼稚園～高校）
   - ② 課題探求能力の修得（大学～）
   - ③ 自立・協働・創造に向けた力の修得（生涯全体）
   - ④ 社会的・職業的自立に向けた能力・態度の育成
2. 未来への飛躍を実現する人材の養成
   - ⑤ 新たな価値を創造する人材、グローバル人材等の養成

3. 学びのセーフティネットの構築

⑥ 意欲あるすべての者への学習機会の確保

⑦ 安全・安心な教育研究環境の確保

4. 絆づくりと活力あるコミュニティの形成

⑧ 互助・共助による活力あるコミュニティの形成

4つの基本的方向性と8項目にわたる目標が示され、教育行政、きめ細かな質の高い教育に対応するための体制、大学におけるガバナンスの機能強化等が示されました。

〔教育相談〕

幼児、児童、生徒を対象とした教育上の諸問題を本人、両親や関係者（教師）と面接し有効・適切な指導助言をすることをいいます。担当者は、臨床心理学はもちろん、カウンセリング、集団療法論、その他関係する法律、教育全般の知識、理論を修得した者でそれ以上に人格的に秀れた人材が望まれます。現在はほとんどの教育委員会が設置しています。また関係諸機関や、個人が教育相談活動を行うなどその必要性が高まっています。また、各学校にも教育相談室があり、教育委員会より必要に応じて臨床心理士による相談がなされます。教育相談の内容は、①開発的教育相談、②治療的教育相談（心因性の問題や生活指導上の問題）などの治療・指導を担当しています。⇒〔カウンセリング〕

〔教育特区〕

構造改革特別区域法（平 14 年、法律第 189 号）に基づき、教育の分野における構造改革特区の意味で、教育において地方から改革をすすめようとする制度です。教育特区に認定されている主なものには、学校法人以外による学校の設置、社会人等の教育への採用、幼稚園と保育所の一体化運営等が認められています。

〔教育バウチャー制度〕

バウチャーとは、「切符」という意味で、この制度では就学児童生徒のいる家庭に、教育費相当の切符が配られます。各家庭は、子どもを通わせたいと思う学校に切符を提出します。集まった切符の枚数に応じて、各学校には公的な助成がなされます。この制度の背景には学校自由選択制があります。学校においては、公立学校といえども競い合って児童生徒を獲得し、切磋琢磨して質を上げ、だめな所は淘汰されるという考えです。学校バウチャー制度を提唱したのは経済学者ミルトン・フリードマンです。フリードマンは、規制緩和と自由市場経済の推進者として知られています。

〔共感〕

共感とは、相手の言動や態度、表情などに表現された感情に対して、自分の感情を添わせながら、相手の気持ちを自分のもののように感じることです。保育者は、日々子どもの保育に携わる中で幼児の思いを読み取り、幼児理解を深めることが求められています。その過程において、幼児の行動や表現に対して、心を寄せともに喜んだり、悲しんだり、心を奮い立たせるなどの感情を共有します。このことによって、幼児は保育者に受け入れられたという安心感を持つようになり信頼感を築いていきます。保育者が示すこのような感情を受けることによって、「人に受け入れられる」という心地良い感情を体験し、ひいては「人を受け入れる」ことの大切さに気づいていきます。子どもの共感は、比較的早い時期から現れます。例えば，乳児では、他の子どもが泣いていると自分も同じように泣き出すことがあります。２，３歳児では、同じ玩具を持って喜び合ったり、同じ行動をして歓声を上げたりする姿が見られます。このような体験を重ねることによって自分自身の理解と同時に他者への理解ができるようになります。母親や保育者など大人の受容的態度から、多くの共感体験を重ね、温かい人間関係の基礎を培っていきます。信頼感を得た子どもは、精神的にも安定し、自己を確立させ、他者への思いやりも育(はぐく)んでいくのです。

〔教材研究〕

教材研究とは、幼児の周りにあるさまざまなものの教育的価値を見出し、整理し、実際の指導場面で必要に応じて構成したり、活用したりするための準備であるといわれます。その教材がもっている「面白さ」「楽しさ」「子どもにとっての意味」は何か、どのような知識やイメージ、人との関わりが含まれている教材であるのかといった、その教材が持ってい教育的な価値を多様に検討しておくことは、保育の計画立案や環境構成の前提になるものです。また、一般的な教材の選び方として、○対象となる幼児の発達段階を理解する　○目的にあった教材の選択　○変化のある教材　○保育活動を発展させる教材　○身近なもの、夢を育てるもの　○色彩・明るさのある教材　○できれば教材づくり即保育活動といったものが一般的教材研究の基礎とされています。

〔行事〕

保育の中の行事には、入園式・卒園式などの節目(ふしめ)となる行事、生活発表会・作品展・劇遊びの発表会・音楽会・運動会・園外保育などの園行事、子どもの日、ひな祭り、父の日・母の日などの伝統行事、家庭との連携を密にするための保護者会・個人面談・保育参観や保育参加などがあります。行事を実施することには、子どもの成長の節目の確認、新しい経験や出会いの場づくり、保護者の保育に対する理解の促進、保護者間・保護者と園との間の協同的関係の構築など、さまざまな意味があります。

行事を子どもにも保護者にも意味のある経験とするためには、行事のねらいを明確に設定することと、そのねらいを達成するためにどのような指導計画を作成するかが問われています。指導計画の中での行事の位置づけを考える際には、行事に関わる経験（例えば劇遊び）をさせること自体を目的とする行動主義的な発想を超え、行事を通して「子どもの活動が豊かに育つこと」（役になりきって演じることの楽しさの深まりやイメージが豊かに育つことなど)、「仲間関係が豊かに育つこと」（友達の表現のよさに気づいたり、一緒に演じる楽しさの中で友達に対する否定的な見方に揺さぶりをかけるなど）が目的であることを確認して「行事のねらい」を設定すること、そのねらいを達成するために、行事に向けての子ども達の経験の深まりや関係の深まりを見通しておくことが必要です。

〔胸腺(きょうせん)〕

骨髄で生産された造血幹細胞を各種Ｔ細胞に分化する、幼少時代の身体の発育維持に密接な関わりを持つ臓器です。胸腺疾患には胸腺腫瘍、胸腺肥大や先天性免疫不全症候群等があり、重症筋無力症や白血病、肝硬変などさまざまな合併症を伴いやすく難治です。胸腺異常の診断は形態学的検査と免疫学的検査の両方をもって行われます。

〔協同遊び〕

遊びの発達段階の一つとして子どもたちの遊びの形態を示す言葉です。協同とは目的を持って互いに力を合わせ、助け合っていくことです。子どもたちの遊びにおいても、複数の子どもたちが目的を持って、そのことに協力して遊びを進める姿が見られるようになります。３歳頃までは一人遊びや平行遊びが多く見られますが、４～５歳以降では連合遊びや協同遊びが、年齢とともに多く見られるようになります。協同遊びといわれる遊びの中では、友だちと言葉を交わしながらの相互作用を通して意志疎通を図り、役割の分担やイメージの交流を行い、知恵や力を出し合います。しかし、結び付きの弱いグループでは、遊びが中断したり、専制的なリーダーがいると思いが通らないことから遊びが長続きしないこともあります。保育者の適切な介入で、遊びのルールの必要性に気づいたり新たなルールが生まれたりします。

〔協同的な学び〕

中央教育審議会答申「子どもを取り巻く環境の変化を踏まえた今後の幼児教育の在り方について」の中では、協同的学びという言葉を「共通の目的･挑戦的な課題など、一つの目標を作り出し、協力工夫して解決していく活動」と定義されています。幼児は遊びを通して様々なことを学んでいきます。遊びの中で新たなことに気づき、疑問をもち、繰り返し試す過程の中に学びがあります。また、身の回りにある様々なものや友達、教師とのかかわりの中で、一人では思いつかなかった遊びが生まれたり、友達と長期間かけて作り出した遊びは、自分の思いを出したり友達の考えを取り入れたりすることの葛藤や楽しさを味わうことができ、その遊びから学んだことは、小学校以降において、共に学び合う学習の芽生えとなるものです。特に５歳児後半からの遊びは、グループやクラス集団の中で共通の目的をもって遊びを組織し経験していく協同的な遊びを指導計画に位置付けてくことが必要です。幼児期後期の５歳児が、こだわりをもって遊びや作業を進めながら、教師からの知的な刺激を受け、その刺激を幼児同士で協同して生かし学んでいくことがこれからの保育にとって大切にされなければなりません。

〔恐怖症〕

つまらないようなことに、ひどく怖がる症状をいいます。特定の物事に、他人から見れば「ばかばかしい」こと、「何で」と思うようなこと、自分自身でも客観的に見れば「ばかばかしい」と思うことに、例えば、特定の事物、動物、場面、行動などに対して抑制できない激しい恐怖を感じることを恐怖症といいます。症状内容としては、よく見かけるのが、高所恐怖、場面恐怖、動物（特に蛇）恐怖、対人恐怖など個人によって対象が異なっています。治療としては、幼児期の恐怖体験から生じている場合、抑圧機制に着目し解除反応を起こさせて治療するとか、薬物（精神安定剤や抗うつ剤）による薬物療法、その他、集団療法もあります。

〔興味〕

マクドゥーガルという学者は、ある事物に興味を持っていることは、いつでも、それに注意する状態にあると定義しています。また、興味は心理的態度と定義した説もあります。行動する者自身からすると、興味には、好き嫌いという事象に心を引きつけられる働きであると同時に、自らも進んで積極的関心を持ち、対象と結合する性質があるとしています。興味は心身の発達によって変化し、また環境によって大きく左右されます。教育現場では、自発活動によって熱中することが興味に移行することもあり、興味と環境とは深い関係にあります。

〔虚言（きょげん）〕

嘘、偽り、要するに事実でないこと、事実でないことを他人に伝達するのが目的です。原因は一様でありません。

虚言を分類すると、①意識的虚言、②無意識的虚言、③病的虚言――と分類することができます。①の虚言はまさしく「嘘」で教育的指導が必要です。②の虚言は、幼児に多くみられ現実と空想の混合したもの、自己顕示性の虚言などをいいます。③の虚言は自我の障害による疾病症状として現れ、病的虚言の場合は医学治療が必要です。②の無意識虚言の場合、性格異常からのものは心理療法が必要ですが、小児的、空想的なものは発達過程で解消されます。①の意識的虚言は前述したように教育的側面からの指導が必要です。

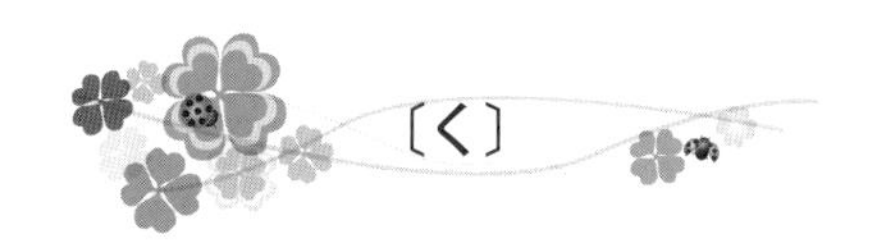

〔く〕

〔空想〕

空想は多くは3～4歳になると活発になり、それまでは目の前に見えるものだけしか考えなかったものが、3～4歳になると目の前にあるものを通して全く違った世界を持つようになります。この頃になると空想と現実が混同して、空想上の出来事を本当のことのように話し出し、特に孤独な子どもは空想上の友達を作り、その人物と話したり遊んだりする空想遊びをするようになります。この状態を白昼夢といいます。統合失調症でないかと心配することがありますが、ほとんどその心配はありません。発達段階の一過性と考えてよいでしょう。

〔苦情の解決〕

社会福祉事業法が2000（平12）年に改正され社会福祉法となり福祉サービスを利用する人たちからの苦情を適切に解決するために新しく規定されなした。

(社会福祉事業の経営者による苦情解決（第82条）

社会福祉事業の経営者は、常に、その提供する福祉サービスについて、利用者等からの苦情の適切な解決に務めなければならない。

運営適正化委員会（第83条）

都道府県の区域内において、福祉サービス利用援助事業の適正な運営を確保するとともに、福祉サービスに関する利用者等からの苦情を適切に解決するため、都道府県社会福祉協議会に、人格が高潔であつて、社会福祉に関する識見を有し、かつ、社会福祉、法律又は医療に関し学識経験を有する者で構成される運営適正委員会を置くものとする。

〔倉橋惣三（くらはしそうぞう）（1882～1955）〕

大正から昭和にかけて日本の幼児教育における、理論的な指導者として特筆すべき人です。児童中心主義に基づく進歩的な保育を提唱し、自らも保育の現場で実践に関わりました。倉橋は、東京帝国大学を卒業後、1910（明 43）年東京女子高等師範学校に着任、1917（大 6）年附属幼稚園の主事になりました。1949（昭 24）年退官するまで、幼児教育界の理論的指導者として幼児教育の発展のために貢献しました。東大在学中は、児童研究の元良勇次郎に師事し、アメリカでは、児童研究運動のリーダーであったスタンレー・ホールに師事しました。そのために理論よりも生活の実際に関心を持つ傾向が強くなりました。倉橋は、「幼児教育の第一義は、幼児生活の価値を知ることである。」「幼児教育に関するすべての問題は、理論的にも実際的にも、つまりこの第一義から派生するものである。」としています。幼児の生活そのものが自己充実の大きな力を持っているとし、幼児の「さながらな生活」を大切にしました。従って、保育においても幼児の生活を主にして、その中で幼児を誘導する「誘導指導案」を提唱しました。そこでは、幼児の自発的な生活を尊重し、「生活を、生活で、生活へ」と導いていくことの大切さを示しました。主な著書に、『幼稚園雑草』『幼稚園保育法真諦』『育ての心』『子供賛歌』などがあります。

〔クレペリン精神作業検査〕

正しくは「クレペリン・内田精神作業検査」といわれているものです。

この検査法は、ドイツのクレペリンが考案した連続加算に関する研究を基盤として日本で内田勇三郎が多くの実験と調査の結果、作成・標準化した検査法です。作業検査は、被験者に簡単な加算作業を 25 分間（休憩前 15 分・休憩 5 分・休憩後 10 分）実施します。その作業結果から、人格特性を把握しようとするものです。普通の自己診断型の性格検査と異なり比較的客観性を持つ点が評価されています。

〔クロスチェック〕

一つの事柄を説明するために、いろいろな資料を参考にし、精査したり、方法や視点を変更して確認することをいいます。

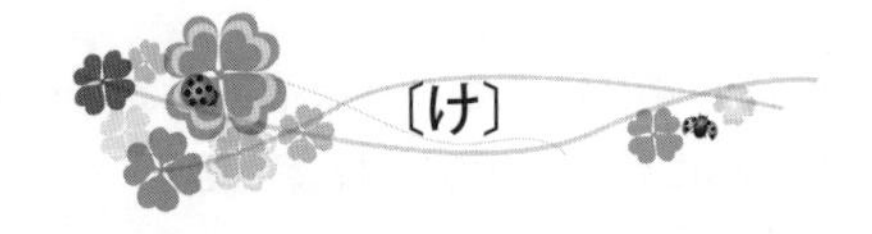

〔け〕

〔系統主義保育・教育〕

系統主義の教育では、知識や技術など人類の文化遺産を児童や生徒に効率的に伝達することを目的として、教科の論理的系統を重視するものです。幼児の場合について考えると、保育の方法や内容にできるだけ系統性を持たせようとする指導をいい、保育のねらいに系統性を持たせることや、幼児の活動の配列や展開に発達を踏まえながら系統化する保育のことをいいます。教育の流れを考えるとき、大きく系統主義（教科中心）と児童中心主義（人間中心）の二つが考えられます。この両岸を大きく左右に揺れ動きながら、保育方法も揺れ動いてきました。昭和 31 年に制定された幼稚園教育要領における保育の考え方は、保育者が望ましいと思う活動を選択して与えるという方法がとられました。この考え方では、保育者の意図によって活動が選択されるので、比較的容易に系統化ができます。しかし、幼児の発達からいえば日頃の遊びの中で総合的に身につけていくことの方がふさわしいのではないかということで、1989（平元）年の幼稚園教育要領の改訂においては、幼児の主体的活動を重視することとなりました。2018（平 30）年の改訂では、幼児の心身の負担を配慮し、主体性を大切にしながら保育者が遊びの見通しを持ち、発達に必要な経験を援助するなど児童中心の中で必要な系統性を織り込む方向になっています。⇒教育課程

〔けいれん〕

けいれんには中枢神経の機能的または器質的病変のため生じるものと、無酸素症、電解質異常、低血糖症や各種アミノ酸代謝異常などによる中枢神経あるいは筋の電気的興奮性の増加によって生じるものがあり、どちらの場合も不随意に引き起こされる急激な筋肉の収縮を伴います。

けいれん発作時は、まず誤嚥（ごえん）予防として顔を横に向けた上で気道を確保し、おむつや衣服を緩め、安静に寝かせます。またけいれん時に口内へ指などを入れるのは危険です。

〔ケース・スタディ〕

心理学の臨床心理学や実践心理学で取り上げられている研究方法です。特に臨床心理学では早くから研究手法として活用されています。個人の持つ諸条件、多くは、生育歴・家庭・家族構成・本人の性格、心身の発達・交友関係などを調査し、個人の全体像を把握し、それらの調査をもとにそのケースの診断会議を開いて、あらゆる角度から分析・検討して、適切な治療方法を決定する重要な役割をもっています。それは個人を対象としますから、客観性、妥当性、個人のプライバシーに関すること等その取り扱いには十分留意しなくてはなりません。

〔ケースワーク〕

1869 年にロンドンではじまった慈善組織協会（COS）が、貧困者等に対して行ってきた従来の慈善の無差別･無計画な施しに対して「施（ほどこ）しでなく、友愛を」とし、「価値ある貧困者」に対して、助言と救済を行い、貧困から抜け出せるよう援助していきます。こうした運動がアメリカに広がり、友愛訪問者と対象者との接触が深まるにつれ、対象者のもつ貧困、道徳的退廃といったものが、個人の責任でなく、また友愛訪問員も単なるボランティア活動ではなく、有給の職員として専門的知識・技術及び科学的処遇の必要性を生じさせることとなりました。いわゆるケースワークの基礎が発生してきたということです。その貢献者がリッチモンドです。「意図的に個人と社会環境との関係を個々に応じて調整しながら、パーソナリティの発展をはかろうとする様々なプロセス」をケースワークと定義しました。従来の援助方法がワーカーの経験や勘で行っていたものでは不十分とし、○環境との調整、○個別的に行う調整、○意識的調整をあげ、利用者が主体的に問題解決するための援助がケースワークであるとしました。また、パールマンは、問題解決の過程を「人（Person）」「問題（Problem）」「場所（Place）」「過程（Process）」の四つのＰを挙げてケースワークの構成要素としました。そして、①導入（インテーク）、②事前評価（アセスメント）、③援助計画（プランニング）、④介入（インターヤーション）、⑤事後評価（エバリュエーション）を経て、援助活動は終結するとしました。

〔劇遊び〕

架空の世界の中で、さまざまな役割を演じるなどして、演劇的な要素を持った幼児の遊びをいい

ます。童話や絵本などのストーリーに沿って、共通のイメージを持って遊んだり、子どもたちの自由な発想で即興的に演じたりすることもあります。遊びの中で、さまざまなものになり切って遊ぶ「ごっこ遊び」なども広い意味での劇遊びということもできます。３歳児などでは、ままごとの中で、犬や猫、赤ちゃんなどになってさまざまな表現をしますが、これらは自分がそのものになり切って自分の世界を楽しんでいます。４歳児では、テレビなどに出てくるヒーローやお姫様にあこがれてなり切って遊ぶ姿が見られます。このような３、４歳児の場合は誰かに見せようとか、見てもらいたいという思いはあまり見られません。５歳児くらいになると友達とイメージを共有しながらまとまりのあるストーリーを演じることができるようになります。また人に見てもらいたいと思うようになり、自分たちが考えた表現を３、４歳児を誘って見てもらったり、家の人に見てもらったりすることで、一層励みにするようになります。幼稚園教育要領の領域「表現」の内容において、「自分のイメージを動きや言葉などで表現したり、演じて遊んだりする楽しさを味わう。」とあり、保育所保育指針の３歳以上児の内容表現にも「感じたことや、考えたことを音や動きなどで表現したり自由にかいたり作ったりなどする」となっています。

〔ゲゼル（1880 ～ 1961）〕

アメリカの心理学者、小児科医、子どもの発達研究のパイオニアとされている。乳幼児の行動発達について子どもの自然状態を大切にしながら、観察法によって客観的、実証的に研究を行いました。有名な研究法として双生児対称法があり、この実験法により、階段上り、積み木活動、言語訓練などを検討しました。その結果、どんなに早く訓練を行っても一時的な効果が見られるだけであり、本質的に学習が成立するためには、教育し訓練するのに適する時期があると考え、成熟説を主張しました。そしてそのような学習や訓練が効果的に可能になる発達的素地をレディネスと呼びました。このレディネスは、成熟によると考えられ、ゲゼルの成熟優位説は 1960（昭 35）年以前の保育に大きな影響を与えました。その後、この成熟説に対して環境や教育の力でレディネスを促進させることが可能であるというブルーナー等の説が現れ、論争されています。

〔月案（げつあん）〕

幼稚園における指導計画は、大きく分けて長期の指導計画と短期の指導計画に分けられます。長期の指導計画には、年間指導計画、月間指導計画、期による指導計画などがあり、月案とは年間指導計画を踏まえてさらに月毎に具体化された指導計画をこのように呼んでいます。指導計画の書き表し方には、特に一定の決まりはありません。それぞれの園に応じて創意工夫し、最も書きやすい形式を考えればよいのです。一般的には前月の「幼児の姿」から当月の「ねらい」と「内容」を設定し、ねらいを達成するための環境の構成を考えます。環境に関わって幼児が生み出す活動を予想し、必要な配慮や援助を書きます。また、その月に取り上げたい歌や絵本や紙芝居などの教材や、交通安全指導の重点項目などを書くこともあります。その他に園の行事や家庭連絡事項なども書きます。月の終わりには、反省評価も忘れてはなりません。

〔結核〕

ヒト型結核菌（まれにウシ型）によって起こる感染症で、主に呼吸器を介して感染し、肺を筆頭に全身のほとんど全ての臓器が侵されます。
最も多い肺結核では食欲減退、疲れやすい、微熱が続くなどの風邪に似た症状が現れ、しばしば不定の症状を訴えるために他の疾患と混同されます。午後になっての発熱や寝汗などは結核によく見られる症状の一つです。
感染の有無はツベルクリン反応で検査でき、陰性の場合は予防ワクチンであるBCGを接種します。

〔健康〕
幼稚園教育要領や保育所保育指針、幼保連携型認定こども園教育・保育要領に示された五領域の一つです。健康な心や体を育て、自ら健康で安全な生活を作り出す力を養う観点から「ねらい」と「内容」が示されています。ねらいでは、日々の生活が楽しく安定し心身ともに充実感が味わえること、体を存分に動かし積極的に運動しようとすること、健康で安全な生活に必要な生活習慣を身につけることとしています。内容の取り扱いでは、自己の存在感や充実感を基盤としてしなやかな心と体の発達を促すこと、安全についての構えを身につけ、自分の体を大切にしようとする気持ちを育てる、幼児が戸外で遊びたくなる環境を整え、その際幼児の動線に配慮した園庭や遊具の配置を工夫すること、自立心を育て、主体的な活動の中で生活に必要な習慣を身につけることが示され、幼稚園教育要領、幼保連携型認定こども園教育・保育要領の内容は10項目、保育指針は9項目示されています。

〔健康観察〕
健康観察とは、学校や幼稚園・保育所において、教職員が子どもたちの外観や反応・動作などから、健康の状態を読み取ることです。
一般状況を把握するためには、顔色や目、鼻、口、耳の状況、皮膚の色つやや発疹の有無、声の調子、四肢の動き、姿勢などについて、いつもと違った状況に気づくことが大切です。異常を認めた場合には、状況によって医療・休養などの適切な処置をすることも重要です。また一方では子ども個人の状態の累積によって得られた健康の情報をもって、次の健康診断に生かすこと、必要に応じて園医の健康相談にかけて改善を図ることも大切です。毎日の健康観察で得た情報を累積し、分析していけば、感染症の集団発生を早く察知して対策を立てることができます。また、虐待等の早期発見にもなります。
健康観察実施の方法を工夫することで、子どもたちに、自分や他の人の健康状態を観察する方法を学ばせることが期待でき、健康状況の判断基準を学習させることができます。
健康観察については、健康診断のように法的な規定はありませんが、保育所保育指針では第5章健康及び安全の項に「子どもの心身の状態等を観察し、不適切な養育の兆候が見られる場合には…」とあります。身体的な健康のみならず、虐待等の兆候についても観察を行うようにし、適切な対応を図ることが規定されていま

〔健康診断〕
学校教育法第12条において「学校においては別に法律で定めるところにより、幼児、児童、生徒、及び学生並びに職員の健康の保持増進を図るため、健康診断を行い、その他その保健に必要

な措置を講じなければならない」とされているのを受け、学校保健法に規定されている健康診断のことです。

現行の規定では、①就学時の健康診断、②児童・生徒・学生及び幼児の健康診断、③職員の健康診断の三種類があり、さらに②と③には定期の健康診断と臨時の健康診断とがあります。それぞれの健康診断についての実施時期や項目などは、同法施行令や施行規則に規定されています。

〔健康寿命〕

健康寿命とは「健康上の問題で日常が制限されることなく生活できる期間」と定義され3年ごとに公表しています。健康寿命を伸ばすためには①日頃から活発に運動をすること②定期的な健康診断・検診と口腔ケアをおこたらない③食生活を考える等々日常生活を見直して健康寿命を伸ばすことが大切です。

〔健康日本21（21世紀における国民健康づくり運動）、健康増進法〕

厚生労働省は、2000（平12）年から国民健康づくり対策として「21世紀における国民健康づくり運動」（健康日本21）を展開し、すべての国民が健やかで心豊かに生活できる活力ある社会にするために、①壮年期死亡の減少、②健康寿命（認知症や寝たきりにならない）、③生活の質の向上等目的として早期発見、早期治療などの二次予防や発病を予防する一次予防のための環境整備、情報提供等の運動を行ってきました。

〔言語障がい〕

言語障がいの定義は多くの学者の間で共通点が見い出せなく、言語を一般的にどう捉えるかによって異なり、話し相手と聞き手との人間関係で捉えると、一般化された定義は困難となります。そこで現在言語障がいをどう分類しているかを調べてみました。①耳で聞いた特徴を基準としたもの→吃音などのリズム障がい、一般的な音声障がい、②言語発達の観点に基づく分類→言語発達の遅滞からくるもの、③心身の異常に基づく分類→口蓋裂による障がいなどがあります。色々な原因による障がいであるので治療法も症状によってさまざまな治療や言語訓練がなされています。

〔原始反射〕

新生児や乳児期には大脳の機能が未熟なため、この時期に特有の各種の反射が見られ、これを原始反射と呼びます。やがて中枢神経の成熟とともに、より高度なレベルの機能の発達により、原始的な反射は抑制され、次の反射（姿勢反射など）が出現してきます。各種反射が正常な時期に消失したり、出現したりという評価は重要であり、原始反射の残存は神経系の異常を疑わせることになります。

原始反射には哺乳反射（ルーティング反射、吸啜反射）、把握反射、モロー反射などがあり、主に脊髄・橋レベルの反射です。こうした反射を〔生得的反射〕ともいいます。

〔原体験〕

人間の心の底にいつまでも残り、その人が何らかの形でこだわり続けることになる幼少期の体験をいいます。幼児期の教育は、人格形成の基礎を培う大切な時期です。この生涯にわたる人格形成に大きな影響を与えるのが、幼少期の体験すなわち原体験です。幼少期の教育に携わる者たちは、心して子どもたちによい体験を与えてやりたいものです。自然とかかわる中での畏敬の念、生き物とかかわる中での命の大切さ、友達と楽しい遊びを心行くまで楽しむ中での人とかかわる力など幼児期の原体験を豊かに育んでいくことが大切です

か行

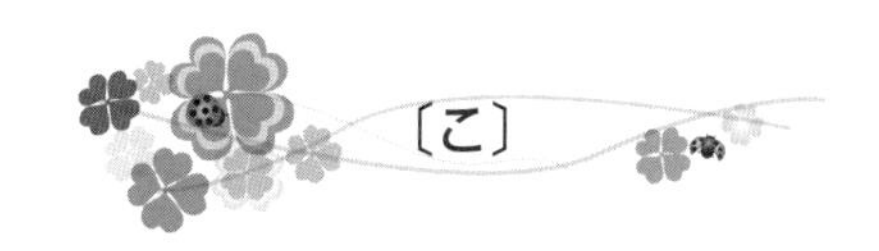

〔コアカリキュラム〕→生活カリキュラム⟷教科カリキュラム

児童生徒の学習活動、保育活動を組織的に計画的に指導するために教育内容・保育内容を系統的に編成した教育計画の総体をカリキュラム（curriculum）・教育課程といいます。日本では、国語とか算数といった教科が中心となった内容と、児童生徒の人格形成、生活行動といった領域の二つの面から成り立っています。学習すべき文化的内容を系統的に組織化したものが教科カリキュラムであり、これに対して児童生徒の生活経験や体験を主体に、その内容を中心課題として系統化し、組織化したカリキュラムをコアカリキュラムといっています。戦後、生活カリキュラムという考え方が提唱され、従来の教科カリキュラムに対して、教科を統合したり、再構成し、児童生徒の興味や経験をカリキュラムの中心に置き、系統的に組織化した教育課程をコアカリキュラムとしましたが、何を中心とするのか、系統性はどうかなどいろいろな課題が出されました。現在では、学習指導要領や幼稚園指導要領等に示された内容を意図的に組織化していて顕在的カリキュラム、それに対して無意図的に児童生徒を社会的に形成していく潜在的カリキュラムと分ける場合もあります。

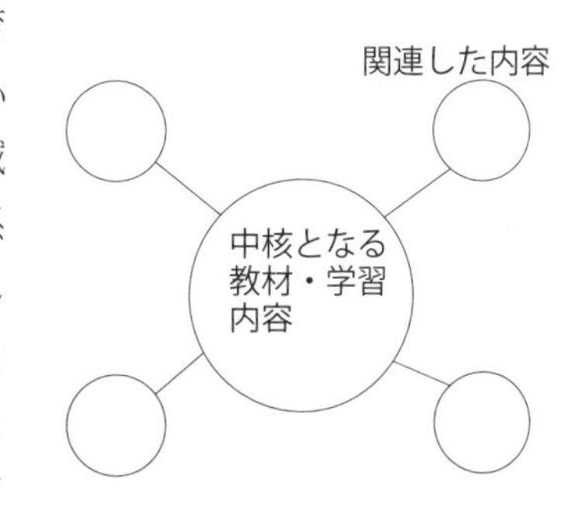

〔誤飲〕

誤飲とは、食べてはならないものを口に入れ、嚥下（えんげ）してしまうことをいいます。

誤飲事故は、まれには成人でもありえますが、乳幼児期（特に０歳後期）には起こり易いので、配慮が必要です。この年齢期は、行動が旺盛となり、指で小さいものをつまむことができるようになっているので、手にしたものを口へ運び、誤飲事故が起こりやすくなります。

タバコ、医薬品、ボタン、硬貨などの置き場所を考慮し、誤飲による窒息、飲んだ物による二次傷害の予防に努めることが大切です。

〔公園デビュー〕

乳幼児の子育てをする母親などが、他の親子と関わる機会を求めて、公園などで出会うことを

比喩した表現を指します。近年、少子化や女性の社会進出、核家族、近隣社会の人間関係の希薄化などの時代の変化とともに、若い母親が子育ての指針を得る場が少なくなってきています。そのような中において、マンション等の近くに設けられた公園が唯一の親同士の交流の場となっていきます。家庭の中にあって子育てに悩む母親が、子連れで公園に集い、子どもたちを遊ばせながら情報を交流する風景があちこちで見られるようになり、子育てをする母親たちの社交場のようになっていきました。それに伴って子どもたちもこの公園での出会いを通さないと仲間入りができないというような風潮が起こります。これらの現象を比喩して、一種の流行語のようになってきました。しかし、近年では子どもの減少等により公園での遊びが減り、また母親たちもインターネット等に興じる機会が多くなったように思われます。

〔公園内保育園〕

待機児童解消のために、区市が管理する公園内に保育園を設置することが可能となりました。国家戦略特区法が改正されました。都市公園法ではトイレ・ベンチ・遊具など限定したものになっていますが、特区法の改正で公園内に保育園の設置が特例として認められることとなりました。また，平成 29 年 4 月に都市公園法が改正され、自治体の認可保育所を設立することができるようになりました。

〔構音障がい〕

構音障がいの定義は、発語に際して、語頭・語中・語尾の全体や、いずれかの部位に、他の音と置き換えたり、抜かしたり構音するものを指します。構音とは語音を産み出す働きをいいます。言語障がいの中では出現率は高いとされています。しかし、多くは全ての発語がそうであるのではなく、１～２の発語に出るのが普通です。原因としては、器質的構音障がいと、神経系統からくるものは麻痺性構音障がいに区分けされています。また、主たる原因が認められないのに構音に何らかの障がいがあるのを機能的障がいと呼び幼児語の構音障がいが一般の幼児にも現れている場合がよくあります。

〔好奇心〕

人間は健全な発達をしている場合、目・耳・鼻・手足を働かせて接触する自然的環境はもとより、社会的環境も探求しています。これらの事実を調べて、アタックして何かを知ろうとする欲求を好奇心といいます。この欲求があればこそ、人間は諸々の新しい場面に遭遇しても、機敏にうまく適応ができるのです。つまり好奇心が旺盛なほど、効果的適応ができます。好奇心を満足させるには、絶えず物事を観察し、それを理解し、学習という人間の能力を働かせていきます。教育現場で好奇心を利用して学習意欲を向上させる努力をしてほしいものです。

〔合計特殊出生率〕

一人の女性が一生の間に産む平均の子どもの数を言います。15 ～ 49 歳の女性の年齢別出生率を合計したもので、この数値が 2.1 を下回ると将来人口が減少していくと考えられます。

令和 5 年度の合計特殊出生率は 1.20 で、前年の 1.26 よりも低下しています。年次推移をみると、平成18年度から上昇傾向が続いていましたが、平成26年に低下、27年再上昇しましたが、平成28年度からは低下しています。

合計特殊出生率の母親の年齢で最も出生率が高いのは、30歳～34歳です。出生順位別では、全ての年齢層で低下しています。また、都道府県別にみると、沖縄県の1.60、宮崎県の1.49、長崎県の1.49が高く、東京都の1.06、北海道の1.06、宮城県の1.07が低くなっています。

か行

〔国民健康栄養調査〕

健康増進法に基づいて実施するものであり、国民の身体の状況、栄養摂取量及び生活習慣の状況を明らかにし、国民の健康の増進の基礎資料として活用するために行われています。調査項目は身長・体重（満1歳以上）腹囲(満6歳以上)血圧（満20歳以上)等です。

令和2年度の肥満及び痩せの状況は男性32.2%女性21.9%であり男性は女性とともに変化はみられなかった。

朝食の欠食率男性14.3%女性10.5%。欠食をはじめたのは男女ともに20歳代がもっとも多く、男性37.0%女性23.5%となっています。欠食とは、①食事をしなかった場合、②錠剤などによる栄養の補給、栄養ドリンクのみの場合（サプリメント）③菓子、果物、乳製品、嗜好飲料などの食品のみを食べている場合があたります。成人の野菜類摂取量の平均値は281.4gでありどの年代でも350gには達していません。かろうじて60歳代が317gと最も近い値となっています。

〔攻撃性〕

攻撃性という用語として表現されるものに、攻撃・怒り・敵意の三つが挙げられます。攻撃の定義には、①相手に何らかの害を及ぼす目的や意図を持つもの、②他の生活体に対して有害な刺激を加える反応――と二つの定義がなされています。攻撃動機に根ざしたものと、自分の目的を達するため自己防衛の手段としての攻撃に区分けすることができます。

幼児を対象とした場合は原因の分別はできていないのが普通で、攻撃手段をあまり強く禁止すると積極的な自己主張を押さえ受動的・消極的子どもにする危険があり十分配慮した指導がなされなくてはなりません。

〔広汎性発達障がい（こうはんせい）〕（自閉症スペクトラム障害（PDD）Pervdsive Devepmertal Disorder.）

高機能自閉症は3歳ぐらいまでに現れ、他人との社会的関係の形成の困難さ、言葉の発達の遅れ、興味や関心が狭く特定のものにこだわることを特徴とする行動の障がいである自閉症のうち、知的発達の遅れを伴わないものをいいます。中枢神経系に何らかの要因による機能不全があると推定されます。アスペルガー症候群は、知的発達の遅れを伴わず、かつ自閉症の特徴のうち言葉の遅れを伴わないものをいいます。これら高機能自閉症やアスペルガー症候群は、広汎性発達障がいに分類されます。

〔高齢社会対策大綱〕

団塊の世代が65歳に達する時代となり、増々高齢化が進み、高齢人口の急増期にはいります。65歳以上の人口は総人口の27%を占めるようになりました。（総務省）政府は、平成24年9月に

「人生 90 年時代」への備えとして高齢者の再就職、非正規雇用労働者対策の推進、現役世代が自助努力で高齢期に備えられるようにするために 2012（平 24）年 9 月に「高齢社会対策大綱」が決定されました。以後数回の見直しを経て平成 30 年 2 月に現下の高齢社会醸成を踏まえて改定し、各省庁が実施する高齢社会対策は、雇用、年金、介護、医療、教育、まちづくり、住まい、技術革新など、様々な分野にわたり、大綱は、今後 5 年間程度を見据えた指針となっています。

〔交友関係〕

交友関係は非常にむずかしいものといいますが、好感・愛着・友情などを媒介（ばいかい）とした二人以上の相互関係であって、平等で自由な相互関係をいいます。子どもの場合でも、相互に心理的緊張感を解消し合ったり、人格的な発達のため社会化と個性化の過程を経ます。交友関係の成立は発達段階によって変化を繰り返しますが、幼児期の交友関係を見ますと 3 歳ぐらいまでは、分け隔てなく誰とでも遊びますが、3 歳後半からは、交友関係が限定され出します。4 ～ 5 歳になると友好的に交流するようになってきます。

〔交流教育〕

交流という言葉を教育という立場から考えると、さまざまな交流が考えられます。先ず、学校間の交流があります。異なる学校同士が、教育的な目的を持って交流することです。幼稚園教育要領においても指導計画作成上、特に留意する事項として幼児の社会性や人間性を育むために地域や幼稚園の実態によって、特別支援学校等の障がいのある幼児との交流の機会を積極的に設けるようにとしています。次に同一校の中での交流を図ることもあります。幼稚園でいえば、異年齢の交流保育があります。幼稚園は、基本的には同一年齢の幼児で学級編制をし、保育を行うことになっていますが、近年少子化や遊び友だちや遊び場の減少によって年齢の異なる子どもたちが遊びにくい状況にあることから、幼稚園においても意図的に異年齢の子どもが交流して遊ぶ場を設定しています。その他、地域社会との交流、異世代間の交流なども今日的な教育課題解決への方向として意味を持つものです。

〔コーナー保育〕

子どもの興味や関心を踏まえて、保育者が意図的に用具や素材などを用意して活動を展開させる場をコーナーと呼び、コーナーをいくつか準備してそのコーナーに関わって、子どもたちが自主的に活動する保育方法をコーナー保育といいます。子ども自身が「遊びの環境」を選び、遊び方を自由に選び、独創性や創造性を認めて自由に表現すことに重点をおいています。自分の個性と能力を引き出す、自由保育の象徴としての役割を果たしています。

家具や棚である程度仕切られ、それぞれのコーナーの中で年齢の違う子どもたちが誰かの指示を受けることなく、好きな用具を自由に選び、好きなように遊びます。仕切りがあることでより「自分の空間」という気持ちが強くなり、集中力を高めやすく、絵本コーナーやブロックコーナー、お絵かきコーナーやままごとコーナーなど、様々なコーナーが用意されています。コーナーは、いつも保育者が作り出すものではなく、幼児の主体的な遊びの中で作り出されものです。コーナーは、固定的なものではなく、幼児の発達を踏まえ、時期や活動の流れ、興味の方向などを常に見通しながら変化させるものでなければなりません。場合によっては、常時決まった場所にものがあるということで、幼児に安定感を与える場となることも心に止めておくべきでしょう。

〔声がわり〕

男子の変声は、思春期の訪れを示す、はっきりとした二次性徴の一つです。音声が小児型から成人型に移ることです。思春期に性ホルモンの発動により喉頭と声帯が急激に発達し、声帯が長くなるため､特に男子では著しく声位が低下（約1オクターブ）します。一時的に声域が狭くなり、そのため、しわがれ声や発声困難などの症状を伴います。それは喉頭が変声前の約二倍に発育しますが、声帯筋が喉頭と同じ歩調で発育しないので、一時的なアンバランスが原因です。変声は女子にもあるのですが、ごく僅かな変化ですから気づかずに過ぎます。このことをよく説明して、悩んだり恥ずかしがる必要はないこと、この時期には無理な発声をしないよう注意しましょう。

〔心の教育〕

心の教育とは、子どもの持っている可能性を引き出し、開花させるための計画的かつ系統的な活動といってよいのですが、教育には三つの柱があります。①知育、②体育、③道徳の分野です。戦後の教育は知育偏重の教育が中心となり、体育はともかく、道徳（道徳教育）が軽視され、他人との人間的なつながりや、愛情、友情、思いやり、包容力などが欠けて、およそ人間関係が自己中心的となり、自分さえ良ければ人はどうなってもよいという考え方が強まり、さらに少子化による家庭におけるしつけが弱体化して、自己抑制力のない自己中心的でわがままな子どもが増えました。相手の気持ちに関係なく行動するようになり、家庭内暴力・学校内暴力・少年非行が日本の全刑法犯の 50%を占めるに至りました。このような現状から「心の教育」が叫ばれ始めました。これに関しては、今回の学習指導要領の改訂でも明確ですが、家庭や地域社会との連携で学校での道徳教育の徹底を図りながら、子どもの内面に根ざした道徳性（心の教育）の育成が図られるようになりました。

〔固執性〕

固執性は心理的防御機制の一つであり、情緒不安定な劣等感の強いものです。良い例が、知的障がい児や感覚障がい児などによく起こります。

特徴的行為として、一つの体験や行動が一定期間反復したり、保持し、それによって自由を失い、行動が無批判的・狂言的になって、現実的生活への適応ができなくなります。

発現症状は、パーソナリティの荒廃から、器質性脳損傷、てんかん、臆病などが起こり、行動、感情などに異常をきたす場合があり、短期的または永続的に現れます。固執性の種類・原因によって治療・処置を考えなければなりません。特に固執性の治療は防御機制の表れですから、緊張することなく、ゆったりと対応することです。

〔個食・固食〕

「個食」とは、家族が一緒に食事をしているが、それぞれが異なるものを食べていること。「固食」とは、自分の好きな物ばかりを食べることにより栄養バランスがくずれやすくなります。現在の家庭が抱える食卓の問題を表した「こ食（弧食、個食、固食、粉食、子食、小食、濃食など）」の一つ。

〔個人差〕

個人差とは、一人一人の身体の形態、心身の機能、性質、能力などの差異をいいます。人間は、誕生してから時を経るに従ってさまざまな発達の様相が見られます。すなわち、首がすわり、おすわり、歩行、言葉の獲得などの行動は、人間としてはかなり共通して現れてくるものですが、これらの行動を獲得していく速度は、一様ではなく、かなり個人差があります。ゲゼルは、これを発達の四領域という概念を提唱し、多くの乳幼児が順序に従って行動を獲得していくとしても、四領域を同一の速度で経過するものではないことに注目しました。普通の乳幼児でありながら運動領域では発達が早いが、言語領域で発達が遅いこともあります。幼児期の教育では、そうした個人差を重視して一人一人に応じた教育を進めなければなりません。

〔個人情報保護法〕

この法律は2005（平17）年4月1日から施行されました。ここでは、個人情報を取り扱う際に守るべき適正なルールを定めた法律です。この法律が定義する個人情報とは、生きている個人に関するもので、含まれる記述などから特定の個人が識別される情報を指します。教育や保育の場においても適用される法令ですから、十分心に留めておきましょう。

〔個性〕

人間には、一人一人生まれながらにして個人差があります。この個人差は、成長とともにますます顕著になり、やがてその人の個性を形作っていきます。個性は、パーソナリティとしてその人独自の性質であるが、それは決して生まれつきの個人差の延長ではなく、親や保育者など周囲の大人たちとの関わりと、子ども自身の自覚の元に形成されるものです。保育は、一人一人の子どもの発達を援助するものであるから個性は尊重されなければなりません。戦後の保育要領においても幼児期の発達特性として幼児には個人差が認められること、幼児の知的発達には個性があるので、各自の特性を伸ばすことなどが述べられています。1955（昭30）年頃から次第に画一的な教育が行われるようになり、1987（昭62）年の教育課程審議会の答申で「個性を生かす教育の充実」が掲げられ、それを受けて平成元年の幼稚園教育要領では、幼児一人一人の特性に応じた教育の必要性が強調されています。

〔子育て支援〕

近年の都市化、少子化、情報化の進行の中で、家庭教育の状況も変化しています。子育ての喜びを実感できない親、育児ノイローゼの親、早期教育に向かう親が増える傾向にあります。また、地域において子どもが自由に遊べる場の減少、近隣同士の関わりが少なく、連帯感の希薄化などから地域の教育力が弱くなっています。このような状況の中で幼稚園や保育所が積極的に子育てを支援していくことが求められています。幼稚園教育要領においても指導計画作成上特に留意する事項として地域の幼児教育のセンターとしての役割を果たすこととし、幼稚園運営の新しい視点を示しています。具体的な子育て支援としては、地域の子どもの成長発達を促進する場、遊び場の保証と遊びを伝え広げる場、子育ての喜びを共感する場、子育ての在り方を啓発する場、子育ての悩みや経験を交流する場、子育てネットワークづくりなどがあります。

保育所保育指針（第４章 子育て支援）においても、地域における子育て支援として、○一時保育、○地域活動事業、○乳幼児の保育に関する相談・助言等の活動が示されており、保育所職員間の事例検討、必要に応じて専門機関の助言を得られるような体制を整えておくことが必要であるとされています。⇒〔家庭教育支援〕

〔コダーイ（1882 ～ 1967）〕

ハンガリーの作曲家で、民族音楽を取り入れた「コダーイシステム」と呼ばれる音楽教育の創始者です。この考え方は、幼児においては、母国語の民謡に親しみ、そのリズムやイントネーションをもとに、歌い、踊ることによって自然にリズム感や音感が育っていくものであるとしています。コダーイは、このシステムを通じて子どもの内面を育て、人間形成を図ろうとしました。民謡を重視した点ではオルフに似ていますが、オルフが楽器によるソルフェージュの訓練を行ったのに対して、コダーイは、歌うことによる訓練に重点をおきました。彼の親友バルトークとともに、ハンガリーの民族音楽調査・収集を行い、新しいハンガリーの国民音楽を作りました。わが国ではわらべうたを重視する保育のきっかけとなりました。

〔ごっこ遊び〕

子どもが見たり聞いたり経験した事柄を表情、身振りを使って役割を取ったり、身の回りのものをいろいろに見立てるなどして一つ一つのテーマに組み立てていく象徴的な遊びをいいます。通常１歳半くらいから出現し、幼児期にもっともよく現れます。二人以上の子どもがごっこ遊びを進める場合には、表情、身振りに一定の共通のルールが求められます。そのために相互に意見を交換することも遊びを進める上での条件となります。幼児期の代表的なごっこ遊びは、ままごとです。

〔孤独〕

よく人間は一人では生きていけないといわれています。子ども社会でも、高度な社会生活をしていることはいうまでもなく、その集団の中で成長発達し、自己を見い出し、社会性を身につけ、人格を形成しています。ところが、子どもの中にも、友だちと遊べない子や、友だちを作ろうとしない、もしくは作れない子がいます。孤独とは、友だちを作ろうとしない状態や友だちを持とうとしない状態を指します。

孤独であることが、異常とは断言できませんが、今まで友達と遊んでいた子が急に避けたり、室内に閉じこもったりする兆候が見られるときは早く治療・相談することが大切です。

〔言葉〕

幼稚園教育要領や保育所保育指針、幼保連携型認定こども園教育・保育要領に示されている五領域の中の一つです。この領域では、経験したことや考えたことなどを自分なりの言葉で表現し、相手の話す言葉を聞こうとする意欲や態度を育て、言葉に対する感覚や言葉で表現する力を養うためのねらいと内容がまとめられています。ねらいは、自分の気持ちを言葉で表現する楽しさを覚える、経験したことや考えたことを話し伝え合う喜びを感じる、絵本や物語りに親しみ言葉に体する感覚を豊かにし、先生や友だちと心を通わせるなどです。内容として幼稚園と幼保連携型認定こども園教育・保育要領では10項目、保育所保育指針では12項目が示され、内容の取り扱いに当たっては、幼稚園生活の中で心を動かす体験を通して言葉を交わす喜びを大切にすること、絵本や物語の中でイメージをもち言葉に対する感覚を育てること、日常生活の中で文字などを使って思ったことや考えたことを伝える喜びや楽しさを味わい、文字に対する興味や関心を持たせるとしています。幼児期には、まず言葉に対する感覚を養い、その子らしい表現力を育てたいものです。

〔言葉遊び〕

言葉を使って遊びながら、言葉の持つしくみに気づき、言葉に習熟していく活動をいいます。保育の中で言葉遊びをするねらいは、①言葉遊びを通して正しい発音を身につけ、語彙を豊かにし、日本語を正しく使えるようにする、②保育者や友だちと楽しい雰囲気の中で、様々にイメージを広げながら、言葉のやりとりやリズムを楽しむ――などが考えられます。言葉遊びの種類には、「頭字集め」「なぞなぞ」「しりとり」「伝言ゲーム」などがあります。言葉遊びは、遊びそのものの持つ魅力により、子どもたちの中で繰り返し遊ばれながら伝承されてきたものです。子どもたちは、これらの遊びに参加することによって、言葉のリズムのやりとりの楽しさ、イメージの広がりの豊かさや言葉のしくみに気づくことができるというところに言葉遊びの意義があります。保育現場では、言葉遊びは保育者が設定した場面において一斉に遊ばれることが多いようですが、言葉遊びの伝承性からしても子どもたちが自主的に遊ぶ中でも浸透していって欲しいものです。

〔固定遊具〕

公園や幼稚園、保育所など子どもたちの遊び空間に固定して備え付けられた遊具のことをいいます。すべり台、ブランコ、ジャングルジム、うんてい、登り棒、太鼓橋、低鉄棒などの遊具が一般的です。その他にも、幾つかの遊具を組み合わせた総合遊具と呼ばれるものもあります。これらの遊具は、子どもたちが無心に遊ぶことによって身体機能を高めるとともに、遊具そのものをいろいろに見立てたり、ごっこ遊びの場として活用したりして、遊びに変化を与えるものでもあります。固定遊具で遊ぶことによって、よじ登ったり、ぶら下がったり、乗り越えたり、飛び降りたりしてさまざまな動きを生み出していきます。その中から、バランス感覚を養ったり、挑戦する心を育てたり「やった、できた」という満足感や充実感を味わうことができます。遊具を備えるに当たっては、安全性を第一に考えることはいうまでもありませんが、一人一人の幼児の発達を踏まえて柔軟に対応できるものであることが必要です。幼稚園など集団で生活する場で使用するときには、互いに譲り合って使用することや交替して使用する方法等を考えさせます。また、安全に使用するために定期的に点検をして、摩耗の状況を把握し、事故がないように注意しなければなりません。

〔こども家庭庁〕

こども家庭庁は、子どもが心身ともに健康かつ幸せに成長できるようサポートするために、2023年4月に総理大臣直属の機関として内閣府に設置された国の行政機関です。こども家庭庁は3つの部門があります。「企画立案部門」は、これまで各府省庁が別々に行ってきた子ども政策を一元的に集約し、子ども政策の大綱を作成し全体を取りまとめる部署です。「生育部門」は、こどもの安全・安心な成長のための政策立案を担う部門です。文部科学省と協議して、幼稚園や保育所、認定こども園の教育や保育の内容の基準を策定するほか、子どもの性被害を防ぐためや子どもが事故などで死亡した際に、その経緯を検証し、再発防止につなげる部門です。「支援部門」は、虐待やいじめ、ひとり親家庭など、困難を抱える子どもや家庭の支援にあたります。重大ないじめがあった場合には、文部科学省に説明や資料の提出を求める勧告などを行うほか、「ヤングケアラー」の早期把握に努め、福祉や介護、医療などの関係者が連携して必要な支援を行う。障害児の支援や施設や里親のもとで育った若者などに対しての支援も担う部門です。

〔こども基本法〕

こども基本法は、こども施策を社会全体で、総合的に且つ協力に推進していくために包括的な基本法として令和5年4月に施行されました。

こども施策は、6つの基本理念をもとに行われます。

1　すべてのこどもは大切にされ、基本的な人権が守られ、差別されないこと。
2　すべてのこどもは、大事に育てられ、生活が守られ、愛され、保護される権利が守られ、平等に教育を受けられること。
3　年齢や発達の程度により、自分に直接関係することに意見を言えたり、社会のさまざまな活動に参加できること。
4　すべてのこどもは年齢や発達の程度に応じて、意見が尊重され、こどもの今とこれからにとって最もよいことが優先して考えられること。
5　子育ては家庭を基本としながら、そのサポートが十分に行われ、家庭で育つことが難しいこどもも家庭と同様の環境が確保されること。
6　家庭や子育てに夢を持ち、喜びを感じられる社会をつくること。

〔子ども・子育て応援プラン〕

2005年3月(新エンゼルプラン)の終了にともない、少子化社会対策基本法に基づいて、2004(平16)年6月4日に「少子化社会対策大綱」が閣議決定され、その4重点の目標課題（①若者の自立とたくましい子どもの育ち、②仕事と家庭の両立支援と働き方の見直し、③生命の大切さ、家庭の役割等についての理解、④子育ての新たな支え合いと連携）をあげ、2009（平21）年度までの5年間に講ずるべき施策をまとめました。この施策を実施することによって、10年後の「めざす社会の姿」を提示しています。

〔子ども・子育てビジョン〕

2010年の（子ども、子育て支援プラン）の終了を受けて、2010（平22）年1月29日の閣議で「子ども子育てビジョン～子どもの笑顔があふれる社会のために～」が決定されました。その基本的考え方として

1. 社会全体で子育てを支える・子どもを大切にする・ライフサイクルを全体を通じて社会的に支える・地域のネットワークで支える
2. 「希望」がかなえられる・生活、仕事、子育てを総合的に支える・格差や貧困を解消する・持続可能で活力ある経済社会が実現する

更に、三つの大切な姿勢として

1. 生命（いのち）と育ちを大切にする「一人ひとりの子どもが幸せに生きる権利、育つ権利、学ぶ権利を大切にします。」
2. 困っている声に応える「子どもや子育て家庭の不安を解消し、困っている声に応えます。」
3. 生活（くらし）を支える「若い世帯や子どもの立場に立って、家庭や地域の生活を支えます。」

として「目指すべき社会への政策4本柱と12の主要施策」が示されています。

2010（平22）年6月に「子ども・子育て新システムの基本要綱」が少子化社会対策会議で、

・すべての子どもへの良質な成育環境を保障し、子どもを大切にする社会
・出産・子育て・就労の希望がかなう社会
・仕事と家庭の両立支援で、充実した生活ができる社会
・新しい雇用の創出と女性の就業促進で活力ある社会

を目的として、国、都道府県、市町村の役割と責務が決定されました。

〔子どもの家〕

イタリアのモンテッソーリが考案した、教具に基づく教育法を実践する教育施設です。モンテッソーリは、最初知的障がいの子どもの教育に携わりましたが、やがてローマのスラム街にできた「子どもの家」の指導を任され、そこでの実践から理論と方法を構築しました。わが国にも現在「子どもの家」と名づけられた幼児教育施設があり、その教員を養成する機関もあります。「子どもの家」ということでは、イスラエルにおけるキブツの保育においても見られます。キブツの子どもの家は、3種類に分かれています。生後7週目より1歳くらいまでの子どもが生活する「乳児の家」、1歳から3歳くらいの子どもが6人単位で生活する「幼児の家」、3歳から6歳は、幼稚園となり20人前後で一つの集団を作って保育されます。

〔子どものうつ病〕

憂鬱（ゆううつ）な気分と自責感を主症状とする精神障害で、精神と身体の活力が全体的に低下している状態です。うつ病よりは軽い状態のものを含めて、憂鬱（ゆううつ）な気分の状態を一般に『うつ状態』と呼ばれています。児童精神科外来を訪れる子供たちの13%～25%はさまざまなうつ状態を示しています。2対1で男児に多いようですが、思春期以降は性差はありません。口数が多く、活動量が増す躁（そう）状態と交互にみられることもあります。

子どものうつ病は大人のうつ病とは違い、腹や頭が痛い、体がだるい等の身体的不調の訴えが多く、「単なる疲れ」「怠け」として処理され、それらがうつとして進行していくこともあり、その原因は、まだ十分に解明されていませんが、うつ状態の75%は親子関係、学校の状況、友人関係等の心理学的な原因とされています。気質的な原因は6～8%とされています。幼児期の主な症状として、○遊びが単調、○理由もなく泣く、○極端に臆病、○食欲不振、○睡眠障害が挙げられます。原因が心理的な場合は、環境改善などカウンセリングが必要となってきます。専門医により薬物療法としては精神安定物、抗うつ薬等の投与が考えられますが、医師の指示によることが大切です。

〔子どもの数〕

2024年5月総務省の発表によると、子どもの数は1401万人で43年連続減少です。15歳未満の子供の総人口比は11.3%と前年より33万人減少しています。1975年から再び低下を続け、2024年は過去最低となりました。1975年から50年連続して低下しています。人口推計を基に算出した男女の人数は、男子718万人、女子683万人です。3歳ごとの年齢層別では年齢が下がるごと減少し、12～14歳は318万人、0歳～2歳は235万人です。100万人を上回ったのは、東京・神奈川のみで、大阪は70年以降初めて100万人を下回りました。。

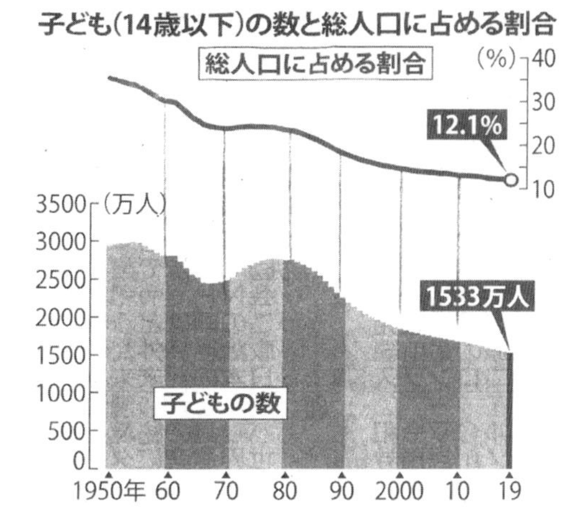

〔子どもの権利条約（児童の権利に関する条約）〕

「子どもの権利条約（児童の権利に関する条約）」は、子どもの基本的人権を国際的に保障するために定められた、前文と本文54条からなる条約で、1989（平元）年に国際連合第44回総会で採択されました。国連で採択された5年後の1994（平6）年にようやく批准されました。現在、締約国・地域の数は193にのぼっており（未締約国はアメリカとソマリアの2カ国のみ）、子どもの権利に関する世界的なスタンダードであるといえます。

この条約では、18歳未満の全ての者を「児童（子ども）」として位置づけ、子どもの「生きる権利」「守られる権利」「育つ権利」「参加する権利」の4つの権利を柱にこれらの権利を実現するための具体的な事項を規定しています。

「子どもの権利条約」が画期的であったのは、「子どもは権利を守られる存在である」という従来の考え方から一歩前進し、「子どもは自分自身の権利を行使する存在である」と位置づけた点にあります。子ども自身が権利行使の主体となるためにも、この条約の内容を、その年齢に応じて子ども自身に知らせていくことが重要であるといえます。⇒〔シェルター〕

〔子どもの体力低下〕

都市化や少子高齢化がすすみ社会環境や生活様式が大きく変化してきました。友だち関係・遊びの行動様式等子どもをとりまく環境も大きく変わってきました。その結果、子どもの走力、投力、握力等が大きく低下してきました。こうした現状を受け、中央教育審議会は2002（平14）年9月に「子どもの体力向上のための総合的な方策について」を答申しました。それに基づき「子どもの体力向上キャンペーン」、体験教室などのイベントの開催、スポーツ・健康手帳の配布等が行われています。

〔子どもの貧困対策の推進に関する法律（平25、法律第64号）〕

子どもの将来がその生まれ育った環境によって左右されることのないよう貧困の状況にある子どもが健やかに育成される環境を整備するとともに、教育の機会均等を図るため、子どもの貧困対策に関し基本理念を定め、国の責務を明らかにするための法律として2013（平25）年に成立しました。教育支援、生活支援、就労支援、経済的支援等の施策が国、地方公共団体、関係機関相互のもと総合的取組みが行われることが規程されています。

この法律に先立ち平成24年に「子どもの貧困対策大綱」が出され、24項目の施策の実施状況や結果を検討することになっていますが、平成29年度より8項目増となり、生育環境の改善に務めることになっています。

子どもの貧困対策の新たな指標

〈健やかな成育環境〉

・朝食をたべない児童・生徒の割合
・相談相手がほしいひとり親の割合
・必要な頼れる相手がいない人の割合
・ひとり親家庭の親の正規雇用の割合
・ひとり親家庭での養育費の取り決め割合
・ひとり親家庭での養育費を受け取ってない子どもの割合

〈教育の機会均等〉

・全世帯の高校中退率
・学力に課題のある子どもの割合

〔コミュニケーション〕

広義には二者以上の間に共通するものが成立する過程をコミュニケーションといっています。狭義には、メッセージが送り手からメディアを媒介として受け手に伝達されることをいいます。

コミュニケーションの定義は多くの解釈がなされていますが、人間の精神活動や社会的活動のほぼ全てをコミュニケーションと呼ぶ論者もいます。定義論も重要ですが、なぜこの用語がこれほど多義的に広範な現象に適用されているのかについて考察することによって初めて、コミュニケーションの本質に迫ることができると考えます。

〔コメニウス（1592～1670）〕

チェコスロバキアの教師で「すべての人にすべてのことを教える」ことを主張し、「近代教育の父」と呼ばれています。「母親学校」「母国語学校」「ラテン語学校」「アカデミア」の4段階の学校制度を構想し、幼児期の教育は「母親学校」であり、母親が家庭で行うもので、0歳～6歳までは「母親の膝の上」で、言葉による論理的なものではなく、子どもが自らの感覚を用いて、直感的に事物をとらえる教育、自然な発達に応じた教育、遊びを重視した教育の方法原理を示しました。直感的教授法を行うために、「世界絵図」（1658年）という世界で最初の絵本を作りました。他に「大教授学」などがあります。

〔五領域〕

1989（平元）年に改訂された幼稚園教育要領の中で、従来の六領域に替わって示された五つの領域即ち「健康」「人間関係」「環境」「言葉」「表現」を総称して五領域といいます。幼稚園教育要領の中で「領域」という言葉が用いられたのは1956（昭31）年に制定されたときが最初でした。そのときには、「健康」「社会」「自然」「言語」「絵画製作」「音楽リズム」の六領域でした。六領域での領域名は、小学校における教科名と混同しやすく、領域別の教育が行われるなど幼児期にふさわしくない教育が行われる一因ともなりました。1989（平元年）年の改訂では、領域名が見直されました。五領域における領域観は、小学校の教科とは全く異なり、幼児の発達を理解するための一つの側面として位置づけられました。幼児期の発達は、さまざまな側面が絡み合っているので実際の指導では総合的に行われます。幼稚園教育要領の五領域を受けて保育所保育指針においても平成２年の改定に伴って六領域から五領域となりました。

〔コレラ〕

コレラ菌による細菌性腸管感染症で、感染症予防法の二類感染症に分類されています。主な感染経路は汚染された水、食物、感染者便などを感染源とする経口感染で、数時間～３日の潜伏期間を経て突然激しい水様性下痢と嘔吐で発病します。無治療であれば致死率は50％にも達しますが、速やかな水分・電解質補給を行えば死に至ることは稀です。

コレラの流行地域への旅行者や輸入食品の汚染などによって菌が国内に持ち込まれる例が多いので、事前の予防接種や旅行後の健康管理、検疫が流行予防の要となります。

〔混合保育〕

幼稚園は、基本的に同年齢の幼児で学級編制を行うことになっていますが、各園の教育に対する考え方や保育室の都合、園児の在籍数、保育者の数などの理由によって、異年齢の幼児で学級を編制して保育を行う場合を混合保育といいます。混合保育の場合は、縦割り保育と違って在籍園児を平等に割り振るのではなく、３歳と４歳あるいは４歳と５歳などのように近い学年の幼児で編制されることが多くなります。また、近年は満３歳児保育が行われるようになり、満３歳児と３歳児の混合学級での保育も見られます。いずれも同一年齢で学級編制ができない場合に、行われることが多く、教育的な根拠よりも管理上の理由でやむなく混合にする場合が多くあります。同一学級に複数学年が在籍するということで、保育方法において十分な配慮が必要です。含まれる子どもの人数比率によって、多い方の学年に合わせたカリキュラムを編成することがあるので、幼児が負担感を持ったり、一方で物足りなくて充実感の味わえない幼児が出てくることもあります。保育内容に柔軟性を持たせたり、保育方法を工夫するなどして、一人一人の幼児が満足感を得られるように配慮しなければなりません。

〔コンプレックス〕

抑圧されて無意識のうちにあるものです。心の中のシコリをいい、精神分析の分野で一般に用いられています。夢や神経症の原因になると考えられています。しかし、無意識化されているといっても、コンプレックスは力と自立性を持っていて、自我の統制に従わないで、個体の行動や感情など、日常生活の上に影響を与えているものです。

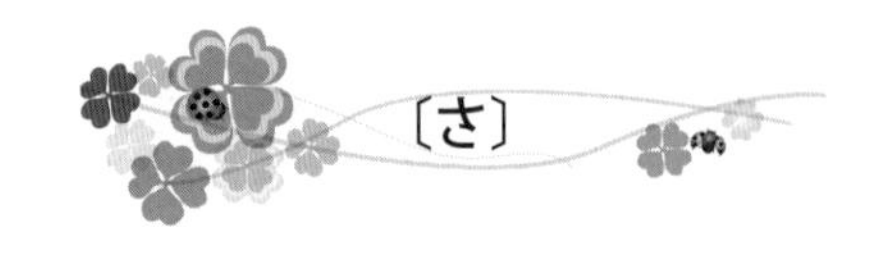

〔罪悪感〕

自分が道徳や宗教の教えにそむくような罪を犯したことがある、現在も犯しているとの罪悪感情が、意識的、無意識に、自分の個人内部に持っている感情です。

罪悪感の発生は人それぞれで、個人差が大きいものです。個人内部の倫理基準によって持つ罪悪感もあれば、精神症的罪悪感の場合もあります。その個人の倫理基準が高く純粋であるための結果と見えながらも、実はその動機は倫理性からでなく、自己防衛にあることが多く見られます。この場合、とがめられ、処罰されるのが恐いとの恐怖感情から発しているものです。その他、形成課程が他にもありますが、乳幼児期における権威者からの背景もあり、一概にはいえません。

〔サルモネラ食中毒〕

サルモネラ菌の経口感染によって小腸内で生産された菌体内毒素が原因で起こる急性胃腸炎型で、経口感染が成立した数時間〜数日後に突然頭痛、嘔吐、下痢さらに数日にわたる発熱など多様な症状を引き起こします。サルモネラ菌は広く自然界の動物に分布し、糞尿（ふんにょう）や分泌物に汚染された食物や水、また保菌動物の体組織や卵にも見られるため、非加熱や加熱不足の食品などから体内へと侵入します。摂取菌量や菌型によって症状の軽重がありますが、重症の場合は死亡することもあるので、日頃から十分な加熱調理を心掛けます。

〔「産後うつ」健診助成制度〕

出産後の女性が育児への重圧や不安によって精神的に不安定となる「産後うつ」を予防するために厚労省が早期発見をし、適切なケアを行い、虐待、育児放棄、自殺等の防止につなげたいとして、産後２週間と１ヵ月にそれぞれ5,000円を上限として支給するとして、2017年度予算に組み入れました。

〔３歳児〕

学校教育法においては、満３歳から幼稚園に入園できると規定されています。このことは、３歳になると、親から自立し、身の回りのこともおおよそ自分でできるようになり、排泄も自立でき、言葉を通しての意志疎通も可能になり、友だちを求めるなどの発達の節目を迎えることによります。特に３歳児は、自我の芽生える時期であり、個人差が大きいことを踏まえて、幼稚園教育要領においても３歳児の指導における留意事項が明記されました。３歳児の指導に当たっては、一人一人に応じたきめ細かな対応や家庭との連携、生活リズムや安全への配慮が特に必要です。３歳児の物に対する認識は、全身の感覚や器官を使ってその性質を確かめ知ろうとするなど、具体的な探索行動を通すことが特色でもあります。また、物へのこだわりも見られそのことから自他の認識につながっていきます。語彙（ごい）も急速に増え、言葉に対する理解も深まり、言葉を交わす楽しさが分かってきます。

〔3年保育〕

幼稚園や保育所において3年間の教育課程又は保育計画に基づく保育を受けることです。3歳児で入園し4歳児、5歳児を経て修了します。近年、少子化、核家族化、都市化など環境の変化により、地域での遊び場や友だちが得にくいことから、3年保育を受けさせようとする保護者が増えています。幼稚園の中で、3年保育を受け入れているのは私立幼稚園が圧倒的に多く、公立幼稚園の場合は比較的少ないといえます。今日の少子化の現状を踏まえて、行政による公立幼稚園の統廃合が行われる際の条件として3年保育の開設が進められています。全国の国立幼稚園においては、全園で3年保育が実施されています。3年保育を実施するに当たっては、各園において3年の教育期間を見通した適切な教育課程の編成が必要です。

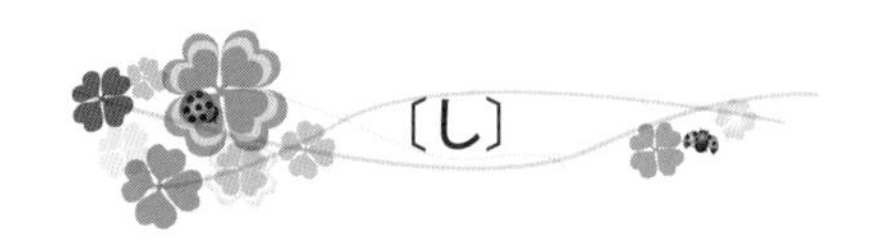

〔飼育〕

一般的に飼育とは、人間が生活する上で役立つ動物を飼い育てることを指しますが、幼稚園や保育所において教育的な意味を持って、身近な生き物を育てることを飼育といっています。保育の場で子どもが飼育活動に関わることは、命の大切さを気づかせる機会でもあり、自然との触れ合いが希薄になっている現代の子どもにとって望ましいことです。幼稚園教育要領等においてもその重要性について触れています。保育の場で多く飼育されているものには、ウサギ、モルモット、ニワトリ、チャボ、インコ、ブンチョウ、アヒルなど比較的丈夫で育てやすいものが適しています。飼育するに当たっては、なるべくペアで飼育し、家族として生きている姿を通じて誕生の喜びや死の悲しみを体験させたいものです。保育の中で見つけたり園に持ち込まれた小動物（ザリガニ、オタマジャクシ、カタツムリ、ダンゴムシなど）は、飼育後適当な時期に自然に帰すなどの配慮が必要です。

〔CCP〕

「親に対する子どもの認知像の検査法」の略称で20世紀後半、林・一谷らが作成しました。

子どもを通してみた親子関係を知るための検査です。通常親子関係を把握する方法は、①観察者を通しての方法、②子どもを通しての方法、③親を通しての方法――とありますが、これら親子関係を違った局面から見ていきます。

本来、親の行動・態度が子どもの人格発達に重要な影響を与えます。子どもの行動・態度を決めるのに直接的に重要な意味を持つのは、観察者（第三者）から見た親の行動・態度や、親から見たものより、子どもを通して認知しているものが最も正確だと見ています。

〔シェルター〕

夫の暴力等によって妻が一時的に避難する場所のことや、子どもにとっても、保護者からの叱責によって逃避場所を設けて、そこにいることによって精神的安定が図られると考えられます。また、子どものシェルターとして、虐待を受けたり、その他の理由によって行き場のない子どもたちの緊急避難先、共同生活の場を「子どものシェルター」といい、子ども自身の選択によって、その自立を支援しようとすることを目的としています。本来は、虐待・養育放棄等を受けた子どもたちは、児童相談所（子ども家庭センター）の一時保護所で保護され、その後児童養護施設に入所します。児童養護施設で自立支援を受けることになります。⇒〔子どもの権利条約〕

〔支援教育〕→（特別支援教育）

2004（平16）年12月に自閉症、アスペルガー症候群、注意欠陥多動性障がい（ADHD）等の脳機能障がいを伴う人たちの支援として、「発達障害者支援法」が成立しました。戦後、障がいを受けている子どもたちの教育として特殊教育が学校教育法（昭22、1947年）で盲・聾・養護学校と小・中学校に特殊学級や通級制・訪問教育等によって実施されてきました。

特殊教育・特殊学級という用語についていろいろと論議され、養護教育、障害児教育等は都道府県によって様々でした。障がいを受けている人たちの人権を尊重し、その自立を促進させるための支援という意味から「支援教育」「支援学級」となってきました。発達障害者支援法の対象となるのは、脳機能障がいによる者がその支援対象となりますが、障がいを受けている人すべての教育を支援教育と位置づけようとする考えが一般的となり、2007（平19）年の学校教育法の改正によって、盲学校・聾学校・養護学校は特別支援学校となり、小学校・中学校などに設置する障がい児のための学級が特別支援学級と改正され、障がいを受けている子どもたちの教育を「特別支援教育」としました。

最近、米国精神医学会の診断の手引き（DSM）の改定によって「アスペルガー症候群」から「自閉症スペクトラム（連続体）障害」に一本化され、「社会コミュニケーション障害」として位置づけられる動きもあります。

〔ジェンダー（gender）〕

性（sex）が雄と雌の違いという生物学的性差を表現する用語であるのに対して、社会的・文化的に作り上げられてきた男女の区別のあり方を指す用語です。ジェンダー概念は、男女の区別が社会的・文化的に作り上げられてきたことを指摘するが故に、「生まれながらにして男女は異なる存在で、役割も異なっている」という性差別を問い直すために有効な概念であるといえます。

ジェンダーの観点から教育・保育の現場を検証してみると、男女別男子優先名簿や、制服、絵本や教材の中の「男らしさ」「女らしさ」についてのステレオタイプの考え方など、さまざまな課題が浮かび上がってきますが、そうした中で育つことは、子どもたちの生き方や可能性を性別で拘束してしまうことにつながり、性差別を温存させてしまうことに繋がります。特に幼児期の場合、何によって男女の区別がなされるかをまだよく分かっていないため、生物学的な特徴ではなく、社会的文化的な性役割を安易に取り込んでしまう可能性が高いといえます。そうした意味で、性役割についての固定観念から子どもたちを解放し、性別による不合理な差別を撤廃できる力の育成が幼児期から求められています。

〔自我〕

意識者が他の意識者、及び対象者から自らを区別することです。または、個人の知覚・観念・感情・行為などにわたる諸活動をつかさどる人格の中枢機関ともいうべきものを指す概念だと定義しています。この説が確かなものであるとはいえなくても、人間の行動を説明したり予測したりする上で必要であり、かつ有効であることは、長年の研究によって認められています。ただこの概念の多義性の問題が、自我と自己とともに多様であるし、用語的に未分化で十分整理されていない点があり今後の研究に期待しています。

〔事業所内保育〕

企業が従業員向けに開設する保育施設を「事業所内保育施設」といい、待機児童解消の大きな施策としています。国は「企業主導型保育事業」として今後２年間で５万人の保育定員増をめざして「子連れ通勤」を促進することとなり、2016（平 28）年９月から企業に補助金を支給することにしました。６月末までの開設申請は 300 施設、定員 6,000 人規模と報告されています。

さ行

〔止血法（しけつほう）〕

人間の全血液量は、体重１kgあたり約 80ml で、一時にその 1/3 以上失うと生命に危険があります。そこで傷からの無駄な失血を防ぐために行われる出血を止めようとする方法です。応急処置的に実施されるものとしては次のようなものがあります。①直接圧迫止血法：傷口の上からガーゼやハンカチで直接強く押さえ、しばらく圧迫する、②間接圧迫止血：傷口より心臓に近い動脈（止血点）を手や指で圧迫して血液の流れを止める、③直接と間接圧迫止血の併用：直接圧迫止血だけでは出血を押さえられないときに、更に間接圧迫止血を加えて行う――などです。

〔自己顕示性（けんじ）〕

自分をより以上実際の自分よりも高く良く見せようとする性格的特徴をいいます。シュナイダーは、その特徴として、①自慢、②人目につく意見の発言、③奇異な態度、④独りよがり、大言壮語――などを挙げています。実際ある以上という必須の条件があり、実力があり、客観的に第三者が見てうなずけるものは自己顕示とはみなされません。カーンは自己過大評価型という定義をしています。このような行動に出る人は、結局人格の未熟さが根底にあり、自己本位に周りの者と接しようとする性格全般から出たものですから、本人を取り巻く環境の整備と人格の社会的成熟をはからせる努力が必要となります。

〔自己充実〕

倉橋惣三が著書『幼稚園保育法真諦』の中で、自己充実について述べています。彼によると自己充実とは、幼児に自由感を持たせ、幼児自身が生活を充実させることであるとしています。マズローは、それぞれの人間が持っている才能や能力を、その場面との関わりにおいて、最大限に発揮して最高の成果を得ることを自己実現と呼び、この自己実現の欲求は、誰もが持つ基本的欲求であるとしました。自己充実も自己実現の一種と考えられます。自己がまだ確立していない乳幼児の場合「自己充実」という概念は、注目すべきことでした。子ども自らが自分の回りの環境に働きかけ、子ども自身がその手ごたえを得て、さらに外界へと働きかけていく過程でさまざまな体験をし、学習を重ねていくのです。倉橋は、子どもが自分の力で充実したくてもできない場合には、大人が援助する「充実指導」の必要性を述べました。この考え方は、今日、幼稚園教育要領や保育所保育指針の中で、保育者の役割として述べられていることでもあり、今もって新しく大切な考え方であるといえます。

〔自己抑制〕

自己の行動や欲望に一方的に左右されることなく、「おさえ・とどめる」ことです。最近の日本社会の風潮として、子どもに限らず成人までが抑制が働かず反社会的行動の多発は残念なことです。

自己抑制（統制）は養育過程において発達します。母親を中心として周りの人間との在り方が問題であり、「何をどう教える」かでなく、「自分がどう生きているか」が問題です。親を中心とした大人たちの生活態度が子どもに強い影響を与えるものです。

〔自己評価・自己点検〕

幼稚園・保育所等の質の向上が問題にされます。保育者の高い資質が求められるようになってきました。幼稚園教育の目的が実現されるために、教育水準の向上を図り、教育活動の充実を期するために、自己点検・自己評価を行う必要があります。

保育所においても、社会福祉法第 78 条において「福祉サービス」の質の向上を図り、サービスの質の評価を行うことが規定され、児童福祉施設の設備及び運営に関する基準では、利用者からの苦情への対応が次のように規定されています。保育所は児童福祉施設であることを意図的に理解する必要がある。

> （苦情への対応）第 14 条の 3
> 児童福祉施設は、その行った援助に関する入所している者又はその保護者等からの苦情に迅速かつ適切に対応するために、苦情を受付ける窓口を設置する等の必要な措置を講じなければならない。

幼稚園、保育所とも常に質の高い保育が実施され、利用者のニーズに対応できる保育者が求められるようになってきました。

また、保育所保育指針第 1 章の 3 計画及び評価、⑷保育の内容等の自己評価、ア保育士等の自己評価、イ保育所の自己評価が次のように規定されています。

○ 保育士等の自己評価

ア　保育士等は、保育の計画や保育の記録を通して、自らの保育実践を振り返り、自己評価することを通して、その専門性の向上や保育実践の改善に努めなければならない。

イ　保育士等による自己評価に当たっては、子どもの活動内容やその結果だけでなく、子どもの心の育ちや意欲、取り組む過程などにも十分配慮するように留意すること

ウ　保育士等は自己評価における自らの保育実践の振り返りや職員相互の話し合い等を通じて専門性の向上及び保育の質の向上のための課題を明確にするとともに、保育所全体の保育の内容に関する認識を深めること。

○ 保育所の自己評価

ア　保育所は、保育の質の向上を図るため、保育の計画の展開や保育士等の自己評価を踏まえ、当該保育所の保育の内容等について自ら評価を行い、その結果を公表するよう努めなければならない。

イ　保育所の自己評価を行うに当たっては、地域の実情や保育所の実態に即して、適切に評価の観点や項目等を設定し、全職員による共通理解を持って取り組むように留意する。

ウ　設備運営基準第36条の趣旨を踏まえ、保育の内容等の評価に関し、保護者及び地域住民等の意見を聴くことが望ましいこと。

更に、「評価を踏まえた計画の改善」においては、「保育の計画に基づく保育、保育の内容の評価及びこれに基づく改善という一連の取り組みにより、保育の質の向上が図られるよう、全職員が共通理解をもって取り組むことに留意すること。」とされている。

児童福祉施設の設備及び運営の基準　保護者との連携（第36条）
保育所の長は、常に入所している乳幼児の保護者と密接な連絡をとり、保育の内容等につき、その保護者の理解及び協力を得るよう努めなければならない。

〔自主性〕

自主性という用語は日常的に使われている反面、概念規定は必ずしも明確でありません。学校などでは、自主性を「自分の正しいと信ずるところに従ってはっきり意見を述べ、行動する。自分で計画し、進んで実行する。」などと説明していますが、これを見ても、自主性という概念は多岐にわたり複雑です。しかし、対極をなす「依存性」から見た独立性が自主性と本質的に共通するのでないかと考えます。第三者の保護や干渉を受けず独立して行動し、自己の力で自己の問題を解決できる意味で自主性の言葉が通用しています。

〔自信喪失〕

子どもだけでなく、人間は家庭・学校・社会生活の中で、心身両面で自分と他人と比較して、優劣を競う場面に立たされています。特に子どもはその経験によって相手に敗れたり、人より出来が悪かったりすると、自信を失い、環境に適応できない状態になることをいいます。

自信喪失になると競争場面から逃避して、友だちから孤立し、自分はやっても駄目だと思い建設的意欲を喪失します。原因として、不器用・成績不良など客観的に他の者から劣っているということが考えられます。客観的に劣っていると思い込むのでなく、自己改革に意欲を持たせるよう指導・援助をして、自信を回復させることが大切です。

〔次世代育成支援対策推進法（平15、法律120）〕

急速な少子化の進行と家庭及び地域を取り巻く環境の変化に対応した次代の社会を担う子どもを育成し、又は育成しようとする家庭に子どもが健やかに生まれ、育成される環境の整備のための国・地方公共団体が講ずる施策や事業主が行う雇用環境の整備等「次世代育成支援行動計画の作成」についてその責務を明らかにし、子育てについての喜びが実感されるようにと願って2005（平15）年7月16日に成立した法律です。2008（平20）年に改正され、一般事業主行動計画が公表、従業員への周知徹底が規定され、2011（平23）年4月1日以降従業員数101人以上の企業については、行動計画の策定及び届出が義務となりました。

さ行

〔自尊心〕

自分の置かれている位置をどれくらいに考えるかを自我水準と定義します。自分が価値ある存在と自覚する心を高揚した自己価値感情をいいます。自尊心は高い自我水準を維持しようとする心であります。自尊心には、自分の能力・身分や地位・外見上の容姿や美しさ等領域がいろいろありますが、自尊心は客観的なものではなく、主観的なものです。だから自尊心を傷つけられると、反抗し不快感を持つので、他人の自尊心は尊重することが必要です。ただ、あまり劣等感を持つのも自尊心の強いのも困ったもので、自分の自尊心が客観的に見られても認められるよう努力したいものです。

〔シックハウス・シックビル症候群〕

最近、新築・改築時に目のかゆみ、喉の痛み、頭痛等を訴える体調不良の報告があります。2000（平12）年４月に「シックハウス対策関係省庁連絡会議」を設置しました。厚生労働省、国土交通省、農林水産省、経済産業省、文部科学省、環境省の６省で構成されており、化学物質等による室内空気汚染を防止するため、総合的な対策を推進しています。2002（平14）年に「建築基準法」が改正され、すべての建築物について、①刺激性のある化学物質であるホルムアルデヒドを発散する建材の使用制限、②換気設備の設置義務、③神経毒性のある化学物質であり、白アリ駆除剤として用いられるクロルピリホスの使用禁止、などが盛り込まれました。

また、多数の者が使用し、または利用する建築物の維持管理を目的とした「建築物における衛生的環境の確保に関する法律」においても、2003（平15）年から室内空気に関する維持管理基準にホルムアルデヒド濃度等の改正が行われています。

〔しつけ〕

しつけの語源は、着物を仕立てるときのしつけ糸から来ているといわれるように、一定の型にはめ込むというイメージが強くあります。人として生きていく上で、身につけなければならない基本的なしつけは必要であるが、その方法はしつける側の人間観や子ども観によって大きく異なります。

子どもは未完成な存在で大人が全て教えなければならないとするか、子どもは本来善いものを内に秘めている存在であり、大人の適切な関わりで自らが律する力を発揮すると考えるかです。

前者の考え方では、勢い大人からの厳しい規制や指導に服従することが求められますが、後者では大人が手本を見せたり、適切な機会を捉えて導く方法がとられます。

今日の子ども観や指導観からは、ただ意味もなく型にはめ押し付けるという方法はとられません。家庭における親の育児観や育児方針、育児態度にも関係することが多くあります。

〔質問癖〕

健常児の発達途上で、多くは２歳から幼児期まで対話相手、場所で著しい質問「なに･なに」「なぜ・なぜ」「どうして・どうして」を連発することがあります。これは言語習得初期における、知識欲や、両親に対する感情的結びつきの一つであったりします。

児童期には、このような正常発達によるもの以外に、強迫神経症や自閉症など病的症状として、うるさく質問を繰り返す癖が認められます。

それ以外に病的でなくとも両親や教師が自分をどう思っているか愛情の承認を確認するための場合もあり、動機をよく理解して対応して欲しいものです。

〔児童家庭支援センター〕

児童福祉施設に位置づけられている（児童福祉法第44条の2）地域の児童の福祉に関する諸問題について、児童、母子家庭、その他の家庭、地域住民等からの相談に応じ、必要な助言を行うとともに、児童相談所、福祉事務所、児童福祉施設等の関係機関と連絡調整をし、援助を総合的に行う施設で、平成29年4月現在全国で118か所が設置されています。。

〔指導計画〕

指導計画とは、教育課程や保育計画を基盤にしてそこに示されたねらいや内容を達成するための計画です。従って、教育課程や保育計画が各園における教育の基本的かつ全体的な計画であるのに対して、指導計画は、実践的部分的な計画であるといえます。

指導計画の作成にあたっては、幼児の実態を捉え、保育者の願いを重ねながら作成することが必要です。指導計画には、長期の指導計画と短期の指導計画があります。長期の指導計画は、年、月、学期、期など、比較的長い期間にわたる幼児の発達を見通した計画であり、短期の指導計画は、週、日といった直接日々の実践に直結した具体的な計画です。長期の指導計画では、幼児の発達の節目や生活の節目を捉えて、時期を区分しその時期にふさわしい生活を構想します。短期の指導計画を立てるにあたっては、長期の指導計画との関連を踏まえながら、目の前の子どもの姿を捉えて計画しなければなりません。短期の指導計画の内でも、日案は、指導計画の最小単位です。一日の子どもの生活は、連続性とリズムが必要です。倉橋惣三がいったように、流れ行く一日でなければなりません。また、指導計画は、子どもの生活を見通した仮説であり、計画を展開するに当たっては、柔軟性と弾力性が必要とされます。⇒教育課程・保育計画

〔児童自立支援施設運営指針〕

この運営指針は児童自立支援施設における支援の内容と運営に関する指針を定めたものです。

運営の理念・方法・手順などを社会に開示し、質の向上と説明責任を果たすものです。

ここで暮らしている子どもたちにとって、よりよく生きることを保障し、子どもの最善の利益を保障し子どもたちの人格を保障し、情緒・精神的な安定と豊かな生活体験は成人期にむけた準備期間です。

この指針は社会的養護を必要とする子どもの適切な支援を目的としています。

〔児童中心主義保育〕

児童中心主義の理念は、教育や保育を子ども自身の成長や発達、興味や関心、自発的活動を大切にして行おうとするものです。

歴史的に溯るとコメニウスやルソーの「子どもの発見」から始まって、ペスタロッチやフレーベルによって醸成されてきたといえます。その後ヨーロッパでは、エレン・ケイやモンテッソーリな

どによって、またアメリカでは、デューイらによって児童の立場からの教育運動が展開されました。

これらの欧米の児童中心主義に基づく教育は、大正デモクラシーの思潮と相まって我が国の保育にも大きな影響を与えました。自由な活動や遊びが重視され「自由保育」という名の元に保育が展開されました。「生活を、生活で、生活へ」という言葉で表されるように、生活の教育化を提唱した倉橋惣三の保育理論の構築は、日本の幼児教育にとって偉大な貢献をしました。「生活」や「遊び」を重視するこれらの精神は、現在の幼児の保育の中にも生かされています。

〔児童手当・児童扶養手当〕

1971 年に制定された児童手当法は家庭等における生活の安定を図るとともに次代の社会をになう児童の健やかな成長に資する事を目的にしています。

児童扶養手当は父母と生計を同じくしていない児童に手当を支給し家庭の生活に安定を図り児童の福祉増進を図ることを目的として支給されます。

平成 24 年から児童扶養手当支給要件に配偶者からの暴力で「裁判所からの保協命令」が出された場合が加わりました。受給には、住まいの市町村への申請が必要です。特別児童扶養手当 20 歳未満で一定の障害の状態にある者に支給されます。

2024 年 10 月からの児童手当変更点

0 歳～ 2 歳	15,000 円	・第 3 子以降 0 ～ 18 歳 30,000 円 所得制限を撤廃
3 歳～小学生	10,000 円	
中学生	10,000 円	
高校生	10,000 円	

2024 年の児童扶養手当の金額

2024 年支給額	全部支給（満額）		一部支給加算額
	1 か月あたり	1 年間あたり	
子ども 1 人	45,500 円	546,000 円	45,490 円 ～ 10,740 円
子ども 2 人目	10,750 円	129,000 円	10,740 円 ～ 5,380 円
子ども 3 人目～	6,750 円	81,000 円	6,440 円 ～ 3,230 円

※ 一部支給額とは後述する所得制限限度額を超えてしまい、満額受け取ることができない場合、所得の金額に応じて受給額が減額されていきます。

〔児童福祉施設〕

児童福祉施設は「児童福祉法」で規定されており、その第 1 条「すべての国民は、児童が心身共に健やかに生まれ、且つ、育成されるよう努めなければならない」と「すべての児童は、ひとしくその生活を保障され、愛護されなければならない」によって設置されています。

児童福祉法第 7 条で児童福祉施設を次のように規定しています。

児童福祉施設とは、助産施設、乳児院、母子生活支援施設、保育所、幼保連携型認定こども園、児童厚生施設、児童養護施設、障害児入所施設、児童発達支援センター、児童心理治療施設（旧情緒障害児短期治療施設）、児童自立支援施設及び児童家庭支援センターとする。

② この法律で、障害児入所支援とは、障害児入所施設に入所し、又は指定医療機関に入院する

障害児に対して行われる保護、日常生活の指導及び知識技能の付与並びに障害児入所施設に入所し、又は指定医療機関に入院する障害児のうち知的障害のある児童、肢体不自由のある児童又は重度の知的障害及び重度の肢体不自由が重複している児童（以下「重症心身障害児」という。）に対し行われる治療をいう。

〔児童福祉施設の設備及び運営に関する基準（昭 23, 厚令第 63 号　改正　平 28 年厚労令第 12 号）〕

児童福祉法第 45 条に基づく厚生労働省令です。2016（平 28）年に改正されました。児童福祉施設に入所している者が、明るくて衛生的な環境において、素養がありかつ、適切な訓練を受けた職員の指導により、心身ともに健やかにして、社会に適応するために育成されることを保障するための基準です。「最低基準を超えて、常にその設備及び運営を向上させなければならない。」とし、「最低基準を越えて、設備を有し、又は運営している児童福祉施設においては、最低基準を理由として、その設備又は運営を低下させてはならない。」（第 4 条第 2 項）とされています。

〔児童福祉法（昭 22 法律第 164 号）〕

1947 年（昭 22）年に旧厚生省に児童局が置かれ、児童福祉行政が母子保健対策も含めて取り扱われることになり、児童福祉法が制定され、翌年から施行されました。

この法律は、全ての児童が心身ともに健やかに育成されることを目的にしています。第 1 章総則では第 1 条理念、第 2 条育成の責任、第 3 条原理の尊重が次のように規定されています。

（児童福祉の理念）

第一条　全て児童は、児童の権利に関する条約の精神にのつとり、適切に養育されること、その生活を保障されること、愛され、保護されること、その心身の健やかな成長及び発達並びにその自立が図られることその他の福祉を等しく保障される権利を有する。

（平二八法六三・全改）

（児童育成の責任）

第二条　全て国民は、児童が良好な環境において生まれ、かつ、社会のあらゆる分野において、児童の年齢及び発達の程度に応じて、その意見が尊重され、その最善の利益が優先して考慮され、心身ともに健やかに育成されるよう努めなければならない。

②　児童の保護者は、児童を心身ともに健やかに育成することについて第一義的責任を負う。

③　国及び地方公共団体は、児童の保護者とともに、児童を心身ともに健やかに育成する責任を負う。

（平二八法六三・一部改正）

（原理の尊重）

第三条　前二条に規定するところは、児童の福祉を保障するための原理であり、この原理は、すべて児童に関する法令の施行にあたつて、常に尊重しなければならない。

〔児童遊園・児童公園〕

児童遊園については、児童福祉の範囲として解され、1992（平 4）年 3 月 26 日付け厚生省（現厚生労働省）の通達に「児童遊園の設置運営について」があります（平 10 年に改正）。

それによれば、児童遊園は児童福祉法に定める児童厚生施設として位置づけ、地域における児童を対象として健全な遊びを与え、その健康を増進し、自主性、社会性、創造性を高め、情操を豊かにするとともに、母親クラブ等地域組織活動を育成助長する機能を持つものとされています。

敷地は原則として 330 m^2 以上で、遊具、広場、ベンチ、便所、飲料水設備等の標準的設備と「児童福祉施設最低基準」に示されたもの以外と児童厚生員の配置、児童遊園運営協議会の設置、環境整備、遊具の保全、事故防止に努めることなどが規定されています。児童公園は都市公園法で規定されている公園です。

〔児童労働〕

国際労働機関（ILO）は 2012（平 24）に児童労働とは「就業最低年齢（原則 15 歳）」未満で教育を受けずに就労している子どもと、18 歳未満危険で有害な労働に従事している子ども」と定義し、2012 年に子ども人口の約 11％にあたり、最も多いのはアジア太平洋地域だと指摘しています。

〔ジフテリア〕

感染症予防法で二類感染症に分類されている細菌性呼吸器感染症で、ジフテリア菌感染によって発症します。感染経路は患者や保菌者からの飛沫感染で、咽頭、喉頭、鼻腔や気管などの粘膜に壊死・潰瘍を作り、２～７日間の潜伏期間の後、発熱・咽頭痛・頭痛や倦怠感などの症状を引き起こします。更に、外毒素が血流を介して心筋、神経系や腎等を変形させ重篤な合併症を引き起こすことがあります。予防には DPT（三種混合）ワクチンの定期予防接種が極めて有効です。

〔社会的規範〕

社会全体や社会的集団にあって、常に構成員が一定の認知・思考・態度や行動で守らなければならない約束ごと、基準・規則のことを社会的規範として定義されています。従って、社会的規範は社会全体や特定の集団を維持し、存続する上に重要な機能を果たし、社会的風土、風俗、伝統の維持に大きな役割を果たしています。社会に属する成員が、規範から逸脱したり背反したりしますと、昔は「村八分」という厳しい制裁がありましたが、現在の民主社会においては、個人の尊重との関係があり、規範に一致する行動が困難になっていますが、お互い自我を抑制し、同調することで社会的規範が維持されています。

〔社会福祉〕

日本国憲法第 25 条には「すべての国民は、健康で文化的な最低限度の生活を営む権利を有する。」と記されています。これは「国民の生存権」と呼ばれ、一人ひとりが人間らしく健康で、文化的に生きる権利を国民全体に平等に与え、保障しようというものです。しかし、世の中にはその生存権を侵害されている人々が大勢います。障がいを受けている、経済的な理由で生活が困難、虐待を受けている子ども、高齢による生活不便などです。それらの人々が満足な生活水準と健康状態に到達するための援助や支援を目的として行われる社会的サービスと社会制度の体系を、社会福祉と呼んでいます。社会福祉という言葉は、憲法第 25 条の２項において「国はすべての生活場面について、社会福祉、社会保障及び公衆衛生の向上及び増進に努めなければならない。」と社会福祉、社会保障、公衆衛生と併記されています。

〔週案〕

週を単位とした短期の指導計画をいいます。週案は、小学校のような１週間の時間割を示すものではなく、週という生活の区切りを単位とし、幼児の生活に応じた具体的な計画であり、保育を展開する上での予想でもあります。したがってそれぞれの幼稚園の自分の学級の保育を展開するためのものであるから、形式や記入の仕方については、一人一人の教師の創意工夫が生かされなければなりません。週案では、前週の幼児の実態と教師の願いを踏まえてねらいと内容を設定し、ねらいを達成するための環境の構成、週の流れを予想した活動、反省評価を書きます。特に環境の構成では、その週の生活の流れを作り出すポイントを押さえ、具体的に考える必要があります。週案では、１週間を単位とするのが普通ですが、区切りのよい週を単位とすることもあります。週案と日案を合わせた形式の週日案を作成するのも実用的です。⇒週日案

〔就園奨励費〕

私立幼稚園に就園させている保護者に、その経済的負担を軽減させる措置として国庫補助のもと市町村単位に就園奨励費が支給されています。市町村によって減免額、給付時期が異なりますので市町村教育委員会に問い合わせることが大切です。

〔自由保育〕

自由保育とは、保育者中心の一斉指導的な保育に対して子どもの自主性を保障した保育を指していうことが一般的です。自由保育という本来の意味は、特定の保育形態や保育方法を意味するのではなく、保育思想や保育哲学にまで踏み込んだものを意味しています。すなわち、子どもが自ら環境に関わることで意味ある活動を生み出し、主体的に展開し生きる力の基礎となる心情、意欲、態度を育てる保育の考え方です。自由保育の思想は倉橋惣三の考えに辿り着きます。倉橋惣三は、保育では子どもの自由感を保障することが何よりも必要であると主張しました。彼は、子どもの自発活動を重視しながらも、これをより高いものに導き、方向性を与えるのが保育者の役割であるとしました。その際には、強制感の伴わない生活の必要感や必然性に即して指導することが大切であるといっています。

〔就学時健康診断〕

就学予定者の心身の状況を的確に把握し、義務教育諸学校（小学校及び特別支援学校の小学部）への入学に当たって、保健上必要な勧告、助言を行うと共に、就学の適正をはかることを目的として行われるものです。実施主体者は市町村教育委員会ですが、多くの場合、学区ごとの小学校に協力を求め、委託した形で実施されています。検診項目としては、①栄養状態、②脊柱及び胸郭の疾病及び異常の有無、③視力及び聴力、④眼の疾病（しっぺい）及び異常の有無――など７項目で学齢簿が作成された後から、翌学年の初めから数えて４か月前までに終了することと定められています。

〔習慣形成〕

幼児や児童が心身ともに健全な人間に育つためには、その子どもの属す社会の持っている文化が要求している行動を身につけなければなりません。そのために必要なことは、正しい生活習慣の形

成です。習慣とは、同じ場所、地域で同じ行動を反復することにより、その行動を特に努力しなくても、または無意識にできるようになることであり、それが一通り型作られると習慣が形成されたことになります。

幼児期に習得しておかなければならない習慣は、食事・排泄・睡眠・着衣・清潔・時刻などの基本的生活習慣で日常生活の基本となるので家庭はもちろん園においても十分身につけさせて欲しいものです。

〔周期性嘔吐〕

一般に幼児・学童期の子どもが情緒的問題を抱えている場合に起きる周期的な嘔吐発作をいいます。数週から数か月の間隔でコーヒーの残りかす様の嘔吐発作を３～５日間起こすことが特徴ですが、予後は良好です。神経性・心因性の嘔吐発作では患児の不安や緊張をむやみに刺激しないよう態度で接し、また学期始めや試験前などストレスが予期される場合には予防的に就寝前の抗不安薬の服用などによる心身の安定化を図ります。また日頃からスポーツや趣味活動などで精神的強化を図り、ストレスを溜めないことも重要になります。

〔集団の形成〕

幼稚園や保育所などは、乳幼児が集団で生活する場です。しかし、最初から集団に適応することを目指すのではなく、一人一人の幼児が安心して集団生活になじんでいけるように、まず自己発揮が大切です。一人一人の幼児がその子らしさを発揮し、さまざまな活動に積極的に取り組むことと平行して、自分一人ではなく周りに友だちがいることに気づき自分一人よりもみんなで遊んだり、生活をすることが楽しいと感じるようになっていきます。このようにして、徐々に幼児の集団は形成されます。幼児が幼稚園や保育所に入った時点で、生活のより所として学級集団が形成されます。しかし、入園当初の子どもの中には、学級に入ることを拒む姿も見られます。無理をしないでだんだんと慣れるように時間をかけて見守ることが大切です。日々の園生活を経験する中では、子どもたちの遊びを通して必要な集団が形成されることもあるし、動物飼育や栽培物の世話をするためのグループ作りをすることもあります。このように園生活を通してさまざまな場面の中で時には保育者主導で、時には子どもたちの自主的な活動として、大小様々な集団が形成されていきます。幼児の一人一人の思いを大切にすることと集団の形成とは、相入れないものではなく、個が生かされる集団の形成は幼児期の教育においても必要です。特に就学を控えた年長児では、発達的に見ても集団で活動することの楽しさが分かるようになります。また、集団生活をする上での決まりや約束を守れるようにもなります。今日学級崩壊の低年齢化、小１問題などが取り沙汰されていますが、それが幼稚園の保育の問題としてすり替えられることのないよう幼稚園・小学校相互の連携が必要です。

〔週日案〕

短期の指導計画の一つです。指導計画は、本来大きく長期の指導計画と短期の指導計画に分けられます。短期の指導計画には、一般的に週案と日案がありますが、その中間的な存在として週日案という形式が用いられるようになってきました。週日案は、その名の示すように週案と日案をドッキングさせた形式をとっています。週案は一週間の見通しをもった指導計画であり、日案は一日一日独立した形式の指導計画です。それを一つの形式として表すことによってメリット、デメリットが考えられます。メリットとしては、まず指導計画を書くための省力化でしょう。保育の現場は、日々環境の構成やその日の保育の整理などで保育者は多忙です。ある程度経験を積んだ保育者であれば、このような書式の方が書き易いし、週と日とのつながりが見通しやすいということがあります。デメリットとしては、子どもの詳しい観察記録などは別途に記載しないと書き切れないことになり、別の労力が必要になることもあります。⇒〔週案〕

〔シュタイナー（1861 ～ 1925）〕

人智学に基づくヴァンドルフ（別名シュタイナー）幼稚園・学校の創始者です。オーストリアで生まれ、ウィーンで哲学、数学、自然科学などを学び、1880 年代と 90 年代にはゲーテ研究に力を注ぎ、ワイマールでゲーテ全集の編集に従事しました。この間に思考、認識及び科学的方法について論じた労作『自由の哲学』を著しました。1902 年以後、人間及び世界の中にある超感覚的・霊的なものの本質を認識することを課題とする人智学を確立しました。また、1904 年に主著『神智学』を公刊しました。第一次世界大戦後は､社会問題にも注目し社会三層化運動を推進しました。その中で、1919 年、ドイツに人智学的教育理論に基づく最初のヴァンドルフ学校を創立しました。1920 年以降、治療教育、医学、農学、キリスト者共同体などにも活動を拡大し、1925 年、活動の拠点であるスイスのドルナッハで死去しました。シュタイナー幼稚園は、彼の死去後に設立され、発展していきました。

〔出席停止〕

学校保健安全法第 19 条に「校長は、感染症にかかっており、かかっておる疑いがあり、又はかかるおそれのある児童生徒等があるときは、政令で定めるところにより、出席を停止させることができる。」と規定されています。同法施行令で出席停止の指示、報告について規定し、同法施行規則第 18 条において学校で予防すべき感染症の種類とそれぞれの出席停止期間についても定めています。学校においてはこれらの規定に基づいた出席停止を行い、学校における感染症のまん延を防止しようとするものです。

学校保健安全法施行規則第 19 条には、感染症の種類によって、出席停止期間の基準が規定されています。⇒学校感染症

〔出生率〕

出生率とは「一定人口に対する出生数の割合をいう。」と人口学で定義され、通常人口 1,000 人あたりにおける出生数をいいます。これを普通出生率又は粗出生率といいます。これに対して合計特殊出生率という概念もあります。また、総出生率と標準化出生率という場合もあり、総出生率とは、年間出生数を出産年齢（15 歳～ 45 歳）女性の総人口で割った数。標準出生数とは、性別、年齢別人口構成を仮定の標準人口と比較したものをいいます。

（合計特殊出生率参照）

さ
行

〔受容〕

保育者が幼児に接する場合に、まずもって求められる関わりの姿を表した言葉です。保育者は、子どもを温かく受け入れ、子どもに寄り添いながら子どもの内面を理解し、子どもとの信頼関係を築いていくことが大切です。子どもは、自分の存在や行動が温かく受容されてこそ、十分に自己を発揮して活動することができます。保育者に求められるカウンセリングマインドでもあります（カウンセリングマインドの項参照）。幼児を受容することは大切なことでありますが、子どもの全てを受け入れることではありません。幼児のわがままな行動や人に迷惑をかける行動などについては、そのことの是非についてその都度丁寧に知らせていかなければなりません。その場合には、保育者側からの一方的な判断ではなく、子どもの思いを十分理解しながら、すなわち子どもの思いを受容しながら、ことの善悪を知らせていくことが必要です。受容するということは結果だけで受容した、しないではなく子どもを理解していく過程での必要な保育者の姿勢であるといえましょう。

〔準拠（じゅんきょ）集団〕

関係集団とも訳されていますが、多くは、個人が属している集団の規範と同一視しているその個人をつなぎとめているもの――個人の態度の繋留点と見られている集団を準拠集団といっています。ケリーは準拠集団を二つの機能的側面から分析しています。一つは個人が受け入れられることを欲し、その受容を維持していこうとする集団のことで規範機能といい、もう一つは、個人が自己ないし他人を評価する場合の照準点となる機能と規定しています。このことは、家庭と園・学校の関係で子どもが家庭を、もしくは園・学校を準拠集団とした場合、その指導が複雑な問題を持っているため、十分の配慮が必要です。

〔小一プロブレム〕

小学校１年生を中心に低学年の児童が「先生の話を聞かない」「教室に入らない」などで授業が成立しにくいことが問題となり、集団形成後に荒れる学級崩壊と区別して「小一プロブレム（小一問題）」と呼ばれています。このような状況が起こる原因として、家庭でのしつけ不足、「がまん」ができなくなっているなどの子どもの変化、教職員の指導力不足、遊び中心の保育・幼稚園の教育との段差などが挙げられています。

〔昇華（しょうか）〕

昇華の定義は、精神分析学の立場では、自我の防衛機制の一つであり、本能的衝動を他に（別の目的）振り向けることをいいます。フロイトは、昇華を「性衝動が本来性的な目標を、性的でない別の目標に似通った目標に置き換えること」と定義していますが、攻撃衝動の昇華も含めて考えなければといった説もあります。自我が性衝動を別の目標に転移することは、即ち性道徳を無視できないからに由来するものがあり、かつては種族保存のためのもの以外は性衝動を禁止しました。この喪失（愛情）の体験を償おうとする自我の働きが昇華の起源で、昇華は心的葛藤に対する自我防衛であるといわれています。

〔障害者基本法（昭45、法律第84号改正平25　法65)〕

1970（昭45）年に「心身障害者対策基本法」が成立し、1993（平5）年に「障害者基本法」と改題されました。「すべての国民が障害の有無にかかわらず、等しく基本的人権を享有するかけがえのない個人として尊重されるものであるとの理念にのっとり、全ての国民が、障害の有無によって分け隔てられることなく、相互に人格と個性を尊重し合いながら共生する社会を実現するため、障害者の自立及び社会参加の支援等のための施策に関し、基本原則を定め」と目的を明示し、国、地方公共団体の責務を明らかにした基本法です。

〔障がい者虐待通報義務〕

2012（平24）年6月に成立した「障害者虐待の防止、障害者の養護者に対する支援等に関する法律」（障害者虐待防止法）が2013（平25）年10月1日に施行されます。「だれであっても障害のある人を虐待してはならない」と定め、・身体的虐待、・性的虐待、・心理的虐待、・食事や排泄、世話の放棄や医療や福祉サービスを受けさせない放置、賃金や年金を勝手に使う経済的虐待を挙げ、家庭や福祉施設で虐待されている、虐待されるかもしれない障がい者を発見したすべての人に通報が義務づけられました。市町村に「虐待防止センター」を24時間年中無休の対応が原則とされ、また職場などで通報者が不利な扱いをうけることのないように規定されてます。病院と学校は通報の対象外とされ、学校にあっては、校長に防止や対応が義務づけられました。

〔障がい者法定雇用率〕

「障害者の雇用の促進等に関する法律」（昭35法123）が改正され2018年4月から知的障がい者、身体障がい者、統合失調者等の精神障がい者も対象となるため、企業が障がい者を雇用しなければならない数（法定雇用率）を50名以上の企業にあっては現行の2%から2.2%に、独立行政法人、地方自治体は2.5%、都道府県教育委員会は2.4%に改正されました。病気や障がいと仕事の両立できる社会づくりを政府の働き方改革に掲げられていますが、法定雇用率を達成している企業は2016年6月現在で48.8%にとどまっています。企業で障がい者の雇用が未達成の場合は、1人につき4万円の納付金が徴収され、障がい者を多く雇用されている企業に対し調整金として助成金が支給される。

〔障害者総合支援法〕（障害者の日常生活及び社会生活を総合的に支援するための法律）
平17法律第133号（平25年までは「障害者自立支援法」）

障害者総合支援法は、「障害者基本法（昭45年法律第84号）の基本理念にのっとり、身体障害者福祉法（昭24年法律第283号）、知的障害者福祉法（昭和35年法律第37号）、精神保健及び精神障害者福祉に関する法律（昭25年法律第23号、児童福祉法（昭25年法律第123号）、児童福祉法（昭和22年法律第164号）その他障害者及び障害者の福祉に関する法律と相まって、障害者及び障害児が基本的人権を享有する個人としての尊厳にふさわしい日常生活又は社会生活を営むことができるよう、必要な障害福祉サービスに係る給付、地域生活支援事業その他の支援を総合的に行い、もって障害者の福祉の増進を図るとともに。障害の有無にかかわらず国民が相互に人格と個性を尊重し安心して暮らすことのできる地域社会の実現に寄与することを目的）として制定されました。

さ
行

〔少子化社会対策基本法（平 15，法律第 133 号）〕

2003（平 15）年 7 月 30 日に少子化が進展することによって 21 世紀の国民生活に深刻かつ多大な影響を及ぼすことに対して、長期的視点に立って、的確な対処をするために成立した法律です。その基本理念（第 2 条）、国の責務（第 3 条）、地方公共団体の責務（第 4 条）、事業主の責務（第 5 条）、国民の責務（第 6 条）、そして第 2 章では基本的施策が規定されています。第 1 条の目的には、国民が豊かで安心して暮せる社会の実現として次のように述べられています。

第 1 条）この法律は、我が国において急速に進展しており、その状況が二十一世紀の国民生活に深刻かつ多大な影響を及ぼすものであることにかんがみ、このような事態に対し、長期的な視点に立って的確に対処するため、少子化社会において講ぜられる施策の基本理念を明らかにするとともに、国及び地方公共団体の責務、少子化に対処するために講ずべき施策の基本となる事項その他の事項を定めることにより、少子化に対処するための施策を総合的に推進し、もって国民が豊かで安心して暮らすことのできる社会の実現に寄与することを目的とする。

〔少子化社会対策大綱〕

平成 27 年 3 月 20 日閣議決定した少子化対策で「少子化は克服できる課題」として、①子育て支援施策の一層の充実、②若い年齢での結婚・出産の希望の実現、③多子世帯への一層の配慮、④男女の働き方改革、⑤地域の実情に即した取り組みの強化をあげています。

① 子育て支援→子ども子育て支援新制度の円滑な実施、待機児童への解消、幼稚園保育所、認定こども園の無償化に向けた取り組み
② 若い年齢の結婚・出産→若者の就労支援、非正規雇用対策の推進
③ 多子世帯への配慮→幼稚園、保育所など第 3 子以降の保育所の無償化
④ 男女の働き方の改革→長時間労働の抑制、年次有給休暇の取得推進
⑤ 地域の実情に即した取り組み→交付金等による支援、地方創生と連携した取り組み。また 2020 年までに一時預かり事業　延べ 1134 万人（2013 年 406 万人）とするとされています。

〔少子化対策プラスワン〕

2002（平 14）年 9 月 20 日に厚生労働省は、夫婦出生力の低下という少子化の流れを変えるため、「子育てと仕事の両立支援」という従来の対策から「男性を含めた働き方」の見直しを行いました。

○ 男性を含めた働き方の見直し
○ 地域における子育て支援
○ 社会保障における次世代支援
○ 子どもの社会性の向上や自主の促進

以上の四つの柱をもとに総合的・計画的に少子化対策を推進することとしました。

2003（平 15）年 3 月、少子化対策プラスワンを踏

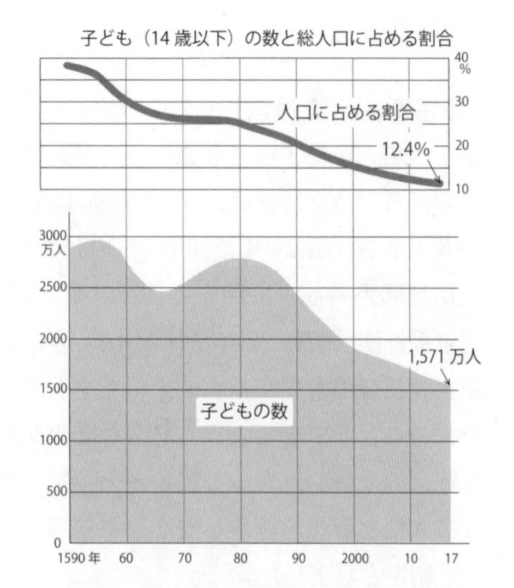

まえて、少子化対策推進関係閣僚会議において、「次世代育成支援に関する当面の取組方針」が決定され、家庭や地域の子育て力の低下に対応して、次世代を担う子どもを育成する家庭を社会全体で支援（次世代育成支援）することにより、子どもが心身ともに健やかに育つための環境を整備すること、また、地方公共団体及び企業における 10 年間の集中的・計画的な取組を促進するために「次世代育成支援対策推進法」（平 27 年 3 月 31 日までの期限立法）の制定や児童福祉法の改正などが行われました。

〔情緒の発達〕

情緒は、新生児の時期には漠然と「興奮」でしかなかった状態から、次第に快・不快の感情が分化し発達して、5 歳頃までには、大人とほぼ同じくらいの程度にまで到達します。この情緒の分化は、ブリッジェス，K.M.B. によって明らかにされています。それによると、新生児に興奮でしかなかった状態から、3 か月までに不快・快の情緒を、6 か月過ぎには嫌悪と恐れを、12 か月には愛情などを獲得し，愛情を大人・子どもにも持つようになります。

このように乳幼児期における情緒の発達は著しく、情緒分化はこの時期にほぼ完了するといえます。

〔情緒不安定〕

人は全て日常生活において、いろいろな欲求の満足を求めて行動していますが、それが必ずしも達成できるものでありません。特に幼児の場合、欲求の満足が充足されずに不満足状態が続くと情緒不安定になります。その他、情緒不安定の要因として、「自律神経不安定」からとの説もありますが、幼児の場合は多くは欲求充足行動の未発達からくる欲求不満から有害な情緒的緊張が高まり情緒的乱れから情緒不安定状態となる場合が多く見られます。

指導・治療については、出現の時期または要因によって異なりますが、欲求不満からの場合は、厳格・拒否的対応から比較的自由にさせ自信を持たせるよう配慮することが大切です。

〔小児自慰（じい）〕

小児自慰は、よく性器いじりともいわれています。小児自慰は性的、成熟した思春期以後の自慰（オナニー）と同一視するものでありません。

小児自慰は性的成熟の有無と関係なく、幼児や小学校低学年の子どもに見られます。幼児も性器を刺激しますと快感がありますので、一度体験すると習癖化することがあります。子どもが習慣的に繰り返すときは、心のひずみが考えられ、次のような要因があげられます。

(1) 心理的要因――親の愛情の欠落、友だちからの排斥、孤独

(2) 生理的要因――下着が不潔で皮膚病でかゆみがあり、それを解消するため性器に手をやり習慣化したり、化セン類の下着で通風の悪い場合、皮膚病でかゆいから手がゆき習慣化します。

(1) の場合、愛情の承認欲求の充足が必要で、(2) の場合、清潔な下着もしくは風通しのよい下着を着用させることによって小児自慰はなくなると思われます。

〔小児自閉症〕

アメリカの児童精神科医のカナーが 20 世紀半ばに、生後 1 ～ 2 年のうちに急速に自閉症状に陥ってゆく小児の精神障がいがあることに気づき、研究を重ね、この精神障がいを小児自閉症と命名したものです。それまでの研究では、重度の精神障がいか、先天性聴力障がいのある子どもと考えていました。カナーの定義では、①自閉的な行為と言葉、対人的に心の接触が欠ける状態、②引き込み思案の状態と考えていますが、原因が判っていないので治療の方法が十分なされていません。現在のところ、両親を含めての精神療法（主としてプレイセラピー）が効果的といわれています。

さ行

〔小規模保育〕

2015 年（平 27）年から始まった「子ども子育て支援」の新制度で、国の補助対象となった施設です。対象は 0 歳～ 2 歳児、定員 6 人～ 19 人で都市の待機児童の解消をめざす制度で、埼玉 231、東京 219、大阪 163 施設等、4 月現在全国で 1655 施設が認可されました。今後増えていくと思われます。こうした施設は「地域型保育」の一類型で「家庭的保育」（定員 5 人以下）事業所内保育、居宅訪問型保育等、待機児童解消加速プランの一類型です。

〔賞罰〕

賞は、望ましい行動に対して、賞賛または物品を与えることです。罰は望ましくない行動に対して、叱責または、肉体的苦痛を与えることですが、ともに動機づけの役割を果たしています。行動の基準を明確に認識させ、これからの逸脱を防止するために用いられる訓練手段で、また、学習を効果的にするための強化の方法と規定しています。しかし、現在では賞罰による教育は否定され、特に肉体的苦痛を与えることは体罰として禁止されています。

〔情報教育〕

1995（平 7）年 2 月、高度情報通信社会推進本部が、総理大臣を本部長として設置され、現代社会を情報革命の時代であると位置づけました。これに基づいて文部省（現在の文部科学省）は、初等中等教育における情報化の実施指針をまとめました。その中で、コンピュータやネットワークの整備、教員養成・研修の充実を提言しました。さらに、第 15 期中央教育審議会では、1996（平 8）年 7 月の第一次答申で、21 世紀の人間像として「生きる力」を上げ、「生きる力」を育てるために、情報化と教育について、積極的な提言を行いました。情報に関する教育の充実とネットワークの整備、学習活動を豊かにする道具としてのコンピュータの活用です。これらの対象は、小学校以上の学校教育であるが、教育全体の流れが、情報化に向かっているという点で幼児教育にも取り入れられるようになりました。幼児期の教育の中でコンピュータを取り入れることについては、賛否両論ありますが、情報化社会の中では、避けて通れないものであり、環境の一つとしての意味を持ち、幼児であってもさまざまな情報に触れ、情報を生活や遊びに生かして行く力をつけていくこともこれからは大切ではなかろうか。

〔情報リテラシー〕

私たちの周辺には情報が飛び交っています。それらの情報を取捨選択し活用することが大切です。情報を何でも正しいと思うのではなく判断する力を情報リテラシーといいます。

〔初期経験〕

生まれてすぐに経験したことが後々にまで影響を与えます。これを、「初期経験の効果」といいます。初期経験の代表例が、刻印付け（インプリンティング）です。初期経験に関する実験的研究は、問題の性質上、動物実験によるものでした。成育のごく初期に与えられたある種の経験は、その後の多くの行動に大きな影響を及ぼすことが実証され、成育初期のある限られた時期に与えられた有効な刺激づけは、その後の行動を促進し、逆に有効な刺激が与えられなかったり、与えすぎると、ノーマルな発達がみられないことが判明しました。この限られた時期を「臨界期」といい、刺激がその時期より早くても遅くても効果が弱くなることが発見されました。

〔食育基本法（平 17, 法律第 63 号）〕（最終改正　平 27　法 66）

子どもたちが豊かな人間性をはぐくみ、生きる力を身につけていくためには、何よりも「食」が重要です。今、改めて食育を、生きる上での基本であって、知育・徳育及び体育の基礎となるべきものと位置づけるとともに、様々な経験を通じて「食」に関する知識と「食」を選択する力を習得し、健全な食生活を実践することができる人間を育てることが大切であるとして、2005（平17）年 6 月 17 日に基本法が制定されました。

（子どもの食育における保護者、教育関係者等の役割）

第五条　食育は、父母その他の保護者にあっては、家庭が食育において重要な役割を有していることを認識するとともに、子どもの教育、保育等を行う者にあっては、教育、保育等における食育の重要性を十分自覚し、積極的に子 どもの食育の推進に関する活動に取り組むこととなるよう、行われなければならない。

(食に関する体験活動と食育推進活動の実践)

第六条　食育は、広く国民が家庭、学校、保育所、地域その他のあらゆる機会とあらゆる場所を利用して、食料の生産から消費等に至までの食に関する様々な体験活動を行うとともに、自ら食育の推進のための活動を実践することにより、食に関する現解を深めることを旨として、行われなければならない。

〔職員の資質の向上〕

保育所保育指針第 5 章で、職員の資質の向上に関する基本的事項として、次のように示されています。

第 1 章 (総則) から前章 (保護者に対する支援) までに示された事項を踏まえ、保育所は、質の高い保育を展開するため、絶えず、一人一人の職員についての資質向上及び職員全体の専門性の向上を図るよう努めなければならない。

職員の資質向上に関する基本的事項

（1）保育所職員に求められる専門性

子どもの最善の利益を考慮し、人権に配慮した保育を行うためには、職員一人一人の倫理観、人間性並びに保育所職員としての職務及び責任の理解と自覚が基礎となる。

各職員は、自己評価に基づく課題等を踏まえ、保育所内外の研修等を通じて、保育士・看護師・調理員・栄養士等、それぞれの職務内容に応じた専門性を高めるため、必要な知識及び技術の習得、維持及び向上に努めなければならない。

（2）保育の質の向上に向けた組織的な取組

保育所においては、保育の内容等に関する自己評価等を通じて把握した、保育の質の向上に向けた課題に組織的に対応するため、保育内容の改善や保育士等の役割分担の見直し等に取り組むとともに、それぞれの職位や職務内容等に応じて、各職員が必要な知識及び技能を身につけられるよう努めなければならない。

さ
行

〔食中毒〕

病原性微生物及び微生物の外毒素を含む食品を摂取することによって起こる疾患を食中毒といい、急性胃腸炎などの症状を起こすサルモネラや病原大腸菌感染に加え、中枢神経系に作用するボツリヌス菌感染なども食中毒とされます。

多くは食品の加熱や加工、適切な温度での保存などで食品内の微生物を殺菌、もしくはその増殖・毒素生産を防ぐことができますが、微生物の種によっては耐熱・耐冷却・耐酸性・耐アルカリ性などの耐性能力を持つものも多くあります。

・食中毒の原因となる食品は例年【2021 年度】

1位:魚介類、2位:肉類及びその加工品、3位:野菜類及びその加工品の順に多くなっています。

・アニキサス等の寄生虫による食中毒が多く発生し、細菌およびウイルスによる事故事例は過去5年間で最少でした。

主な食中毒菌・食中毒ウイルスの種類

細菌名	特徴	原因食品	症状	潜伏期
サルモネラ菌	人や動物に広く分布している細菌	卵・鶏肉及びその加工品	下痢・腹痛・発熱・頭痛・嘔吐	6～72時間
病原大腸菌	動物の腸管内に常在する	自然界に存在するため、多種にわたる	下痢・腹痛・嘔吐・発熱	8～24時間
カンピロバクター	少量の菌で発症	食肉（鶏・豚・牛）	下痢・腹痛・頭痛・発熱	3～11日
アニサキス	寄生中による食中毒	魚類	腹痛・悪心・嘔吐	数時間～10数時間
ブドウ球菌	動物の化膿巣に広く分布	穀類及びその加工品	吐き気・嘔吐・下痢・腹痛	30分～6時間
ノロウィルス	カキなどの貝類 人から人への感染	人の腸管でのみ増殖	嘔吐・下痢	12～48時間

〔食物アレルギー〕

アレルギーの体質が強い乳児が、母乳中の微量の卵などの食物抗原を毎日摂取すると、特異的IgE 抗体をつくりだします。肥満細胞や好塩基球に付き、アレルギー反応を起こす準備が完了します。その後、再び摂取、吸収された食物抗原と特異的IgE 抗体との反応により、活性化された肥満細胞や好塩基球からヒスタミンなどの化学伝達物質が放出され、皮膚の赤みやかゆみ、じんましん、呼吸困難、ショックなど即時型といわれる反応が起きます。

また、即時型反応に続いて起こる炎症反応としてアトピー性皮膚炎が発症します。治療方法は、医師の指示によることが大切ですが、原因となる食物の除去が主となります。主な食物として小麦、そば、落花生、卵、牛乳、えび、かになどが原因とされ、緊急時に備えて「アドレナリン自己注射薬」を常備しておくことも必要かと思います。

〔初乳〕

分娩後3～4日頃まで分泌される母乳のことで、水様半透明の黄色を帯びた、やや粘稠性のある乳汁です。中性または弱アルカリ性で、分娩後4～5日より移行乳となり、10日くらいには初乳の性質は失われ、成乳となります。初乳には比較的多量の塩分が含まれているため、これを授乳すれば胎便の排泄に役立ちます。そして、初乳は成乳に比べ多量のたんぱく質・脂肪を含有し、栄養価も高く、また免疫グロブリンA・Gなどの多量の免疫体や抗菌作用を持つラクトフェリンなどが含まれているので、新生児の感染防御に重要な役割を果たします。

〔自立〕

自立とは、自分自身の力を出し、いろんなことを成し遂げようとすることをいいます。自立という言葉は、食事、排泄、着衣など幼児の身辺処理に関することから、女性の自立や国際関係の自立に至るまで幅広く用いられています。大人はともすると、子どもの自立を急ぐあまり、子どもの依存や甘えを拒否して、自立させようとします。人間は、十分な依存を経て自立に向かうものです。自らやろうとする気持ちを大切にする者、失敗を温かく見守ってくれる者が、自立する過程には必要です。幼児期においては、基本的生活習慣の自立という大きな発達課題があります。幼稚園や保育所などの集団生活に適応するためには、年齢相応の自立が必要です。そのためには、子どもの失敗にも寛容であり、成功にはほめて自信をもたせることも必要です。子どもの発達を無視して自立を強要することは、子どもに不安感を与えてかえって自立を遅らせます。

〔事例研究〕

保育の日常的な実践の中で、さまざまな出来事を捉えてそれをもとに研究することをいいます。具体的な事例に基づいた研究方法は、近年多く用いられるようになってきました。保育現場に直結した方法で、具体的であり、明日からの保育に役立ちやすいからです。しかし、保育者は多くの事例に出会い、多くの資料を持っていますが、何に焦点をあてて事例を整理し研究を深めるのかといったことについて、よく考えて臨まなければなりません。事例研究をする場合には、一人の子どもに焦点を当てて事例を収集し、時期を追ってその子どもの変容を見ていく場合があります。例えば入園当初なかなか園になじめなかった子どもの様子を時期を追いながら具体的なエピソードを通して考察し、集団になじむきっかけを探るなどがそれです。また、入園前の家庭での生活の様子や家族関係などもその子どもを理解するための背景として研究することがあります。しかし、個人のプライバシーには十分配慮して行うことが必要です。一方、保育場面を捉えて一つの事例とし、保育の展開を研究するための事例研究もあります。例えば、ごっこ遊びの場面を捉らえて子どもの関わりについて研究するなど保育の展開の過程を明らかにすることができます。

〔心気症（しんき）〕

自分の健康について考えるとき、特に現代社会においては必要以上に意識する人が増加しています。健康に対する良い自己管理として評価される反面、自分の健康について過剰な配慮から、自分の生理現象や、ささいな身体現象を異常でないかという心配や恐れから苦悩し、意識過剰な状態のことを心気症と定義しています。

この症状は個人によって差異はありますが、不眠・頭痛・全身疲労感、何ごとにも神経質になり悪い方へ悪い方へと解釈し、さらに苦悩の増幅によって症状が重くなる傾向があるので、あまり気に病んだり、取り越し苦労することを無くして、他に集中できるものを見い出し発散することも必要なことです。

さ
行

〔神経症〕

神経症の概念も研究が進むとともに変化していますが、神経症成立の中核をなしている心因として、精神的・人格的要因、及び心理機制を明確にしてそれに基づいて定義する積極的な概念規定でないだけに、雑多なものが包含される可能性があり、細部においては包括範囲の不明確さが残っています。原名のままノイローゼともいう考えから、その後の研究で定義が変わり、フロイトは、神経症を、精神葛藤によって生じる精神神経症と身体的条件と関連して生じる現実神経症とに区分しましたが、現在ではこの説も否定されています。ただ、神経症患者は現実に存在するので、原因の把握と除去に努め、精神的・身体的ストレスを除去し、家庭内の調整・栄養剤の服用・自覚症状に対する対症療法・規則正しい生活習慣を形成させる指導が必要です。

〔人工栄養〕

母乳の分泌不足・授乳困難・授乳禁止などの身体的理由、あるいは母親の就業等による社会的理由など、何らかの事情で母乳栄養を行うことができないときに、母乳以外の栄養品によって乳児を育てることを人工栄養といいます。人工栄養は古くは牛乳によって行われていましたが牛乳はあくまでも仔牛のものであり、乳児にとっては成分上で消化・吸収などに不適切なことが多くありました。現在は、牛乳を素材として乳児に適した育児用の調製粉乳が使用されています。

〔新生児〕

ＷＨＯ（世界保健機構）では、生後７日未満を早期新生児といい、満７日以後 28 日未満を後期新生児といい、両者をあわせて新生児期と総称しています。臨床的には生後１週間以内を新生児と呼んでいます。新生児は母体から離れてまだまだ未成熟なので、死亡率も高く、仮死・呼吸困難・血液型不適合などがあり、神経系統の後遺症を残しやすく、脳性小児麻痺の原因となることもあります。新生児は、生理的・身体的発育と精神的機能の発育が大切な時期なので、母親の健康・精神的安定が要求され、環境条件（温度・安静）など配慮して成長するよう家族が配慮することが大切です。

〔新生児溶血性疾患（ようけつせいしっかん）〕

母子間の血液型不適合によって母体の血中に胎児の赤血球に対する抗体が生じ、胎児に溶血性の貧血症状や黄疸疾患を引き起こします。重症例では胎児は貧血と全身浮腫を伴って産まれ、多くは生後まもなく死亡します。また溶血性黄疸の増強によって核黄疸を引き起こし、脳障害を合併する例もあります。

検査結果、陽性の場合には光線療法やフェノバルビタールの投与などで胎児の血清ビリルビン値低下に努めます。また、治療には交換輸血が広く使用されていますが、重症患児には特に緊急の対処が必要です。

〔人口動態〕

人口動態統計とは厚生労働省が集計、出生、死亡、婚姻、離婚、死産の発生数等、時と共に変動する人口の状態を、一定期間（通常１年）の届け出数によってとらえたものです。

人口静態統計とは総務省が集計、ある特定の日時に調査を行うことで、静止状態に近いかたちで人口の状態をとらえるものです。国勢調査がこれにあたり、5年ごとに実施されています。

〔人的環境〕

幼児を取り巻く環境の中で、物的環境に対して人的環境といわれるものです。保育における人的環境の要素としては、親、兄弟（姉妹）、友だち、保育者、地域の人々などが挙げられます。また、それらを中心とした人間関係や構成する集団内での役割、相互に関連し合って醸し出す雰囲気などもあります。今日の乳幼児を取り巻く人的環境は、都市化、核家族化、少子化などにより人間関係の希薄化が進んでいます。そのような中において幼稚園や保育所における人との関わりは重要な意味を持ちます。幼児の精神的な安定のより所としての保育者の人的環境はいうに及ばず、幼児の生活に関係の深い人々、高齢者や地域の人々との触れ合いを通して、人と関わることの楽しさや人の役に立つ喜びを味わうためにも人的環境は大切です。子どもに関わる大人は、子どもたちに生き方を示す人的環境としての自覚が必要です。

〔心的機能〕

ユングの研究によれば、人間が自己の内的な問題や外界の事物に対処するに際して用いる心的な機能は、基本的に四種の機能から成っていると定義しています。つまり、「思考機能」と「感情機能」と「感覚機能」と「直観機能」があり、この中で特に感情機能、つまり、好き・嫌い、快・不快、善・悪などの基準で判断する心的機能が劣等機能として未発達なまま抑圧される傾向があるといい、感覚機能は、自己の内的なことがらや外界の事物を思考や判断などの媒介なしに直接事実そのものとして感じ取ります。一方、直観機能は事実そのものより事物の背後にある可能性に着目しました。この四つの心的機能と一人一人の固有な心的機能が多くの経験によって分化し発展していくプロセスを個性化の過程として捉えています。

〔心肺蘇生法（しんぱいそせいほう）〕

呼吸停止と心臓停止に対する応急の延命措置のことで、気道確保・人工呼吸・心臓マッサージの三つから成り立ちます。⇒救急法

① 気道確保：意識障害にある患者の気道を開通させ、鼻・口から肺に達する空気の通路を確保することです。

② 人工呼吸：気道を確保しても自力での呼吸が困難あるいは呼吸停止状態の患者の呼吸運動を代行することです。

③ 心臓マッサージ：心臓停止もしくは心機能の著しく低下した患者の血液循環を、外部からの胸郭圧迫によって維持しようとするものです。

●小児の場合：胸骨の下半分に片手の付け根を当て、一分間に100回以上、胸の厚さの三分の一の深さで圧迫する。

●乳児・新生児の場合：左右の乳首を結ぶ線から、横にした指一本分下に、中指・薬指二本の指を当て、一分間に100回以上の速さで胸の厚さの三分の一の深さで圧迫する。

〔心理的離乳〕

子どもが親の保護監督に依存している状況から次第に脱却して心理的に独立した人間に成長していく過程を心理的離乳といいます。俗に「乳離れ」と呼んでいます。

幼児は両親との間に強い結びつきがあります。その生活も心理も両親から受ける影響は大きく依存度が高い、母親が少しでも不在となると不安となり情緒不安になることがあります。しかし、成長するにつれ、だんだんと自主性が育ち自立していきます。両親からの心理的離乳の芽生えであり、両親への依存から脱却していきます。この心理的離乳にも個人差があり、発達の異常として多くの原因があります。両親の養育態度からのものや本人の発育遅滞によるものがあり、両者の関係をよく観察して指導、援助をしたいものです。

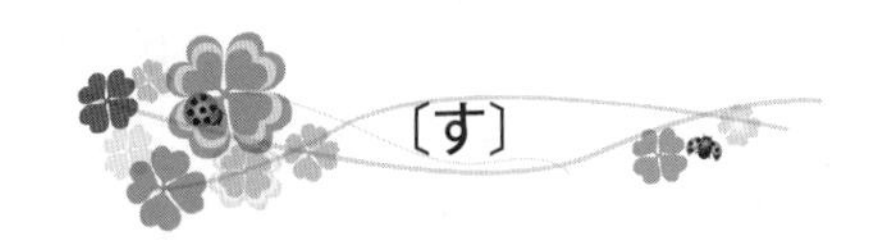

〔す〕

〔水泳プールの管理〕

夏季の子どもたちの楽しみの一つに水泳があるが、管理を怠ると感染症の温床となるので注意が必要です。

プールの原水は飲料水の基準に適合するものであることが望まれ、それらを使用するが、多くの子どもが次々と入るため、遊離残留塩素濃度が 0.4ml/L ～ 1.0ml/L に保つように、毎時間水質検査を行い、水質管理の徹底を図ります。年少児に利用することが多い簡易プールでも同じ水質管理基準での水質管理が必要です。子どもたちにはプールの利用前後にはシャワーやうがいを徹底させ、感染源をプールに入れない、持ち帰らないようにさせましょう。また、排泄が自立していない乳幼児については､決して一緒のプールに入れるのではなく､個別（共用しない）の簡易プールを用意してプール遊びへの配慮が必要です。

〔水痘(すいとう)（水疱瘡(みずぼうそう)）〕

ウィルス性の小児発疱疾患で、潜伏期間は 10 日～ 20 日位で全身症状を伴い、初めに体幹、次いで頭や顔に紅い発疹ができて、すぐに小水疱となります。水疱はやがて痂皮となり、これが脱落すると瘢痕を作ることなく治癒します。経過は一般に良好ですが、時に肺炎、脳炎、肝炎などを合併します。水痘回復後も神経節に潜伏したウィルスによって免疫力低下時に帯状疱疹として再発症することがあります。

主として飛沫感染しますが感染力が強く、水疱中のウィルスによる接触感染も起こります。予防には任意接種の水痘生ワクチンがあり、感染時の治療は対症療法が中心です。

〔水頭症(すいとうしょう)〕

髄液は主として側脳室及び第３・第４脳室の脈絡叢(みゃくらくそう)で分泌され、くも膜下腔へと流出します。そして吸収は、主としてくも膜下腔のくも膜顆粒から静脈洞へと行われます。

この髄液の正常な流れが阻害されたり、髄液過剰産生やくも膜下腔での吸収障害が起こったりして、脳室系に髄液が多量に貯留したものが水頭症です。多くの場合、出生時の頭囲は標準ないしやや大き目に過ぎません。しかし、その後の頭囲の増加率が異常に大きかったり、大泉門の閉鎖傾向がなく、むしろ大きくなる場合には水頭症が疑われることになります。

〔スクール　ソーシャル　ワーカー（SSW）〕

学校でのいじめに対処するため福祉の専門家として社会福祉士、精神保健福祉士等を配置して、いじめ、不登校、児童虐待等の周囲の環境を含めた解決策を担当する職員で「いじめ防止対策推進法」に基づいて配置される職種です。国の補助が$\frac{1}{3}$、福祉の専門職員の不足など様々な問題があり、課題が多い制度です。なおスクールカウンセラーは、児童、生徒の心のケアが主体ですが、SSW は「取り巻く環境」に対する支援が主体となります。

さ行

〔スコープ〕

スコープとは領域・範囲のことです。教育課程の基本的な構成要素として、重要です。シークエスト「(配列・順序）と共に教育課程の基本的な構成要素として重要であり、これらによってどのような内容をどのような順序や方法で指導するかの見通しが立てられます。

〔健やか親子 21〕

21 世紀における母子保健の課題は、思春期における健康、児童虐待、親子の心のつながり、小児医療の在り方、地域保健活動の在り方等です。こうした課題を、関係機関や諸団体が一体となって、国民的運動として、2000（平 12）年 11 月にまとめられたものです。そして 2013（平 25）年に最終報告がなされました。

〔スキンシップ〕

本来は皮膚と皮膚との接触を意味するものですが、教育現場や家庭での対人関係でいう意味は、肌と肌との触れ合いを通じて、次第に人間関係が深くなり、それが愛着関係へ、さらに信頼関係を深め、子どもの情緒の安定に役立つものと考えられました。また、子どもが情緒不安定になったときに、皮膚接触によって回復させることができます。

この効果は、教育面や治療面にも活用され効果を上げています。積極的に親や教師と温かく、優しく接して身体的接触による効果を上げるとともに心理的距離をより縮める努力を忘れてはなりません。親や教師が物理的距離は近くても、心理的距離が近くなければ効果は上がりません。

〔スタンピング〕

型押し版画の一種です。幼児の身近にある野菜やくだもの、木の葉などの自然物や素材などを使って手軽に型押しが楽しめます。切り口の面白いピーマンやタマネギ、レンコン、オクラなどの野菜は、そのままペタペタ押して楽しい模様が楽しめます。イモやニンジンなどは、スプーンなどで刻みを入れると面白い形が楽しめます。幼児の場合は、ナイフや彫刻刀などは、危険なので使わせないか、使うときには十分な配慮が必要です。また、ビンの蓋や小さな積み木、ブロック、ダンボール紙の断面などでも簡単に型押しが楽しめます。ポスターカラーや版画インクを用いて、綿花や布などに浸したスタンプ台を作り、用紙は吸水性のよいものを用います。画面一杯に連続模様を作ったり、配色や構成を工夫したり、写した形をもとにして、絵を書き足したりするなどいろいろな遊びが楽しめます。

さ行

〔ストーリーテリング〕

もともとストーリーテリングは、民話や物語を口頭で語ることを指していました。1889年から1890年にかけて、カナダとアメリカの図書館で床に座ってくつろいでいた子どもたちに対して図書館員が昔話や創作童話を口頭で語り聞かせたことから、近代のストーリーテリングが始まりました。ストーリーテリングは、明治期にも紹介されていましたが、具体的な実践活動は、1958（昭33）年以後、アメリカの図書館で学んだ人たちによって指導されました。それ以降、図書館や文庫において「お話しを語る時間」の中に定着していきました。家庭における昔語りの伝統や伝承の機能を踏まえて、語りと聞くという関係の大切さが見直され、保育の場でどんどん実践されるようになっています。

〔ストレス〕

病気は、体内のホルモンの働きによって、うまく働かないホルモンのバランスが崩れ、それを元に回復させようとして、ホルモンはバランス状態に立ち帰ろうとします。この働きをストレスといいます。しかし普通は、ホルモンのバランスを崩そうとする刺激のことを一緒にして、ストレスと呼んでいます。バランスが乱れると、いろいろな不快な症状、全身がだるい、食欲がない、肩が凝るなど、これらがストレスが起る警告反応であり、この警告反応に従ってストレスの原因を除くようにすることが、健康を守るために必要であり、ストレス解消の絶対条件といってよいでしょう。

〔素話（すばなし）〕

童話等を語り手の口調だけで語って聞かせることをいいます。絵を用いたり、効果音を加えたりすることにより物語に対する理解を助けることもありますが、素話ではあえてそれらの補助的手段を使うことなく、子どもたち一人一人が物語を聞きながら描くイメージの世界を大切にしながら楽しむところに教育的な意義があります。刺激的な映像や情報が氾濫（はんらん）している現代において、ゆったりとした雰囲気の中で、保育者の生の声で昔話や内外の童話などに触れさせることは、子どもたちに集中性を高め落ち着きを与えます。語り手は、事前に子どもたちが聞いて分かりやすい内容であるかを検討し、話の内容を十分に自分のものとして自信を持って臨むことが必要です。話の展開に応じて声色を変えたり、子どもたちと目線を合わせ表情を確認しながら話を進め、子どもたちと感動を共有することが大切です。

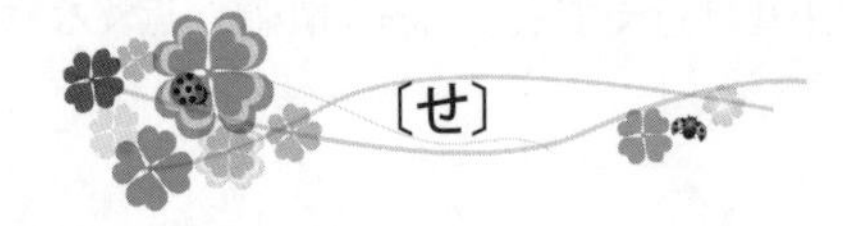

〔生活発表会〕

幼稚園や保育所の生活で身につけてきたことを発表する機会として、生活発表会という呼び方で行われています。子どもたちの生活を発表する機会としては、運動会や作品展（造形展）などもありますが、ここでいう生活発表会は、主として歌やリズム表現、言葉による表現や劇遊びなどが行われます。もっとも表現の範囲を狭めて「遊戯会」「音楽会」というような呼び名で行っている所もあります。近年は、子どもの生活全体を捉えて表現するという立場で生活発表会とする所が多くなりました。行事として位置づけられている所がほとんどですが、人に見てもらうということは、子どもにとっては嬉しいことですが、大人の価値観で見られたり単に出来栄えだけを評価することがないように、正しい見方について保護者などに啓発する必要があります。生活発表会が行われる時期は、一年間の子どもの成長の様子を発表するということから、3学期になってから行われることが多いようです。2月の下旬から3月の上旬に行われる所が多くあります。発表の形式や内容は、幼稚園や保育所の規模や教育観によって多様であるが、ステージ等の上で見せる発表からフロアーを使って自然な生活の発表ができる形式や内容に変わってきています。

〔生活保護法〕

昭和25年に成立した法律で「国が生活に困窮する全ての国民に対し、その困窮の程度に応じ、必要な保護を行い、その最低限度の生活を保障するとともに、その自立を助長する」ことを目的としています。（第1条）従って無差別平等の原理（第2条）最低限度の生活は健康で文化的な生活が維持できるもの（第3条）。更に第4条保護の補足性の原理が規定され、第5条で「この法律の解釈及び運用は、すべてこの原理に基づいてされなければならない。」とされています。第11条で保護の種類として生活扶助、教育扶助、住宅扶助、医療扶助、介護扶助、出産扶助、生業扶助、葬祭扶助の8種類が規定されています。

〔生活リズム〕

人間の生活は、何らかのリズムに基づいて営まれています。幼稚園や保育所における乳幼児の生活では、一日の生活リズムが大切にされます。保育時間の中で動的な遊びと静的な休息、戸外での活動と室内での活動、集団としての活動と個の活動などのバランスが生活のリズムを作り出します。また、身の回りの整理、遊び、課題活動、仕事、食事、片付け、清掃などの活動を繰り返しながら子どもの体内に生活のリズムが生み出されます。生活リズムの乱れは､体調を崩したり、安定感を失ったりします。休日の翌日や長期休暇明けなどには、園で築かれた生活リズムが乱れ、退行的な現象を起こすことがあります。それを防ぐためには家庭との連携と、一人一人の子どもにとって心地良い生活リズムを見つける配慮が必要です。

〔性同一性障がい〕

性別同一性障がいともいい、生物学上の性と心理学的・社会学的性別が、自己認識の上で一致しない状態をいいます。例えば、男性の性同一障がいの場合、本人は自分の性別は女性だと思い、生物学的に男性や男性としての行動に幼児期から違和感をもつ場合があります。そして、成長するとともに苦痛や不快感をもち、反対の性として生きたいという願いが高まってきますが、子どもの性同一性障がいは大人の性同一性障がいに必ずしもなるわけではありません。欧米での研究から推測すると、「幼稚園や小学校低学年で性同一性障がい」と診断されても、大人になって性別適合施術を望む人は少なく、中学校など学年が進むにつれて性同一性障がいと診断される人は、性別適合施術を望む人が多くなる傾向にあります。

〔政令と省令〕

「政令」とは日本国憲法73条第6号に基づいて内閣が制定する。行政機関が制定する命令の中では最も優先的な効力を有します。（例えば「学校教育法施行令」）
「省令」とは各省の大臣が制定する当該省の大臣が定める命令のことです。（学校教育法施行規則）

さ
行

〔政令指定都市と中核市〕

従来は、政令指定都市は人口100万人以上か、100万人に達する見込みのある都市とされていましたが、現在は、「人口50万人以上」が要件とされています。2001年の市町村合併によって、70万人程度でも指定されるようになり、現在18市が該当しています。市街地開発事業の都市計画決定、児童相談所の設置、県道国道の管理、教職員の任免等の権限が都道府県から移譲されます。又、中核市は「人口30万人以上」が要件になり、保健所の設置、養護老人ホームは市の許認可や、身体障害者手帳の交付等が都道府県から委譲されます。

〔成年〕

今まで約140年間続いた、日本での成年年齢は20歳と民法で定められていましたが、この民法が改正され2022年4月1日から成年年齢が20歳から18歳に変わりました。成人式、選挙権も18歳からということになります。
成年に達すると親の同意を得なくても自分の意志で様々な契約ができるようになります。例えば携帯電話の契約・1人で部屋を借りる・クレジットカードを作る・高額な品を購入した時のローンを組む等です。又10年間のパスポート取得・公認会計士・司法書士・行政書士等の資格を取得することができます。
結婚年齢も男女共に18歳以上となります。しかし18歳になっても飲酒・競馬等の公営競技に関しては健康面や非行防止、青少年保護の目的からこれまでと変わらず20歳と現状のままです。

〔生理的体重減少〕

新生児は生後数日の間、摂取する乳汁が少ないにも関わらず、胎便を排泄し、また腎臓・皮膚・肺からも水分の排泄（蒸泄）がなされるので、生後3～4日目頃になると、体重は出生時体重の約5～10%減少します。これを生理的体重減少と呼びます。

生後4日頃を減少のピークにその後は哺乳量も増してきますので体重はしだいに増えて、約7～10日で生下時体重に戻ります。生理的体重減少から回復した後の体重増加は急速です。

〔脊柱側彎症(せきちゅうそくわんしょう)〕

ヒトの脊柱は7個の頚椎、12個の胸椎、5個の腰椎、仙骨（仙椎)、尾骨によって形成されており、正常では緩やかな生理的彎曲を示しています。しかし、側彎症では前後方向で脊柱が横に曲がり、さらにねじれを伴うため、前後に加え側方から見た彎曲にも変化が生じてくるものです。側彎症は、大別して、①機能性側彎症（非構築性側彎）と②構築性側彎症（真の側彎症）に分けられます。①の側彎症の原因としては小児期のいわゆる不良姿勢や脚長差などで原因を取り除くと、側彎が消失したり、自分で矯正したりできるものです。一方、②の側彎症のうち約75%は原因不明で突発性側彎症と呼ばれています。

〔セクシュアル・ハラスメント〕

セクシュアル・ハラスメントとは、相手方の意に反したり、また他のものを不快にさせる性差別的な言動をいい、それにより職務や学習を遂行する上で一定の不利益を与えたり、環境を著しく悪化させることをいいます。特に、職業上または教育上の優位な地位や力関係を利用して行われる場合が多くあります。従ってセクシュアル・ハラスメントは重大な人権侵害であるといえましょう。セクシュアル・ハラスメントは、男性から女性に対してなされる場合が最も多いが、女性から男性へあるいは同性間でも問題となります。学校で起こるセクシュアル・ハラスメントは、職場におけるものと区別し「スクール・セクシュアル・ハラスメント」(大学の場合は「キャンパス・セクシュアル・ハラスメント」)と呼ばれています。学校には、「教師と生徒」という圧倒的な力関係が存在します。単なる上下の関係以上に「先生への信頼」という要素が含まれるのでより深刻であるといえます。

〔舌根沈下(ぜっこんちんか)〕

意識障害や呼吸停止、心停止が生じたときに下顎を支えている筋肉の緊張が失われ、舌根が落ちて気道を閉鎖してしまうことになります。このように舌根が落ち込むことを舌根沈下といいます。心肺蘇生法における一番目の気道の確保というのは、口または鼻から肺に空気が通る通路を確保しておくことをいいます。舌根沈下を防ぎ、気道を確保する方法としては、頭部後屈顎先挙上法と下顎挙上法があります。

〔設定保育〕

保育者が、ねらいを持ってある活動を計画し、その計画に基づいて行う保育を指します。幼児期の教育は一人一人の幼児が自ら環境に関わり主体的に活動するとされているが、子どもたちの興味や関心だけに基づくと、大切な機会を失ったり、みんなに経験させたり広めたりしたいことを逃してしまう危険性もあります。そこで保育者が意図的に活動内容を設定し、展開の見通しを持って保育に当たることが必要な場合もあります。設定保育では、教師主導で一斉に同じ活動をすることが多いのですが、必ずしも一斉的な形態を取るとは限りません。ねらいや内容によって、個人の場合もありますしグループで行われる場合もあります。子どもの自発活動として生まれにくい活動や、発達にとって必要な技術や知識を身につけさせたい場合などに、子どもの主体性を損うことなく、教師の意図を織り込みながら活動を充実させる保育として有効です。

〔セラピスト〕

心理治療者、精神療法士をセラピストといいます。情緒的・精神的に障がいや問題を持つ者に対して、その症状などに応じてクライアントのパーソナリティそのものの改善をめざして働きかけるための専門家といえます。カウンセラーとクライアントの間に入って専門的な援助をしたり、自らがカウンセラーとセラピストの両面を受け持つ場合もあります。セラピストのパーソナリティは心理療法の効果に深い関係があります。

〔セロトニン〕

脳内の神経活動の微妙なバランスにとって非常に重要であると言われている神経伝達物質です。セロトニン系の活性が下がると、様々な精神的な不安定を来します。そのために薬も必要ですが、リズミカルな筋肉運動でセロトニンを高めることができます。歩行、咀嚼などです。夜更かし、朝寝坊、朝食抜きではセロトニン系の活性が下がり、攻撃性、衝動性が増して社会的に孤立したりします。これらいわゆるキレる子に対して「低セロトニン症候群」という研究者もいます。

〔染色体異常〕

ヒトの染色体は常染色体 22 対と性染色体 1 対の計 23 対（46 本）によって構成されており、よって染色体異常も常染色体異常と性染色体異常に分けることができます。通常 1 対（2 本）であるはずの染色体が 1 本、あるいは 3 本であるというような数的異常から、染色体の一部に起こる欠失、転座、逆位などの構造異常などを総じていい、それによって現れる症状も異常部位によりさまざまです。常染色体異常にはダウン症候群や 13 及び 18 トリソミー症候群など、また、性染色体異常にはターナー症候群やクラインフェルター症候群などがあります。⇒〔ダウン症候群〕

〔全国学力テスト〕

正式名称は「全国学力・学習状況調査」といい、基礎的知識力を問う A 問題と知識の活用力を問う B 問題からなっています。全国の小学校 6 年、中学校 3 年全員を対象として 2007（平 19）年度から国語と算数、数学の 2 教科の学力調査を実施しています。2019 年から英語（中学 3 年）も 3 年に一度実施されます。2010（平 22）年、2011（平 23）年は抽出方式に変更されましたが、現在は全校対象となっています。「過度な序列化や競争を招く」ということで、市区町村別や学校別の結果の公表は禁じられていましたが、平成 25 年 11 月に実施要領の改訂により、市町村教育委員会によって学校別公表が可能となりました。2018（平 30）年度の学力テストの平均点等は次の通りです。

平均正答率

校種	小学校					中学校				
教科	国語 A	国語 B	算数 A	算数 B	理科	国語 A	国語 B	数学 A	数学 B	理科
全国（国・公・私立）	71	55	64	52	60	76	62	67	48	67
全国（公立）	71	55	64	52	60	76	61	66	47	66

（小数以下四捨五入）

〔泉門（せんもん）（大泉門・小泉門）〕

新生児では頭蓋骨相互間の縫合が未完成のため、多少その間が離れています。前部の前頭骨と頭頂骨で囲まれた菱形の部分を大泉門と呼び、後部の後頭骨と頭頂骨で囲まれた部分を小泉門と呼んでいます。

大泉門は、はじめの数か月は増大し、その後縮小し、1 歳 2 か月から 1 歳半頃までには閉鎖します。小泉門は個人差もありますが、生後 6 か月ぐらいまで触れることができます。大泉門の閉鎖が早過ぎるときには小頭症等が疑われ、遅すぎるときには水頭症や骨の発育不良が疑われます。

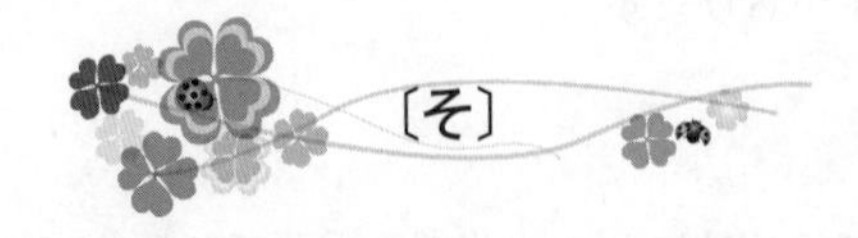

〔総合施設〕

乳幼児期の保育施設として、保育所と幼稚園とがあります。保育所は 0 歳児から、幼稚園は満 3 歳児から入園することができますが、保育所に入園するためには、両親の就労という条件があります。そうしたことから、保育所と幼稚園を一つにした新しい型の保育施設として「総合施設」という幼稚園と保育所の機能をともに備えた施設が 2005（平 17）年度よりモデル事業として文部科学省、厚生労働省が取り組まれています。2005（平 17）年度全国で 36 施設を指定し、その成果によって、今後こうした「総合施設」の設置が普及するものと思われます。具体的には、今後検討されることになっていますが、①必ず親が就労しなくともよい。②保育時間を 1 日 8 時間程度。③親子の交流の場等が明確にされていくものと思われます。

「就学前の子どもに関する教育、保育等の総合的な提供の推進に関する法律」が 2006（平 18）年 6 月 15 日に成立し、いわゆる「認定こども園」の設立が制度化されました。幼保の一元化、一貫制が認められたこととなります。

〔総合的指導〕

幼児期における指導の在り方を示した言葉です。幼児期は、遊びを中心とした生活を通して、一人一人に応じた総合的な指導を行うことが教育の基本です。幼児期の遊びは、大人社会の遊びとは違って、子どもたちの生活そのものが遊びです。子どもたちの遊びは、領域を越えて総合的なものです。遊びの持つ総合性を踏まえて行う幼児期の教育は、当然総合的指導となります。幼稚園教育要領、保育所保育指針においても総則の中において明記されているように、幼児期の教育においては全てが生活を通して行うものであり、総合的であることは幼児期の教育の本質です。総合的指導のためには、総合的活動を行うということで「ごっこ遊び」などが考えられますが、総合的指導ということはお店屋さんごっこやヒーローごっこなどのような組織だった遊びの中だけで行われるものではありません。つまり、活動の中に五つの領域で示された内容が全て含まれているものが総合活動で、その活動を行うことが総合的指導だということではないのです。幼児が一人で夢中になっている活動の中にも総合的な指導の内容が含まれています。総合的指導とは、幼児の主体的な活動を保育者が支え、一人一人の幼児が興味や関心に基づく活動を充実させることへの保障となるものでしょう。

〔創傷（そうしょう）〕

創傷とは、創と傷という異なった損傷をまとめて指すことばです。外部から強い衝撃を受け、皮膚でおおわれた体表面や粘膜でおおわれた面、及び臓器の表面が離断して傷口が開いた状態をいいます。受傷原因によって名称が異なり、鋭利な器物による傷を切創、先の尖った器物による傷を刺創、鈍器によるものを挫創などと呼びます。

開放性の創傷の手当てとしては、① 出血を止める（止血）、② 細菌の侵入を防ぐ（感染予防）、③ 痛みを和らげる（疼痛（とうつう）の緩和）の三点が基本となります。

〔創造性〕

創造性の解釈は、創造性の考え方をどのような観点から捉えるかによって異なります。一般的には、新しい価値あるものを創り出すことといってよいと考えます。マスローは創造性を「特別な才能の創造性」と「自己実現の創造性」とに区別しています。創造性を、新しい所産を生み出す能力、要するに、創造力として捉える見方は、現在多くの人に認められています。この説で、ギルフォードは創造性の因子の代表的なものを六つ挙げており、① 問題を受けとる能力、② 思考の円滑さ、③ 思考の柔軟さ、④ 独自性、⑤ 再構成する能力、⑥ 完成へ工夫する能力——と規定しています。

〔相対評価〕

普通、集団における個人の評価方法として、絶対評価と、相対評価があり相対評価は絶対評価と対置される概念です。現在、小・中・高校の学習指導要録の学習記録の中の〔評定〕は相対評価で記録されています。母集団分布が正規分布することにして、事前に各段階に付与する割合を決めて評定する方法です。

長所としては、評価段階の決定に際して評価者の主観を排除することができることです。各評点の示す意味が順位的に確立していて解釈が容易にできます。その反面、あくまでも相対評価なので基準行動への到達度が正確にはわかりません。また、集団間の差異も考慮できません。各個人の進歩を没却する恐れがある点、短所もあり賛否両論あります。

〔早朝保育〕

保育所の開所時間は地域の実状や保護者の勤務時間等によって、午前7時より開所の保育所が多くあります。しかし、幼稚園では、午前9時からが常態であり、保護者の希望によって午前7時30分とか8時にという場合があります。預かり保育として早朝に保育を実施する場合をいいます。

〔ソーシャルワーク〕

一般に「社会事業」とか「社会福祉の方法」「社会福祉の専門技術」というように訳されますが、誤解を生じないために原語で使われるのが一般的です。社会福祉問題を社会的・集団的に考え、クライエントとその置かれている環境との相互関係と捉え、それらの問題の解決過程並びに援助過程の総称を指しているといえます。問題解決への一般的過程としては、調査・診断・サービス・評価を繰り返し進んでいきます。問題解決の基本は、ワーカーとクライエントの信頼関係です。ワーカーは、本人が問題解決するのを側面的に援助します。これらソーシャルワークの基本的方法として、個人または家族に対するソーシャルケースワーク、小集団を媒体としたソーシャルグループワーク、地域社会を媒体としたコミュニティー・オーガニゼーションがあります。その他に社会福祉施設管理（アドミニストレーション）、社会事業調査（ソーシャルワークリサーチ）、ソーシャルアクションなどがあります。⇒〔ケースワーク〕

〔素材〕

幼稚園や保育所などにおいて、幼児の造形活動を行う上での基になる材料をいいます。素材といわれるものには、自然素材、人工素材、廃材、あるいは、描画素材、製作素材、線材、画材、塊材などに分類されます。造形を主目的の一つにした材料として保育の場でもよく用いられるものには、画用紙、絵の具、クレヨン、パス、カラーペン、糊などがあります。新しい素材もどんどん開発され、さらに子どもたちの造形活動は豊かになって行く傾向にあります。このような新素材についても適切な活用を研究する必要がありますが、子どもたちの身の回りにある自然素材にも目を向け、その可能性を見い出して創造的に活用しなければなりません。土や水、紙などは、子どもが興味をもつ素材です。また、子どもたちもどのようにでも素材化していく力を持っています。そのような子どもたちの活動を大切にしたいものです。最近は、素材のリサイクルという視点からも、廃材を使った手作りのおもちゃ作りなども盛んです。子どものイメージからさまざまに姿を変えて楽しいものが作り出されます。廃材といわれる中での素材としては、牛乳パック、空容器、ペットボトル、ダンボール箱、空き缶、新聞紙、広告紙、毛糸、ボタン、布、木材、蒲鉾板など多様なものが考えられます。日頃からこれらの素材を集めておき、造形活動に入る前段階として素材に十分触れて遊ぶことも大切です。集めた素材は、分類して保管するなど管理に留意し、子どもたちが必要なときにはすぐに取り出せるような場所に保管することも必要です。

〔ソシオメトリー〕

集団内の人間関係を分析・測定する理論で、日本では、20 世紀中頃、田中熊次郎によって、技術と理論が確立されました。個人の相互関係を基礎として好感・反感という感情の流れを測定することによって、現実の集団内の人間関係を明確にして、個人の自発性、創造性を尊重する集団生活を考えようとしたものです。測定方法はソシオメトリックテストを用いて集団（学校の場合学級）で行動基準を定め、その中で「誰と一緒に遊びたい」または「遊びたくない」かを記入させ、その結果、個人の相互の「けん引」と「反発」の関係が分かり、下位集団の構成や、リーダー、孤立者などを明らかにするもので、これが差別に結びつくもの、差別の助長と批判されましたが、方法と結果考察によっては教育効果を高めるもので充分その点を配慮して活用することを期待します。

さ
行

〔『育ての心』〕

我が国における近代的な保育の基礎を築いた倉橋惣三の代表的著書の一つです。『「育ての心」とは、それは自ら育とうとするもの（子ども）を育てずにはいられなくなる心である。その心によって、子どもと保育者･親とはつながることができ、子どもだけでなく保育者･親も育つことができる。子どもを信頼・尊重し、発達を実現させることもできる。この心は、職務として現れるものではなく、義務として現れるものでもない。自然なものである』と述べています。倉橋の著作のほとんどは、保育者に向けてのものですが、この本は、母親や一般の人まで対象が広がっており、内容も家庭の教育や子育てに関するものが多く書かれています。文章も読者に語りかけるように分かりやすく、具体的なエピソードも交えてあり楽しく読めます。一般的に読みやすい書ですが、その中には彼の鋭い洞察と理論が流れており専門書としても読みごたえのあるものです。この本は、彼が雑誌に折にふれて執筆したものをまとめたものであり、体系的な育児書ではなく、育児理論を構築しようとしたものではないことが、「子どもたちと母たちと接しながら、その実践のままに即して書いた実感の書である」という彼の言葉からも伺えます。⇒〔倉橋惣三〕

〔粗暴（そぼう）〕

「行動や行為が、荒々しいこと」と定義されていることが多い用語です。本来、人間は誰でも粗暴（乱暴）な行為の根源である攻撃性を持っています。他人から不快な行為にあったり、傷つけられたりすると、不満、怒りで自分をコントロールできず、相手を殴る・蹴るなどの行動に出る攻撃性の強い者を粗暴（乱暴）な子どもと見なします。粗暴行為に出る時期としては、反抗期、３～４歳頃、小学校３～４年（ギャング・エイジ）思春期前期頃には、発達段階の発達課題として一過性と受取りましょう。通常、粗暴の原因は、①性格の障害、②感情の未成熟（溺愛型）、③欲求不満（欲求不満→攻撃）、④脳の器質的欠陥――など多岐にわたるので、原因を把握した上で治療にあたる配慮が必要です。また、親の日常生活の態度に影響されることが大きいとされています。

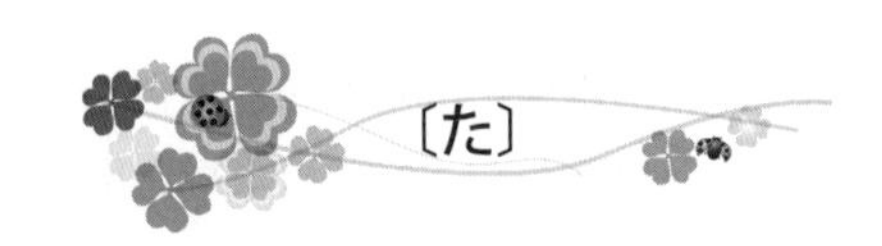

た行

〔第一反抗期〕

幼児童の精神発達のうち、社会性の発達においてよく話題となるものに「第一反抗期」があります。

２歳過ぎまでは、大人に全面的に依存していて素直であった子が、２歳半から３歳前後になると、自己主張が強くなり、大人に対して反抗的な行動をとるようになります。

これは自分を意識し始めた（自我の芽生え）ためで、意思力が育つ重要な時期と捉えるべきです。何につけても受動態であった子どもが大人に対して拒否的になることに戸惑うのではなく、精神発達の一時期として捉え、受け入れるよう心掛けることが大切です。

〔第３期教育振興基本計画〕

平成30年6月に閣議決定された施策です。

社会の現状や2030年以降の変化等を踏まえ、取り組むべき課題

① 社会状況の変化
　人口減少・高齢化、技術革新、グローバル化、子どもの貧困、地域格差　等

② 教育をめぐる状況変化
- 子どもや若者の学習・生活面の課題
- 地域や家庭の状況変化
- 教師の負担
- 高等教育の質保証等の課題

③ 教育をめぐる国際的な政策の動向
　OECDによる教育政策レビュー　等

こうした社会現象にたいして、教育行政の５つの基本的方向性が示されました。

① 夢と志を持ち、可能性に挑戦するために必要となる力を育成する。
② 社会の持続的な発展を牽引するための多様な力を育成する。
③ 生涯学び、活躍できる環境を整える。
④ 誰もが社会の担い手となるための学びのセーフティネットを構築する。
⑤ 教育政策推進のための基盤を整備する。

〔待機児童解消加速化プラン〕

2013（平25）年４月19日に発表されたプランで、「潜在ニーズも含めた待機児童解消に意欲のある自治体の取組の強化を支援するものであり、市区町村の手上げ方式で実施する」（平成25年５月10日厚生労働省雇用均等・児童家庭局保育課）もので、保育の量的拡大と質の確保のために「５本の柱」が示されました。

1．賃貸方式や国有地も活用した保育所整備
- ○保育所緊急整備事業
- ○賃貸物件を活用した保育所整備事業
- ○小規模保育設置促進事業
- ○幼稚園預かり保育改修事業
- ○家庭的保育改修事業
- ○民有地マッチング事業

2．保育の量拡大を支える保育士確保

［保育士確保施策］
- ○保育士養成施設新規卒業者の確保
- ○保育士の就業継続支援
- ○「保育士・保育所支援センター」の設置、運営
- ○再就職前研修の実施
- ○職員用宿舎借り上げ支援

［保育士の資格取得と継続雇用の支援］
- ○認可外保育施設
  保育従事者の保育士資格取得に対する支援

［保育士の処遇改善］
- ○保育士の処遇改善

3．小規模保育事業など新制度の先取り

［運営支援事業］
- ○小規模保育事業（利用定員６人以上19人以下の施設）への運営費支援
- ○グループ型小規模保育事業（複数の保育ママが同一の場で実施）への運営費支援
- ○幼稚園で行う長時間預かり保育への運営費支援

［利用者支援］
- ○利用者支援事業

4．認可を目指す認可外保育施設への支援

［整備費支援］
- ○改修費、賃借料等

［運営費支援］
- ○一定程度の基準を満たした施設への運営費支援

［移行費支援］
- ○認可化移行可能性調査費
- ○移転費用、仮設費用等
- ○認可外保育施設に勤務する保育士資格を有しない保育従事者の保育士資格取得に対する支援【再掲】

5．事業所内保育施設への支援
- ○助成要件を緩和

→ 保育の量的拡大と質の確保

た行

〔退行・退行現象〕

よく「赤ちゃんがえり」といっているのを聞きます。一度発達段階での発達課題をクリアできていたものが、何らかの要因で未熟な状態に逆もどりすることです。精神分析では、葛藤のために起こった不安を現実的に解決することができずにリビドー（自己保存本能）がより多く滞留して幼児的行動に逆行することです。

退行には健康的なものと、病的退行に分類することができます。

(1)　健康的退行

一時的・可逆的の場合、退行が起った後には、よく自発性・創造性が高まり、自我の自立性が向上することがあり、この退行を健康的退行といいます。

(2)　病的退行

健康的退行と全く逆で、さまざまな精神病理的現象が出て、本能衝動の退行とともに自我もまた退行します。要するに自我があまりにも病的であるために、修復し得ないことになります。治療も、はなはだ困難のようです。

よく見られる例としては、第２子を出産することにより、長子が母親の愛情を失うような気持ちになり、自立していた生活習慣が崩れたり、哺乳瓶でミルクを飲みたがったり、赤ちゃん言葉に戻ったりするなどです。また、幼稚園などに入園当初、母親にくっついて離れなかったり、長期休暇を過ごした後の幼稚園などの生活で、母子分離ができなかったり、自分のことが自分でできなくなったりすることも退行現象といわれます。このような行動は、すべて意識的なものではないので、子どもに関わる保育者等は、ただ単に叱るのではなく行動の背後にある原因を正しく理解し、温かく接することで、ゆっくりと改善の兆しを見つけていくことが大切です。

〔第三者評価〕

第三者評価とは、事業者の提供するサービスを当事者（事業者及び利用者）以外の第三者機関が評価することをいいます。その目的は、個々の事業者が事業運営における具体的な問題を把握し、サービスの質の向上に結びつけることと共に、利用者が適切なサービスの選択ができるような情報となることです。「児童福祉施設の設備及び運営に関する基準」では、乳児院、児童養護施設、障害児入所施設、児童発達支援センター、児童心理治療施設、児童自立支援施設は、苦情の公正な解決を図るために当該児童福祉施設の職員以外の者による評価を受けなくてはならないとされています。

〔体力・運動能力調査〕

スポーツ庁が1964年から実施している調査で、1998年から調査項目の種目の合計点で表すようになりました。2015年度の調査結果が2016年10月の体育の日に合わせて公表されました。6～19歳の・上体起こし・長座体前屈・反復横跳び・20メートルシャトルラン・50メートル走においては男女とも過去最高を記録したが、男児のソフトボール投げ、握力は低下傾向が続いている。これはボール投げ、キャッチボール等の機会が減った影響だとしています。また週1回以上運動している人の割合を2015年と1985年と比べると、19歳の女性、65.4％→35.4％、20代後半で44.9％→35.8％、30代後半が48.1％→37.1％へと減少していました。若い女性の運動離れが指摘されました。

11歳の体力・運動能力調査の合計点（80点満点）

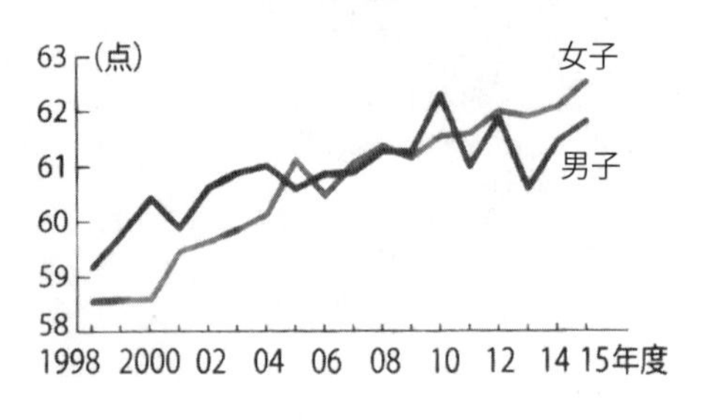

〔ダウン症候群〕

先天的な常染色体異常の症状で、常染色体21番が通常より1本多い3本の21トリソミーが原因です。国内で最もよく見られる染色体異常で、出生児一千人に一人の割合で見られます。臨床症状には蒙古様顔貌（つり上がった目尻、鼻梁（びりょう）扁平、耳介変形、舌挺出など）と四肢の変質徴候、手掌紋及び足底紋の特徴的変化に加え心奇形や消化管奇形の高い合併率などが挙げられます。

⇒染色体異常

〔滝廉太郎（たきれんたろう）（1879～1903）〕

作曲家で大分県に生まれ、東京音楽学校卒業後ドイツに留学しましたが、病気のため、一年余りで帰国しました。わずか23歳で死去しています。日本の洋楽の黎明期にあって、その才能が惜しまれました。作品には、『荒城の月』『花』『箱根八里』があり、現在でも合唱曲や愛唱歌として歌われています。明治20年代には、それまでの難解な歌詞の歌に対して、子どもの歌は子どもの言葉でという運動が起こり、作詞家の東クメ等とともに幼児の唱歌『鳩ぽっぽ』や『お正月』等を作曲しました。これらの歌は、今も歌い継がれています。

〔脱臼〕

脱臼は関節の正常な運動可動域を越えて力が加わったために、関節が外れたものです。関節周囲の靭帯、筋、腱、血管の損傷を伴うことが多く、特に肩、肘、指に起こりやすいです。症状としては、関節の変形、腫脹、疼痛があり、脱臼したままの関節は自分では動かせません。適切な治療をしないと、関節が動かなくなったり、脱臼が習慣性になったりする恐れもあります。特に、肘内障害という幼児に多く見られる肘の亜脱臼（真の脱臼ではない）があります。手を急に強く引っ張ったときに起き、肘の痛みのため、上腕をだらりと下げ、動かさなくなります。習慣性になりやすいので、すぐに受診させた方がいいでしょう。

〔縦割り保育〕

幼稚園や保育所では、年齢別にクラスを編制して保育活動が行われるのが一般的です。これに対して、年齢には関係なく１クラスに５歳児も４歳児も３歳児もといった異年齢の児童で構成するクラス編制を行い、保育活動を行うことを縦割り保育と呼んでいます。高年齢児は低年齢児の世話をし、低年齢児は高年齢児の行動等を模倣し、真に人間関係の深まりが得られるメリットがあります。最近では、こうした保育を「ファミリータイム」として縦割り保育を行い、「フレンドタイム」として年齢別保育を行うといった取り組みが見られるようになってきました。⇒異年齢交流

〔多文化共生保育〕

「多文化」とは、諸外国にルーツをもっている人々という意味だけではなく、人種や民族、身体的・精神的障がい、性的指向、性別などのさまざまな「違い」を文化と捉える考え方です。多文化が共生している状態とは、「あってはならないちがい」の解消（基本的人権の保障、機会の均等化）、「なくてはならないちがい」の保障（少数者の力づけ、多様なありようの尊重）、「ちがいを越えた協動」の実現（多数者側の変化、社会全体の変革）の三つの視点が実現している状態であり、多文化共生保育では、そうした社会を作り上げる力をもった子どもを育てることを目標にしています。それ故に、多文化共生保育とは、「さまざまな違い」を前提に、その違いを「認め合い」「豊かさに繋げる」ことを目標とした保育の思想であるといえます。

この目標を達成するために、さまざまなちがい（文化）に触れ、「ちがいを尊重できる」心を育てると共に、フェアでないことに対しておかしいと感じ、その状態を変えるために行動できる力を育てることが求められています。

〔打撲傷〕

身体に、外からの強い力が加わって起こる障がいのうち、皮膚が破れないで皮下の組織が損傷を受ける場合を打撲傷といいます。

打撲傷は、受けた部位と外力の強さの程度によっていろいろな症状を呈します。そして、何ら治療を必要としないものから、重篤なものまで含まれます。

軽い打撲傷の場合は患部を安静に保つとともに氷などで冷やすことにより皮下出血や腫れを止め、痛みを和らげることができます。また、特に頭・胸・腹の打撲傷は、内臓の損傷や内出血を起こしていることもあるので医療機関の診察を受けるようにすることが必要です。

〔誕生会〕

誕生会は、幼稚園や保育所において、月に1回その月に生まれた子どもたちの誕生とその後の成長を祝福する園行事として位置づけられています。子どもの誕生は、本来的には各家庭において祝うものですが、子どもたちの集団の場で多くの友だちや関係者から祝ってもらうことは、家庭では味わえない喜びです。誕生会の目的は、誕生してから今日まで両親をはじめ多くの人々の愛に支えられて、こんなに大きくなったことに気づくとともに感謝し、この日を迎えて大きくなった喜びと自覚、自信を持つようにすることです。園での誕生会の行い方は、園全体で行ったり、クラス単位に行ったりさまざまです。年齢の低い子どもたちには、保育者が生まれた日に一人一人言葉をかけて誕生会に代えることもあります。いずれにしても子どもにとっては、年に一度の楽しい日です。マンネリ化したり計画や準備に手抜かりがないように、子どもたちとともに考えながら企画し、実践していくことが大切です。また、誕生日を迎えた子どもには、自分の誕生会の喜びと楽しかった経験が、他の友だちの誕生日も心から祝って上げたいという気持ちが育つように配慮することが必要です。

なお、宗教上の理由によって誕生会に参加させない保護者の子どもにも配慮する必要があります。

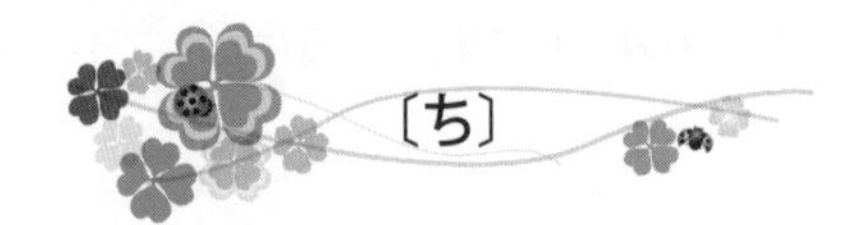

〔チアノーゼ〕

チアノーゼとは、呼吸障がい・循環障がいまたはヘモグロビン自体の異常によって、毛細血管や静脈を循環する血液の酸素が減少したり、また二酸化炭素が増加したりすることによって発現するもので、皮膚及び粘膜が青みがかった紫色になる状態をいいます。

チアノーゼは先天性心疾患の小児に見られ、多くが重篤な状態を意味します。また、ほとんどの場合に呼吸困難を伴います。

ただし、緊急性のないものとして、長時間寒冷にさらされたり、海やプールに入ったりしていて生じるものもあります。チアノーゼ発現に際しては、その要因を見極め、的確に対処することが求められます。

〔地域限定保育士〕

2014（平26）年10月に国家戦略特別区域諮問会議で「持続可能な社会保障制度の構築」の一つとして地域限定保育士制度の創設がなされました。

保育士不足解消等に向けて、都道府県が保育士試験を年間2回行う事を促すため、2回目の試験の合格者には、3年程度当該都道府県内のみで保育士として適用する「地域限定保育士」の資格（但し、国家戦略特区に係る他の都道府県との協議が整えば、当該他の都道府県でも保育士として通用する資格とする。）を与えられるようになります。

〔チック〕

チックとは、不随意に起きるけいれん運動で、それがしばしば繰り返されるものです。本来は、ある目的を持った随意的運動であったものが、それがやがて習慣化され目的や意思とは無関係に繰り返し反復されるようになった運動がチックであると考えられています。好発部位は顔面及び頚肩部で、まばたき、顔をしかめる、口を曲げたりとがらせる、首を振る、首を曲げる、首を回す、肩をすくめるなどの行為がみられます。これら運動性チックの他に、のどを鳴らしたり、「ウッ」「アッ」など声を発する音声チックと呼ばれるものもあります。チックは、随意的に短時間抑制できますが、その後反動的に増強されることがあります。

〔知的好奇心〕

人間はもともと新しいものを知りたがったり、より詳しい情報を得ようとします。ブルーナーは、これらを内発的な探索活動の原型として知的好奇心といっています。知的好奇心という用語は、もともとバーライン（Berlyne, 1963）によって導入された用語です。バーラインは、適度の新奇さ、意外さ、曖昧さ、複雑さ、珍しさを含んだ刺激に対する探索の欲求を知覚的好奇心と呼び、また態度、信念、知識、思想などの間の矛盾による驚き、疑問、困惑、混乱など概念的葛藤によって触発される知識収集への欲求を知的好奇心（認識的好奇心）と呼びました。知的好奇心には、知らないことや珍しいことを知ろうとする拡散的好奇心と、興味を持った事柄についてもっと深く知ろうとする特殊的好奇心があり、相互に関連を持ちながら学習を促進します。拡散的好奇心は、幼児期から旺盛であるが、特殊的好奇心は、児童期以後に充実してくるといわれています。幼児期の学習は、遊びを通して行われ、遊びの中で、幼児はさまざまなものに疑問を持ち、それを解決しようとして自分なりの試行錯誤をします。保育者は、幼児のそのような行動が許される時間的空間的あるいは物的な環境を構成し、幼児期に芽生える知的好奇心を育てることが必要です。

〔知能〕

多くの学者の定義をみると、知能とは学習する能力もしくは生活経験によって獲得している能力となっています。知能の発達を因子別にみると、知覚の速さは比較的早い時期に発達しますが、言語に関する知能はかなり年長になるまで発達し続けていることがサーストンによって示され、また知能はある年齢段階（成人期）に達すると減退し始めますが、その減退の始まる時期や速度は検査によって異なることが紹介されています。ウェクスラーによれば動作性の検査では減退が早く急速であるが、言語に関する検査では年齢に伴なう減退は少ないと報告されています。

〔知能検査〕

知能の定義は、学習する能力・経験によって獲得する能力と二分され、知能構造は二因子説が定着しています。知能を発達的観点からみたピアジェの考え方と、測定論的な接近は知能検査の結果を分析したもので、一般知能説、二因子説、多因子説があります。知能の本質は一般因子であるとした上で一般因子の測定が知能検査の使命と考えています。基本的精神能力として、数、知覚、空間、言語、記憶、帰納から構成され、集団知能検査のよりどころとなっています。検査の結果測定される「精神年齢」と「知能指数」が測定され、これを教育効果をより高めるための資料として活用されています。

知能検査は、個別式と集団式に、言語性と動作性に分ける場合もあります。最近、LD 児やADHD 児等の発達障がいの特性を知るために、多く使用されるようになってきました。

〔知能指数〕

前の知能検査結果の表示法の一つであり、次の式のように、精神年齢と生活（暦）年齢との比によって表され、普通 IQ と省略されています。

知能指数（IQ）＝精神年齢／生活年齢 ×100

とされます。知能指数が 100 で普通、100 より上が普通より優れていて、100 以下が劣っているとされています。

〔チャータースクール〕

親や地域の住民たちが、理想の学校像を描き、その学校を公費で運営する学校の形態をいいます。1991（平 3）年に、米国ミネソタ州でチャーター法が成立し、「① 子どもの学びを改善する、② 公立校の選択肢の改善、③ 既存の公立校との競合等」を目的として「モンテッソーリ教育」の理念である「子どもは学びたい成長したい欲求をもっている」ことに対して、「子どもの自発的学びの欲求」を教員は支援する役割があるとすることを願って設立された学校です。

〔注意集中欠陥児（ADHD）ー発達障がい〕

知的障がいを伴うのでもないのに、学習時間中に一つの事柄に注意を集中し、活動することが困難な子どもたちがみられます。集中して取り組める事象が個人により異なり、すべての活動が集中できないというのではありません。ある特異な面においては優れた能力を発揮しますが、一般的に集中力に欠け、多動な面がみられます。知的に障がいを受けている子どもたちとは異なります。どちらかと言えば、情緒的な面での問題行動がみられる児童です。このように、年齢あるいは発達に不釣り合いな注意力及び衝動性、多動性を特徴とする行動障害で、社会的な活動や学業の機能に支障を来すものをいいます。7 歳以前に現れ、その状態が継続し、中枢神経系に何らかの要因による機能不全があると推定されます。

〔中央教育審議会〕

文部科学大臣の諮問に応じて、教育の振興、生涯学習の推進、スポーツの振興等に関する重要事項を調査審議し、文部科学大臣に意見を述べる機関であり、2001（平 13）年 1 月に、旧文部省に設置されていた七つの審議会が整理、統合され発足しました。この審議会には、教育制度分科会、生涯学習分科会、初等中等教育分科会、大学分科会およびスポーツ・青少年分科会の五つの分科会が設置されています。

〔中耳炎〕

耳は解剖学的に外耳、中耳、内耳に分けられ、このうち中耳とは、鼓膜、耳小骨（つち骨・きぬた骨・あぶみ骨）鼓室、耳管、乳突洞、乳突蜂窩からなる部分をいいます。

中耳炎には急性中耳炎、滲出性中耳炎、慢性中耳炎などがあります。急性中耳炎は、多くの場合は風邪や咽頭炎からウィルスや細菌が耳管を経て中耳腔に送り込まれて発症するものです。耳閉感や次第に増強する耳痛、発熱などに続いて、やがて鼓膜の穿孔によって排膿し、痛みは軽快します。そして、しばらくは耳漏が続きますがやがて回復し、鼓膜の穿孔もその後塞がります。

〔腸管出血性大腸菌感染症（O157）〕

O157などのベロ毒素産生大腸菌による感染症で、無症状のものから、外毒素による著しい血便や腎障がい、更には重篤な合併症を引き起こして死に至るものまでさまざまです。

感染経路は主として汚染飲食物による経口感染ですが、夏期には特に汚染された水泳プールでの集団感染が見られます。感染した場合、下痢、腹痛、脱水に対しては補液などの対処療法を行い、下痢止め剤は腸内の毒素排泄を阻害する恐れから使用を控えます。入念な手洗い、消毒及び食品の加熱が感染及び二次感染を防ぐ有効な予防方法です。

〔長期の指導計画〕

指導計画には、長期の指導計画と短期の指導計画があります。長期の指導計画は、各園での教育課程に基づき、それをさらに具体化した計画です。長期の指導計画には、年、期、月、学期といった種類があります。長期の指導計画を作成する際には、教育課程で捉えた発達の過程を現実の幼稚園生活の流れに即した姿として、具体的に捉え直していくことが必要になります。各園の教育目標は、抽象的な表現で書かれていることが多いので、実際に指導計画を作成して保育を展開する場合には、その学年のどこに重点をおいて指導をするのか、今年はどんな方針で指導を行うのかなどといったような指導の重点を明確にして、各園に沿った指導計画を作成しなければなりません。また、幼稚園、保育所や地域の環境の中で幼児の生活に取り入れられるものは何かを十分に調べておき、長期計画の中にしっかりと位置づけていくことが必要です。例えば地域の自然環境、利用可能な公共施設、地域の行事、伝承文化などについて見通しを持っておくことです。幼稚園生活の中には、いくつかの行事があり、幼児の生活の流れに潤いと変化を与えています。幼児自身が行事に主体的に取り組んでいくためにも、長期の見通しの中での位置づけが必要であり、行事の前後の生活を大切にした指導計画を立てることが必要です。⇒教育課程・保育計画

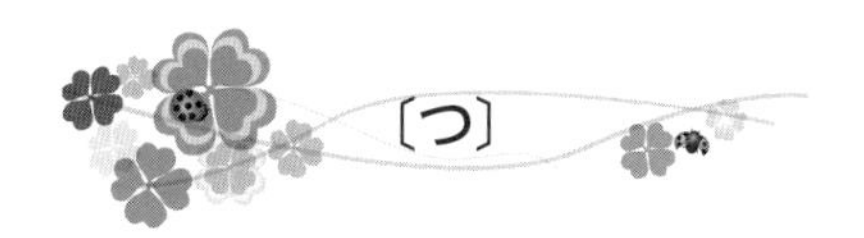

〔つかまり立ち・伝い歩き〕

「つかまり立ち」とは、6～11ケ月くらいの赤ちゃんが何かにつかまりながら立つ様子のこと。おもちゃの箱など不安定なものにもつかまる場合があるので、その際は保育士が箱を抑えるか、危ないものは予め除けておく必要がある。

つかまり立ちとひとり歩きの間の「伝い歩き」は、テーブルや壁などにつかまり立ちしたまま手や足を動かし、横に移動する動作のこと。個人差はありますが生後9ヶ月～1歳くらいの時期に始まります。

〔爪かみ〕

爪をかむ癖は案外多いもので、マロンの説によれば、「子どもの約30%に見られ、8～10歳頃までが多く、それ以後は減少する」としています。爪かみが、子どもの情緒的・社会的発達に影響を及ぼす場合、人格形成上の障がいとして対処する必要があります。昔から、爪かみは欲求不

満の現象といわれていますが、多くの研究者は、家庭環境が緊張した厳格的な状態や、学校の場合も過度の緊張状態（テスト時）などで爪かみが多発しているとしています。対応としては、緊張状態の原因を除去することが先決で、家庭・学校において、心理的安定が保てるよう情緒の安定化に努力することです。

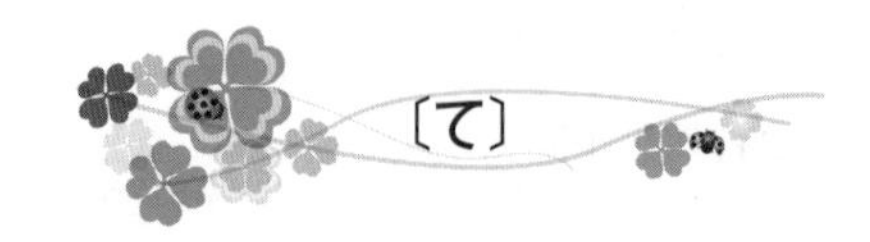

〔手足口病〕

コクサッキーウィルスA16型やエンテロウィルスE71型の感染によって、手や足、口腔内に小水疱性の紅斑を伴う発疹が多発する疾病をいいます。

軽い発熱であれば普通１～３日で解熱し、小水疱も数日から１週間で瘢痕を残さず治癒しますが、ごく稀に脳炎を伴った重症例の報告もあるので注意が必要です。１～５歳児に多く見られ、保育所・幼稚園で飛沫及び経口感染によって流行することがあります。患者には対処療法がとられ、予後は一般に良好ですが、原因となる病原ウィルスが複数であるため再発の可能性があります。

た行

〔手遊び〕

手全体や指先を使って遊ぶことです。メロディーや歌詞を伴ってリズミカルに遊ぶことが多く、わらべ歌や伝承的な遊び歌の中にも手遊びが見られます。手遊びは、遊びの人数や時、場所などに制約されず手軽に遊び始められるので、幼稚園や保育所などでよく取り入れられています。しかし、保育者側の管理的発想による手段とすることは好ましくありません。保育者と子どもたちとの楽しい相互交流の遊びとして、また子ども同士のコミュニケーションを深める遊びとして、有効に取り入れたいものです。保育者は、多種多様な手遊びについてできるだけ熟知しておき、いつでも指導できるようにしておくことが望ましく、また、既成のものだけでなく、子どもとともに作り出す手遊びも必要でしょう。

〔ディスレクシア〕（学習障害―読み書き障害）

「通常の会話、話し言葉の理解や表現は普通にでき、知能も標準域にありながら、文字情報の処理がうまくいかない状態」と「日本ディスレクシア協会」が定義づけている児童の学習障害のひとつで、日本では子どもの２％程度とされています。知的問題がないため、みのがされている場合が多い。子どもにとって読めないことが深刻な問題であるが、教師はともすると「そのうち読めるようになる」とみのがされる学習障害（読み書き障害）です。

〔ティーム・ティーチング〕

さまざまな個性や興味をもっている子どもたちに授業の中で適切に対応するために、一クラスに一人の教師という伝統的教授組織、形態の改善をめざして、1956年アメリカのケッペルによって提唱されたものです。複数の教師が一つのティームを構成し、同一の集団を指導することを言います。そのことは、それぞれの教師の得意・不得意・教科の調整ができるといった利点があります。近年問題化している学級崩壊に対して、文部科学省では複数教師によるティーム・ティーチングを導入してその対応にあたることを奨励しています。また、幼稚園における保育においても、一つのクラスを複数の保育者で担任する複数担任制や、クラスを解体して全幼児を全教員で保育するなど複数の保育者が共同で保育を行う状況をティーム保育と呼んでいます。

〔ティーム保育〕

複数の保育者が協力し合って一つの子ども集団の保育にあたることをティーム保育といいます。ティーム保育の形態はさまざまで、一つのクラスを複数の保育者が担任するという場合も考えられますし、クラスそのものを解体して、責任分担はあるものの園全体が一丸となって、全園児を全保育者が保育をするという場合もあります。いずれの場合においても、保育者集団の保育観の共有から始まって、保育計画の段階から実際の保育、そして評価という段階まで、担当する保育者の協力が不可欠です。そのためにも保育者間の人間関係が円滑に保たれているということが大切です。1998（平10）年に改訂された幼稚園教育要領の中には、指導上の工夫として、幼稚園全体の教師による協力体制を作りながら、一人一人の幼児が興味や関心を十分に満足させるよう適切な援助を行うようにすることとしています。このような指導の工夫を図るための一つとして、ティーム保育の導入などが考えられています。ティーム保育では、一人一人の保育者の個性を生かしながら行っていくことが大切です。このようなティーム保育の導入によって指導方法のさらなる工夫が加えられ、幼児が人との関わりや体験を一層豊かにし、一人一人の特性に応じた指導の充実を図る上で重要です。

〔デイサービス〕

在宅している高齢者や障がい者で、介護を必要とする状態にある人たちに行う福祉サービスの一種です。デイサービスセンター（特別養護老人ホーム等）から送迎されて、サービスを受ける制度です。1976（昭51）年、「在宅老人福祉対策事業の実施及び推進について」という通知に基づいて実施されるようになりました。

〔DPT（三種混合）ワクチン〕

ジフテリアトキソイド（D）、百日咳ワクチン（P）、破傷風トキソイド（T）の三種を混合したワクチン予防接種液で、（頭文字をとってDPTという）生後3～12か月の間に20～50日あけて3回、1.0歳～2.5歳で1回行う。更に11～12歳にDT二混ワクチンで1回皮下注射されます。

⇒（予防接種法参照）

〔デイリープログラム〕＝（日課表）

保育所において、子どもの登園から降園までの一日の生活の流れを時間を追って表に表したもので日課表とも呼ばれるものです。幼稚園における日案と同じようなものですが、デイリープログラムと日案とは、基本的に異なる性質を持っています。日案は、保育者が作成する短期の指導計画の一つで、一日の保育が指導計画の最小単位であることから、目の前の子どもの指導に直結するもので、具体的でありその日の指導を省察し翌日の日案を作成しなければならないものです。それに対して、デイリープログラムは、子どもが園で快適な生活を過ごすための生活リズムを考え、一日の生活の流れを作成したものです。毎日作成する必要はありませんが、一人一人の子どもの発達段階や季節や天候の変化、家庭環境などに臨機応変に適切に対応できるものであることが求められます。また、乳幼児の一日の生活時間（24 時間）を考慮しながら作成しなければならない点も日案と異なるところです。特に、子どもの生理的欲求の充足が最優先される乳児期においては、デイリープログラムの持つ意味は大きいといえます。

〔適応〕

自分を取り巻く、自然的・人為的環境に適合して生活することと考えられています。適応は意図的に環境または状況に応ずる行動を学習し、さらに自己に適合するように環境に変化を加えたり、状況を作り出したりする行動をいいます。

「身体は、夏は暑さに、冬は寒さに耐えることができる」といった身体機能のようなものが多く表現されていますが、適応は全人格的行動として捉えなければなりません。適応の側面は、① 外適応―適応の度合を客観的に評定できる適応の側面（対人関係で他人から容認の有無）、② 内適応―個人の主観の世界、内的な枠組における適応をいい、自分自身の価値基準、要求水準との照合によって生まれる充足感、自尊感情―などをいいます。両側面とも両側面の評価が合致するより、アンバランスの場合が多いこともあります。

た
行

〔溺水（できすい）〕

溺水とは水に溺れることで、幼児の場合は子ども用プール、バケツ、浴槽、洗濯機などでも溺れることがあります。水遊び中の子どもから目を離さないことや事故につながるような環境を作らないことなど、保育者の注意・配慮が必要です。溺水者はできるだけ早く水から引き上げ、引き上げの途中であっても呼吸の確認ができる状況であれば、一刻も早い段階での吹き込み（人工呼吸）を行います。引き上げた後は、水を吐かせることよりも先に気道を確保し、人工呼吸を行い、また、心停止の状態があれば直ちに心臓マッサージも併せて行います。

〔適性〕

個人が持っている知識、技術、組織化された反応を、適切な訓練によって獲得するとき、それを可能にすることができる基礎となる能力や特性を適性といいます。

適性の特性としては、先天的素質を基盤とした上に、生活体験や学習体験された知識や技術も含まれています。同一人物でも、全てが万能という人はごく稀です。また、先天的や後天的に獲得している適性も、永久不変であると考えるのはよくありません。将来的に量的、質的にも発達変化する可能性を持っています。たとえ能力があっても成就しようとする意欲が乏しければ成功しません。

〔適性検査〕

個人が持つ特定の知識、技能、組織化された反応など現在の状態から将来の可能性を予測する（測定）テストをいいます。

適性を科学的・客観的に測定するために適性検査が生まれました。検査の種類として、身体的能力、知的機能、学力、性格など多種な検査が実施されていますが、狭義には、一般的に、職業適性検査、進学適性検査、学習適性検査などがあります。

〔デューイ（1859 ～ 1952）〕

アメリカ固有の哲学プラグマティムズ（実用主義）を大成した教育思想家です。シカゴ、コロンビア大学等で教授を歴任し、1896 年、シカゴ大学附属小学校を実験学校として創設しました。以後、世界的な広がりを見せた新教育運動（児童中心主義）に大きな影響を与えました。遊びは、大人から外圧的に動機づけられて行うものではなく、子ども自身の興味や要求から導かれる内発的な動機に基づいて行われるべきものとしました。その点では、フレーベルの教育思想を評価していますが、当時の恩物や遊びによる教育を象徴主義、形式主義に陥っていると批判しました。そして、子どもの認識能力や判断能力を伸ばし、自らを意識的自覚的に統制し、民主的で進歩的な社会を創造する人間形成のために、遊びを取り入れることを提唱しました。主著に『学校と社会』『民主主義と教育』があります。

〔てんかん〕

てんかんはいろいろな原因で起きる慢性の脳の疾患で、その特徴は、脳内ニューロンの過度な放電に由来する反復性の発作であり、多種多様な臨床および検査所見を随伴するというものです。臨床特徴は慢性反復性脳性の発作で、つまり持続的な異常ではなく比較的短い発作が起こり、発作が終了するとまた平常状態に戻ります。脳内の発現部位及びその広がる範囲によって、けいれん、意識障害、その他多様な症状が現れます。発症は 5 ～ 20 歳で、頻度は 0.3%程度とされています。現在では、抗てんかん剤により発作の抑制が可能となっています。

〔伝承遊び〕

昔から今日までずっと伝えられ、子どもたちに親しまれてきたいろいろな遊びを総称していいます。伝承遊びには、あやとり、お手玉、折り紙など誰かに教えてもらって一人でも楽しめるものもあるし、「おちゃらかホイ」や「せっせっせ」などのように、体を動かしながら友だちと楽しめるものもあります。いずれも簡単な所作で、自分も相手も互いに力を出し合い、すぐに楽しめるところに良さがあります。近年、少子化、遊び場の減少などから地域で子どもが群れて遊ぶことが少なくなってきました。また、地域での大人との関係が希薄になっています。従って大人から子へ、子から子へと伝わる伝承遊びも見られなくなってきています。若い保育者自身が、遊びそのものを知らないという現実もあります。今日保育の場においては、積極的に伝承遊びを取り入れたり、地域の高齢者との交流を通して子どもたちに伝承遊びを取り戻す努力がなされています。

〔伝染性紅斑（こうはん）（リンゴ病）〕

ヒトパルボウィルス感染が原因によるもので、頬が赤くもりあがるのでリンゴ病といわれています。春から初夏にかけ幼児・児童の間に流行する疾患です。鼻を中心として左右対称的に紅斑が蝶の形のように見え、わずかな熱感（ねっかん）があり、ずきずきと疼（うず）くような痛みを伴うことがあります。

特別な治療法はありませんが、飛沫感染が主で潜伏期間は 4 ～ 14 日、紅斑は 1 週間前後で消失、治癒します。紅斑は出現後 3 日位は登園を禁止することもあります。

た行

〔電話相談〕

近年、都市化、核家族化の進行に伴って、育児の悩みなどについて身近に相談できる人がいない家庭が増えています。その結果、育児に自信をなくしたり、ノイローゼになったり、わが子を虐待してしまう親が急増しています。このため、地域の中でいつでも気軽に相談できる体制を整えることが求められています。その一つとして、電話による相談が行われています。これらの相談は、育児のノウハウを蓄積している幼稚園や保育所などにおいて、広く地域の親からの育児相談に応じています。相談に応じるのは、電話による育児相談の専門的な講習を受け、相談員の資格を備えた保育者です。大阪では、このような資格を備えた保育者がいる園には、電話相談の看板が設置されています。また、東京の「子ども虐待防止センター」や大阪の「児童虐待防止協会」など、電話による育児相談を通じて親を支援しようとする民間団体による非営利活動も活発になってきています。

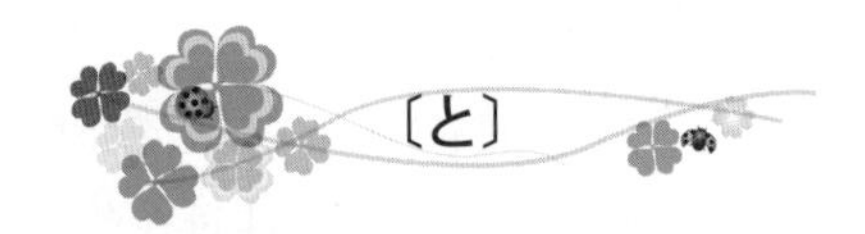

〔同一視〕

精神分析上の言葉で、違った者同志を一緒にすることですが、普通は自分と他人とを同じ人格、同じ人柄としてとらえることを意味しています。

摂取による同一視と、投射による同一視に分類しますが、摂取による同一視は、他人に属する特質や態度を自分に取り入れることによって、自分と他人を一緒にすることです。ここでは自己の拡大が見られます。自分の親しい友人が秀れた大学に入学したとすると自分のことのように喜ぶといった現象です。一方、投射による同一視は、自己の縮小という形の同一視であり、自分に属する特質や態度を他人に帰することによって、自分と他人とを一緒にすることをいいます。要するに、同一視は自己防衛の反応様式といえるでしょう。

〔同一性〕

精神分析学者エリクソンによって提唱された概念で主体性とも訳されています。同一化とは異なった考えで、青年後期から成人前期に、自我の獲得をしなければならない自我の特質であり、発達課題であります。同一性の感覚は、自己意識の連続性と不変性の感覚の上に成立する主体的な自己認識で、過去、現在、未来という時間的連続の中で、終始一貫した自己像を継持することから由来する、意識、無意識的安定感として定着するものであり、まだ、歪みや偽りのない真実の自分との接触の中で獲得できる自尊感情によって成り立った自己意識のことをいいます。

〔投影法〕

投射法とか投射検査法ともいわれ、一つの人格診断法に対する総称として定義されているものです。投影法は被験者にテストの本当の意図を知らせず、あいまいな刺激や素材を与えて自由な反応や構成を促し、その反応で個人的特性を見い出そうとする方法を総称してフランクが提唱した用語です。投影法テストは、個人の内面に保持されている感情、願望、葛藤、思考様式などの外界への反映という意味で用いられています。テストの種目としては、ロールシャッハテスト、文章完成テスト、バウムテストなどがあり、実施する側の解釈法の修得が難しく、専門的学者と臨床体験を経て実施しなければなりません。

〔登園拒否〕

1941年にアメリカのジョンソンが学校恐怖症という用語で紹介し、わが国では、1959（昭34）年に研究がなされています。幼児や児童、生徒が登園や登校時になると発熱や頭痛、吐き気などの身体症状を示し、幼稚園や学校を休むことが続くことを学校恐怖症といっていました。しかし、必ずしも恐怖症といわれるものばかりではないことから、登園拒否、登校拒否と呼ばれるようになり、最近では拒否に該当しないものも含まれてきたことから、全般的に不登園、不登校と呼ばれることが多くなっています。その原因はさまざまですが、幼児の場合は、母親からの分離不安、特に入園当初において母親から離れることに対する不安感が、保育者の適切な対応がなされないまま、登園を嫌がってしまうことにつながりかねません。また、母親が拒否的な態度を取る場合や逆に母親の方が子どもを離すのに不安な様子を見せると母子分離がうまくいかず登園拒否につながります。また、友達間のトラブルや保護者間のちょっとしたトラブルが、初期の段階の対応が遅れることで登園拒否または不登園につながることがあります。保育の内容や保育方法になじめずに、幼稚園や保育所が楽しくなくなって登園拒否を起こすこともあるので保育者は普段の保育に留意しなければなりません。

〔動機づけ〕

行動を生起する原動力となる原因があるはずなので、これを動機づけと定義しています。動機づけに関した概念には、動因、誘因、要求、欲求などがあり、これを総称して動機とか、欲求という表現が多くあります。動因とは、生活体の内部からの行動原因を指し、誘因は動機づけが引き起こされる場合の生活体の外部の原因をいいます。教育的立場で一番配慮しなければならない動機づけは、外発的動機づけと内発的動機づけと考えます。動機づけは一般的に高いほど行動が活性化され実行水準が上がりますが、動機づけが高すぎると逆に実行水準が低下します。

〔東京女子師範学校附属幼稚園〕

東京女子師範学校は、現在のお茶の水女子大学の前身です。この学校に、1876（明9）年我が国で最初の幼稚園が設立されました。東京女子師範学校の摂理（校長）となった中村正直は、海外の文化や教育に詳しく、欧米諸国の幼稚園教育を導入し、我が国の教育を根底から改革しようとしました。そこで当時の進歩的な文部行政官、田中不二麿の協力を得て、同校に幼稚園を付設しました。創立当時は、監事（主事）に関信三、主任保母（保育士）に松野クララ、保母（保育士）に豊田芙雄らを採用し、フレーベルの幼児教育法に基づく保育を実践しました。1877（明10）年に幼稚園規則を作り、保育科目を物品科、美麗科、知識科の３教科としました。その中に含まれる保育項目は25項目が挙げられていました。しかし、1881（明14）年に同規則は改正され、さらに1884（明17）年に20項目に整理され、20恩物遊戯を中心とする保育内容でした。これが全国の幼稚園のモデルとなっていきました。このように、フレーベルの思想そのものよりもフレーベルの恩物中心主義の形式主義的な保育が主流となりました。また、入園する者も上流階級の子弟のみとなり、貴族趣味的な幼稚園教育が形成されていきました。その後、同園は、1892（明25）年に分園を開設し、簡易幼稚園のモデルとなりました。

〔統合保育〕⟷〔インクルージョン〕

障がいを持つ児童と障がいを持たない児童が、同じ場所で保育することをいいます。これに対して、障がいを持つ児童には、特別な配慮を必要とするために、障がいを持たない児童と分けて保育することを分離保育といいます。ノーマライゼーションの理念に基づいて障がいの有無に関係なく、同じ保育の場で共に保育することが現在では一般的です。最近ではインクルージョン（inclusion）といって、すべての人が相互に扶けあい、生きる権利として社会を構成しようとする考え方が普及しつつあります。

〔洞察〕

ケーラーは課題解決の方法として、「機械的解決（パズルを解く手法）と経験的解決のほかに、突然に新しい考えがひらめくような解決法がある。これを洞察、あるいは見通しという。」と定義づけています。洞察は「問題解決における洞察」と「治療における洞察」とがあります。このように洞察とはさまざまな契機によって生ずる体験ですが、共通していることは、① 全く新しい体験であること、② これまでと全く違った面からの認識であること、③ それによって今までの苦痛や悩みが解消される方向に向かうことです。洞察とは、このようにある種の心理療法における治療の指標となるもので、重要な治療契機となり、洞察によって行動の変容が容易となります。

〔動線〕

幼稚園や保育所などにおいて、子どもや保育者などが行動を起こした際の動く道筋を示す用語として動線という言葉が用いられています。具体的には、子どもの動線、保育者の動線といった表現がされています。保育研究の場や指導計画において環境の構成を考えるときに、子どもや保育者の動線について議論されることがあります。例えば、幼児が戸外へ出て遊びたくなる環境を構成するには、子どもの動線を考えて、動線を妨げるような物的、空間的環境を作ってあげることが重要です。ただ、動線ということに配慮し過ぎて、幼児の行動を規制したり、逆に自由な動線を生かし過ぎて、危険な場所へいざなうことがないようにしなければなりません。

〔道徳性の芽生え〕

幼児期の道徳性は、基本的に他律的な道徳性を持つ時期です。幼児は、自分なりに考えて行動することもあるが、信頼する大人のおこなうことを正しいと考え、結果としてそれに従う傾向にあります。従って、おこなって良いことと悪いことの判断も大人の諾否（ひだく）によってなされます。一方、幼児でも自律的な面も持っています。物を壊したり相手を泣かせたりするときに顔色を変えたりなだめたりする行動がそれです。幼児も他者との関わりの中で、状況によっては、相手の反応から自分のしたことの善し悪しを考えることができます。このような幼児期の道徳性の芽生えを育てるための根本的な支えは、発達の初期からある基本的な信頼関係を大切にし、歪まないように配慮することが大切です。幼児期の道徳性の発達を促すためには、まず大人による働きかけが必要で、おこなって良いこと悪いことについては、大人がはっきり示すことが必要です。ただし、大人の権威的服従的な関係で教え込むのはよくありません。幼児が自分で考え、行動するようになるためには、対等な仲間とのやり取りが必要です。また、他者との信頼関係も必要です。最後まで自分でやり遂げる経験を持つことです。「やった」「やれた」という充実感は、自己肯定感を持つことができ、自分に自信が持てるようになります。

〔特別の教科道徳〕（道徳科）

平成 25 年 2 月の教育再生実行会議の第一次提言の一つに、心と体の調和のとれた人間の育成という視点から道徳が教科化することの提言があり、中教審の審議を経て平成 27 年 3 月 27 日に学校教育法施行規則、小学校、中学校特別支援学校の小・中学部の学習指導要領の一部が改正され「人格全体に関わる道徳性を育成する」という視点から「特別の教科、道徳」（道徳科）として学校教育法施行規則に位置づけられました。検定教科書の導入が行われますが、評価については数値による評価はなじまないとされています。

〔逃避〕

困難や窮地から逃げる、逃げ隠れする。適応困難な状態から逃げ隠れすることによって自分の安全を守ろうとするもので、臆病な子や引き込み思案や自分に自信の持てない子どもに多く表出します。

逃避の原因としては次のように分類することができます。① 現実よりのもの、② 空想よりのもの、③ 過去へのもの、④ 疾病へのもの――など多くの原因が考えられますが、大部分は現状が不安、恐怖など心理的安定が得られないで、過去の良かったときや空想の世界に逃れ、空想の中で自分を満たす、病気にかこつけて自分を防衛する、全て現実の生活での適応困難が原因なので、まずそれぞれの原因を把握し、原因によってそれを解消し自信を持たせる指導が必要です。

〔盗癖（とうへき）〕

盗癖とは、衝動的に盗みを繰り返し、盗みが常習化したことをいいます。

盗みは少年非行の中の代表的な行為で、刑法に規定された犯罪行為で窃盗と呼ばれています。盗みの動機はさまざまですが、所有欲からくる盗み、心理的要因からくる盗み、環境からくる盗みなど複雑多岐であります。しかし、生まれながらにして盗み癖のある子どもはいません。成長の過程の中で盗みが続発します。周りの者が気づかずにいると、慢性化します。単発的盗みも繰り返すと常習化します。非行の中で盗癖は矯正が困難なので早期発見、早期治療が大切です。

〔同和保育〕

同和保育とは、部落差別の撤廃を目指すための保育事業の総称です。

長い部落差別のために、部落の親たちは、教育と就職の機会均等から締め出されてきており、親の過酷な労働状態のもとでは、育児や教育のための環境も劣悪なものにならざるを得ませんでした。その中で、乳幼児もその影響を被って育っており、さまざまな発達上の課題がありました。こうした状態こそが「保育に欠ける」状態である、生まれたときから劣悪な環境におかれてきたことこそ差別であるとのきづきから、1967（昭 42）・68（昭 43）年ごろから、部落の親を中心とした同和保育要求運動が起こり、運動の成果で、大阪を中心に同和保育所が設立され、長時間保育や乳児保育、病児保育などのさまざまな保育条件を獲得するに至りました。こうした運動の成果は、差別によってさまざまな権利と機会を奪われている状態に対する、積極的な差別是正措置であると評価できるでしょう。

同和保育は、差別に負けるのではなく、差別をなくす展望を持ち、解放に向けて行動する人間を育てることを目標に、人権の視点に立った保育目標・保育内容を構築してきました。こうした反差別の保育は、差別を受ける側の子どもたちに対して行われるべき保育であるといえます。近年では、仲間関係の中の「きめつけ」の克服を機軸にした保育理論が構築され、公平・平等の価値観を身に付け、自己と他者の尊厳を守れる行動（人権行動）が取れる子どもの育成を目指した保育実践が展開されています。

〔徳永　恕（ゆき）（1887 ～ 1973）〕

野口幽香の設立した二葉幼稚園の二代目園長となり、わが国の保育事業を開拓した社会事業家です。貧しい子どもたちのために東京の麹町に開かれた二葉幼稚園を女学校在学中に知った徳永は、このような所で働くことが社会のためになると思い、この幼稚園の保母（保育士）になることを決意しました。女学校を卒業後、さらに補修科に学び、保母（保育士）の資格を取り 20 歳の時にこの幼稚園の保母（保育士）となりました。その後、主任保母（保育士）となった徳永は、野口の信頼も厚く、二葉の大黒柱と呼ばれるようになりました。二葉幼稚園を二葉保育園と改称し、分園も設立しました。3 歳以下の子どもたちも預かり、給食もできるようにしました。保育園を卒園した子どもたちのために、二葉保育園小学部を発足させるなど保育に止まらず、小学校・夜間治療部・夜間裁縫部を設置し、社会事業の色彩を強めていきました。父親のいない母と子の家庭のために「母の家」として母子寮（母子自立支援施設）を作りました。鮫が橋の母子寮（母子自立支援施設）は、わが国最初の母子寮（母子自立支援施設）です。1931（昭 6）年野口の後を受けて園長となりました。戦後は、戦災孤児、引き揚げ者、浮浪者などの援護にあたり、広範な社会事業活動を行いました。二葉保育園を総合的児童福祉施設に発展させた功績は大きいものがあります。

〔特別支援教育〕

特別支援教育とは障害のある幼児児童生徒の自立や社会参加に向けた主体的な取組を支援するという視点に立ち、児童生徒一人一人の教育的ニーズを把握し、その持てる力を高め、生活や学習上の困難をを改善・克服するための適切な指導及び、必要な支援を行うことです。学校教育法では、第 8 章特別支援教育として規定され、その概略は次のとおりです。

特別支援学校の目的　**第 72 条**

- 幼稚園、小学校、中学校又は高等学校に準ずる教育を施す。
- 障害による学習上、生活上の困難を克服し、自立に必要な知識技能を授けることを目的とする。

幼稚園等への助言等　**第 74 条**

- 幼稚園・小学校・中学校・高等学校・中等教育学校の要請に応じ、幼児、児童生徒の教育に関し、必要な助言又は援助を行う。

障害の程度　**第 75 条**

- 障害の程度は政令（学校教育法施行令第 22 条の 3）で定める。

小学部・中学部等の設置と幼稚部・高等部　**第 76 条**

都道府県による特別支援学校の設置　**第 80 条**

- 都道府県は、その区域内にある学齢児童及び学齢生徒のうち、視覚障害者、聴覚障害者、知的障害者、肢体不自由者又は病弱者で、その障害が第 75 条の政令で定める程度のものを就学させるに必要な特別支援学校を設置しなければならない。

特別支援学級の設置　**第81条**

・幼稚園、小学校、中学校、義務教育学校、高等学校に、障害による学習上又は生活上の困難を克服するための教育を行うものとする。
・小学校、中学校、義務教育学校、高等学校及び中等教育学校には、特別支援学級を置くことができる。
・知的障害者、肢体不自由者、身体虚弱者、弱視者、難聴者、その他障害のある者で、特別支援学級において教育を行うことが適当なもの
・疾病により療養中の児童及び生徒に対して、特別支援学級を設け、又は教員を派遣して、教育を行うことができる。

〔特別養子縁組〕

特別養子縁組とは従来の普通養子縁組に加え1988（平10）年から導入されました。養親と養子の関係を実の親子と同様な関係にすることを目的にした制度です。養親が法律上唯一の親となり、戸籍の記載にも特別な配慮がされます。家庭裁判所によって成立します。付帯条件として①養子となるものの年齢は8歳未満　②養親となる者の年齢は25歳以上　③児童の父母の同意が必要　④監護養育期間は6か月以上　⑤縁組の成立により、実親方血縁との親族関係の終了　⑥離縁の禁止但し2014（平26）年には裁判所の判決により、子どもの「福祉優先」を第一に実父母の同意がえられなくても認める判決が出されました。特別養子縁組制度は、子どもに安定した家庭環境を与えるのが目的だが、福祉関係者から条件が厳しすぎて利用できないという意見が多く（2014年～2015年でこの制度が利用できなかったケースが298件）法務省は年齢6歳から8歳に引き上げました。

〔突発性発しん（小児バラしん）〕

ヒトヘルペスウィルスの感染で起こるウィルス性発しん性疾患の一つです。好発年齢は生後5か月から3歳までにみられ、1年を通じて散発します。

離乳期より1歳前後の乳児が突然39℃前後の高熱を発し、3～4日発熱が続いた後分離的に解熱します。高熱時に熱性痙攣を起こす場合がありますが、脳症などの後遺症はありません。

〔留岡幸助（とめおかこうすけ）（1864～1934）〕→家庭学校

反社会的行為をなす少年や、罪を犯す少年は、その幼少時代にその要因があるとして「少年にはよい環境と教育を」ということを提唱しました。1899年に巣鴨家庭学校を設立し児童自立支援施設の原型となりました。1914（大3）年には北海道に移り、北海道家庭学校を創設しました。家庭学校という名が示すように、家庭・家族として罪を犯した少年たちを保護し、「小舎夫婦制」を実践し、自然を取り入れた労作教育、教育に農作業を取り入れた感化教育の実践者です。北海道懲治監の教悔師としての経験もあり、犯罪少年の更生に努めた近代事業家・理論家でもありました。

〔ドメスティックバイオレンス（DV）〕

同居関係にある配偶者（両親・子・兄弟・親族等）から受ける家庭内暴力のことを一般的にい

います。子どもに対しては心理的・行動的・社会的（対人関係・学校）に多大な影響を及ぼすことがわかっています。うつ病・不安症・心身症・友達との関係から、孤独・反抗・非行等の違法行為等、影響が多方面に及んで、PTSD を引き起こす子どもが多くみられます。子どもへの影響は多様な要素が絡んでいます。年齢やトラウマの頻度や程度等によっても大きく関係します。

〔鳥インフルエンザ〕

鳥インフルエンザとは、鳥類が A 型インフルエンザウイルスに感染して起こる病気です。A 型インフルエンザウイルスに感染して発病する鳥類は、鶏や七面鳥等の家禽が主で、最近では野鳥での発生もみられます。鳥類に感染する A 型インフルエンザウイルスを総称して鳥インフルエンザウイルスといいます。家畜伝染病予防法では、「鳥インフルエンザ」は、インフルエンザウイルス感染による家禽（鶏、アヒル、鶉（うずら）、七面鳥）の病気の内、高病原性鳥インフルエンザでないものを指します。つまり、H5 あるいは H7 型以外の弱毒な鳥インフルエンザウイルス感染による家禽の病気といえます。ほとんどの鳥インフルエンザウイルスは人に感染しませんが、例外的に一部のウイルスが人に感染した例があります。なお、このウイルスは適切な加熱により完全に死滅します。

〔ドリンカーの救命曲線〕

1996 年にアメリカのドリンカー博士が WHO に報告したのもで、呼吸停止後の時間経過を横軸に、人工呼吸による蘇生率を縦軸に取り、両者の関係をグラフに表したものです。

呼吸が停止すると脳に酸素が供給されなくなり、やがて心拍動も停止します。脳の血流が遮断されると脳は不可逆的変化をきたすので、呼吸停止を発見したら直ちに、1 秒でも早く救急蘇生を始めることが必要です。そして時間の経過とともに、蘇生のチャンスが失われることになるので、その場に居合わせた人が救命蘇生を始めることが人の命を救うことになるのです。

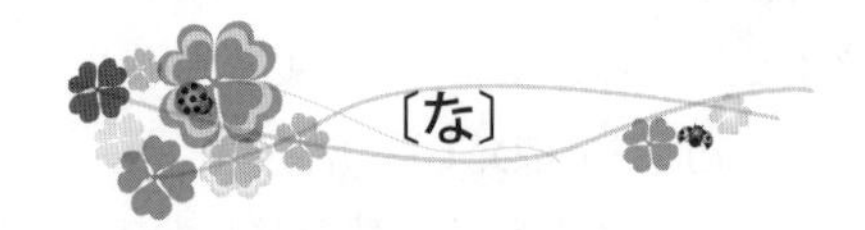

〔内発的動機づけ〕

学習意欲をもり立てるため、賞罰や競争など外的な動機によってではなく、学習活動そのものに興味や関心を持たせて、学習活動そのものに向けて動機づける場合を内発的動機づけといいます。内発的動機づけの主体となるのは知的好奇心があることです。この好奇心が自己受容刺激を享受し、それを繰り返そうとする探索動機をつけさせ、学習の強化因となり学習意欲を向上させることになります。

知的好奇心が内発的動機に結びつくのとさらに、もう一つの要因に、機能的自律があります。子どもにとり学習することは決して楽しいものばかりではありません。それゆえ、最初は外発的動機によって学習活動を喚起しながら、次第と内発的な動機から学習するように動機づける必要があり、それには、子どもが自ら自主的に学習する機能的自律が必要です。⇒動機づけ

〔内容〕

保育における「内容」とは、保育のねらいとして捉えた方向性が実現するように、生活の中で具体的に経験して欲しいことを見通したもので、幼稚園教育要領では、「内容は、ねらいを達成する

ために指導する事項」であるとされています。幼稚園教育要領第２章「ねらい及び内容」では、５領域それぞれに「内容」が示されていますが、これは特定の活動を示したものではなく、幼児が環境にかかわって展開する具体的な活動を通して、総合的に指導されるものであることに留意しなければなりません。指導計画の作成においては、各時期に対して設定された「ねらい」を達成するために、具体的に幼児に経験して欲しいこと、指導する事項を明確にする必要があります。

保育所保育指針でも、「内容」は「ねらい」を達成するために、子どもの生活やその状況に応じて保育士等が適切に行う事項と保育士等が援助して子どもが環境に関わって経験する事項を養護と教育が一体となって展開されるように示されています。⇒保育内容・保育課程・ねらい・指導計画

〔中村正直（1832 ～ 1891）〕

明治初期の福沢諭吉と並ぶ革新的文化思想の先覚者で、わが国幼稚園の創設者です。漢学のかたわらひそかに蘭学、英学を学び、1866 年には幕府派遣の留学生取締として渡英し、1868 年帰国しました。帰国後は、静岡に移り、『西国立志編』『自由の理』などを翻訳出版して当時の日本人の思想形成に多大の影響を与えました。1876（明９）年、東京女子師範学校の校長に就任すると同時に附属幼稚園の設立を推進し、その後、幼稚園開設に先立って文部省刊行『教育雑誌』上に『トゥアイ氏幼稚園論ノ概旨』、『フレーベル氏幼稚園論ノ概旨』という訳稿を発表し、幼稚園教育の啓蒙に努めました。

〔ならし保育〕

初めて親から離れて幼稚園・保育所などで過ごす子どもたちは、集団での園（所）生活や、環境の変化にとまどいを生じることがよくあります。そうした時に、子どもたちが園生活に少しでも慣れることを主たる目的として、行われる保育が「ならし保育」です。

ならし保育では、保育時間を通常より短くすることや、母親に子どもと一緒に保育室で過ごしてもらう等、子どもを園生活に慣らすニュアンスもあります。基本的には、子どもが無理なく園生活になじめるように配慮することが求められています。

〔喃（なん）語〕

乳児は生後４～５週間すると人の声を他の物音と区別して注意を払うようになり、３～４か月で母親の声と他の人の声と聞き分けられるようになるといわれています。このような言語の受け入れに対しての表現方法では、新生児は気分の悪いときに泣くということから次第と空腹を訴えたり、甘えたり泣き方に変化がみられるようになります。生後３か月前後からは、言葉にならない音声を不規則に発するようになります。「アー・アー」「バー・バー」など乳児が発する無意味な音声を喃語といいます。喃語期に発せられる音声を乳児は聞きとり、それに反応して、さらに音声が発せられます。こうした活動を言語のフィールドバックといい、構音の基礎を養うといわれています。

〔難病〕

治療法の確立していない、そして患者数の少ない難病指定が 110 疾患から平成 27 年７月より 196 疾患が加えられ難病指定が 306 疾患となりました。筋ジフトロフィー疾患、骨形成不全症、骨軟化症等が指定されました。また平成 28 年４月から「前眼部形成異常」「先天性肺静脈狭窄症」など８疾患が追加されることになっています。

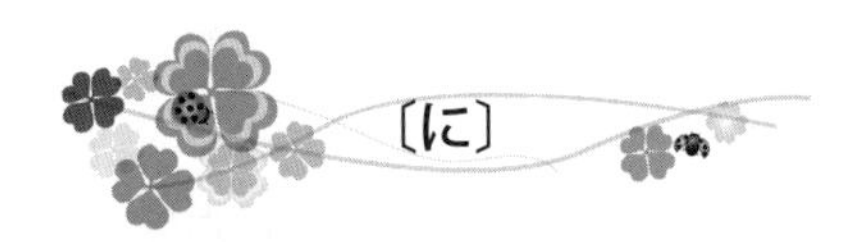

〔新美南吉（にいみなんきち）（1913～1943）〕

童話作家、詩人で本名正八といいます。愛知県知多郡半田町（現半田市）に生まれ、東京外国語学校を卒業しました。中学時代から、童話、童謡、詩を書き、早くから『赤い鳥』に投稿を始め、1931（昭６）年には『正坊とクロ』、『張紅倫』などの童話が入選しました。『ごんぎつね』は、1932（昭７）年に発表されたもので、南吉17歳のときの作品です。1938（昭13）年、県立安城高等女学校の教諭となりますが、咽頭結核にかかり、わずか30歳で世を去りました。生前に出した童話集は『おぢいさんのランプ』（1942）のみで、死の数ヶ月後、『花のき村と盗人たち』『牛をつないだ椿の木』が刊行されました。南吉童話は、子どもの心理や感情の起伏を描く作品と、郷里の風土を背景にしたユーモラスで民話風な作品に分けられますが、ストーリーは起伏に富み、生活童話的な素材であっても意表をつく物語性を失っていません。南吉童話が広く読まれる理由の一つです。

〔二重人格〕

パーソナリティの障がいとしてみることができますが、パーソナリティの統一性の分野で起きる障がいとして二重人格があります。二重人格というのは、同一人物がある時期を境に、異なったパーソナリティを示すというパーソナリティが交互に出る場合と、同一人物の中で、同時に異なるパーソナリティが存在する場合とがあります。また、二重人格よりも多重人格といって三重、四重と多くのパーソナリティを表す場合もあります。原因としては、性格としてヒステリー性や統合失調の性格が認められています。

〔日光浴〕＝〔外気浴〕

日光には熱線や紫外線など、波長の異なる光線がいろいろ含まれていて、いろいろな働きがあります。それらは、① 皮膚機能を高め、寒冷に対する抵抗力を増す、② 皮膚の中にあるエルゴステリンがビタミンＤに変わり、くる病の予防に役に立つ、③ カルシウムやリンの同化作用を増進させ、赤血球の増加を促す、④ 紫外線による殺菌作用――などです。

日光浴は、くる病予防の有力な手段として、かつては広く推奨されていましたが、栄養水準の向上や住宅構造の改善などで以前ほど日光浴を推奨する理由が乏しくなりました。むしろ最近では，紫外線や日焼けによる害が問題となり「外気浴」といわれるようになりました。

〔日案（にちあん）〕

幼稚園における指導計画の中で、最小の単位のものが日案です。幼稚園での指導は時間で区切られたものではなく、一日を単位とした生活の流れの中で行われます。登園から降園までの一日の幼稚園生活には、様々な生活場面があります。一人一人の子どもの興味や関心、生活のリズムなどを考慮して保育者は日案を作成しともに生活します。日案では、前日までの子どもたちの姿を捉え、保育者の願いを重ねながら具体的なねらいを設定します。子どもたちが主体的に関わることによって、ねらいが達成できるように環境の構成を考えます。そして、子どもたちが環境に関わって生み出す活動を予想し、具体的な援助を考えます。日案において、保育者の援助が適切に行われるためには、環境の構成を具体的にしていくと同時に、実際に展開された生活の姿を記録し改善することが大切です。指導計画は、仮説であり日案も同様です。⇒デイリープログラム

〔二年保育〕

幼稚園や保育所において二年間の保育を受けることをいいます。4歳児で入園し、小学校就学までの二年間をそれぞれの幼稚園や保育所において教育課程または保育計画に基づいた保育を受けます。二年保育においては、4歳児を年少児、5歳児を年長児と呼んでいます。幼稚園では今日一年保育はほとんど見られず、二年保育が一般的です。4歳児は、友だちへの関心が芽生える頃です。気の合う友だちと同じふりをして遊んだり、テレビやアニメの主人公になりきって遊ぶことを好みます。やりたい遊びがいつでもできる場や時間、イメージに合わせていろいろなものを見立てて遊べるような素材や遊具を環境として整えておく必要があります。5歳児は、試行錯誤しながら友だちと心を通わせて遊べるようになってきます。自分たちでルールを考えたり、作り替えたり、知的好奇心も増大します。二年間の育ちを見据えた教育計画が必要です。

な
行

〔二分脊椎（にぶんせきつい）と葉酸〕

先天性障がいの一つで、脊椎から神経組織が露出し運動機能障がいをおこす二分脊椎症があります。2003（平15）年に日本産婦人科医会の調査によればその発症率は赤ちゃん10,000人当り5、6人となり、2000（平12）年には4.8人にあったのに対して毎年度増加の傾向があるとされています。

原因については、妊娠初期に神経組織を覆う脊椎の形成が不完全になり、神経管閉鎖障がいの一つで主に腰椎などに発症し、運動機能障がい、排尿便障がいなどの症状を呈します。

葉酸の摂取によって神経管閉鎖障がいが低下するという報告があり、米国・英国では90年代前半に葉酸摂取勧告が出されて、旧厚生省では2000（平12）年4月に「通常の食事の外に1日0.4ミリグラムの葉酸を摂取すれば発症リスクの低減が期待される」と通知しています。

葉酸…水溶性ビタミンB群の一つで、細胞を作るのに必要な核酸を合成したり、赤血球を作る作用があり、ホウレンソウ、ブロッコリ、アスパラガス、枝豆、納豆、イチゴ等に多く含まれるが、調理の過程で失われてしまいます。

〔日本体育・学校健康センター法〕

この法律は、1985（昭60）年12月6日に制定されました。日本体育・学校健康センターは、日本学校安全会として1960（昭35）年に設立されましたが、1982（昭57）年に日本学校給食会と統合して日本学校健康会となり、1986（昭61）年に国立競技場と統合されて日本体育・学校健康センターとなりました。その基盤となったのがこの法律です。

日本体育・学校健康センターは、体育の振興と児童・生徒・学生・幼児の健康の保持増進を図るため、その設置する体育施設の適切で効率的な運営、スポーツに関する競技水準の向上等のために必要な援助や、義務教育諸学校等の学校管理下における幼児・児童・生徒・学生の疾病・傷害に対して、一定の見舞金給付を行っています。また、学校給食用物資の供給の他、体育、学校安全及び

学校給食の普及の充実に努め、国民の心身の健全な発達に寄与することを目的としています。なお、日本学校安全会の業務として大きな役割を果たしてきた、学校安全に関する普及啓発業務と災害共済給付業務（医療費、障害見舞金、死亡見舞金の支給）は、統合による変更もなく継続実施されており、本法律は複雑なしかも非常に細かい内容を持つ、施行令・施行規則から成り立っています。

〔日本脳炎〕

日本脳炎ウィルスによる急性熱性疾患で潜伏期は６日～16日、コガタアカイエカによる昆虫媒介によって保菌者あるいは保菌動物から感染します。感染者は高熱を発し、脳炎症状など多彩な中枢神経症状を示します。軽症であれば発病後２週間ほどで諸症状も消失しますが、重症の場合は５～７日ほどで死亡します。発熱が高いほど病後の経過が悪く、また回復後も後遺症を残すことが多い疾病（しっぺい）ですが、一方では脳炎症状なしの無菌性髄膜炎で終わる不全型もあります。予防には、定期予防接種に定められた不活化ワクチンや媒介昆虫である蚊の駆除（くじょ）が有効です。

〔乳児院〕

児童福祉法に基づき設けられている施設の一つで、棄児、両親の病気あるいは死亡などの理由で家庭において養育することができない乳児を入院させて養育する施設です。2005（平17）年４月から小学校就学前までの児童を対象とすることができるようになりました。

〔乳幼児健康診査〕

市町村は、厚生労働省令の定めに従って、乳幼児の健康診査を行わなければなりません（母子保健法第12条）。この健康診査は、乳児（生後４か月～６か月）、１歳６か月、３歳児の３回が規定されており、心身ともに健やかに成長発達を願うのですが、何らかの原因によって発達に障がいを伴うことがあります。そうした障がいを早期に見出し、早期に療育しようとするのが目的です。

〔乳幼児突然死症候群（SIDS）〕

厚生労働省の定義によると、『それまでの健康状態や既往歴（きおうれき）からは予測不能で、しかもその死亡状況及び剖検によっても死亡原因が不明な乳幼児の突然死のこと』をいいます。

多くの研究にも関わらず原因は未だに不明ですが、呼吸中枢の微細な機能異常に伴う覚醒反応の低下を中心とした考え方が有力視されています。他にも腹臥位睡眠、両親の喫煙、低出生体重児であることや、蜂蜜などからによるボツリヌス菌感染が危険因子として挙げられています。しかし、確固とした予防法がないので頻繁な観察が有効かつ重要となります。また、保育所保育指針（平成11年版）「第12章　健康・安全に関する留意事項」の中で次のように示されています。

乳幼児突然死症候群（SIDS）の予防

ア　乳幼児期、特に生後６か月未満の乳児の重大な死亡の原因として、それまで元気であった子どもが何の前ぶれもなく睡眠中に死亡する乳幼児突然死症候群があり、保育中にも十分留意する必要がある。

イ　この予防には、その危険要因をできるだけ少なくすることが重要であり、特に、寝返りのできない乳児を寝かせる場合には、仰向けに寝かす。また、睡眠中の子どもの顔色、呼吸の状態をきめ細かく観察するように心がける。また、保護者に対しても、SIDSに関する情報の提供を徹底するとともに、予防に努めるように指導することが望ましい。

ウ　保育所職員や保護者は、保育室での禁煙を厳守する。

保育所保育指針（平29.3告示）では、特にSIDSの記載はありませんが、第3章の3環境及び衛生管理並びに安全管理の項で事故防止及び安全対策として保育中の事故防止が示されています。
⇒保育施設事故死参照

〔日本語教育〕

公立小・中高校に在籍している児童のうち、日本語指導を必要とする者が2021年5月文部科学省より下のように発表された。

Ⅰ　日本語指導が必要な児童生徒数　・日本語指導が必要な児童生徒数は、58,353人で前回調査より7,227人増加（14.1％増）　・日本語指導が必要な外国籍の児童生徒数は、47,627人で前回調査より6,872人増加（16.9％増）

(1)・日本語指導が必要な日本国籍の児童生徒数は、10,726人で前回調査より355人増加（3.4％増）　文部科学省では、日本語指導が必要な児童生徒の教育の改善充実に資するため、公立小・中・高等学校等における日本語指導が必要な児童生徒の受入状況等について調査を行っております。

〔人形劇〕

人間の代わりに人形を使って演じる劇をいいます。日本では、奈良時代に中央アジアから中国を経て伝来したといわれています。古くは呪術的な意味を持っていたといわれています。後に、伝統芸能として発達したのが文楽人形などです。子ども向けの人形劇は、大正時代に起こり、1929年（昭4年）に結成された人形劇団プークは、代表的な専門人形劇団です。戦後は、人形劇団も増え、幼稚園などでの公演も行われています。人形劇の種類には、指使い、手使い、棒使い、糸あやつりなどがあります。幼稚園や保育所では、保育者の手作り人形や、幼児の作った人形を使って即興的に演じられています。最近は、手袋を使った人形などもあり、さまざまに工夫されています。

〔人間関係〕

幼稚園教育要領・保育所保育指針・幼保連携型認定こども園教育・保育要領に示されている五領域の中の一つです。平29年3月告示の幼稚園教育要領のこの領域では、他の人々と親しみ支え合って生活するために、自立心を育て人と関わる力を養う観点から、ねらいと内容がまとめられています。ねらいは、

⑴ 幼稚園生活を楽しみ、自分の力で行動することの充実感を味わう。

⑵ 身近な人と親しみ、かかわりを深め、工夫したり、協力したりして一緒に活動する楽しさを味わい、愛情や信頼感をもつ。

⑶ 社会生活における望ましい習慣や態度を身に付ける。

の3項目からなり、内容は13項目に亙って示されています。内容の取り扱いに当たっては、保育者との信頼関係に支えられながら自分の世界を確立し、周りの人々との対応から人と関わる力を身に

つけ、温かい集団を形成することの必要性と教師の役割が述べられています。道徳性の芽生えを培うために、善悪の判断基準を示す教師の役割や葛藤体験の大切さ、人と関わる楽しさや人の役に立つ喜びを幼児期から味わわせることの大切さについても述べています。保育所保育指針では次のように示されています。

第二章　保育の内容			
項目	乳児保育に関わるねらい及び内容	一歳以上三歳未満児の保育に関するねらい及び内容	三歳以上児の保育に関するねらい及び内容
領域	イ　身近な人と気持ちが通じ合う 受容的・応答的な関わりの下で、何かを伝えようとする意欲や身近な大人との信頼関係を育て、人と関わる力の基盤を培う。	イ　人間関係 他の人々と親しみ、支え合って生活するために、自立心を育て、人と関わる力を養う	イ　人間関係 他の人々と親しみ、支え合って生活するために、自立心を育て、人と関わる力を養う
ねらい	①安心できる関係の下で、身近な人と共に過ごす喜びを感じる。 ②体の動きや表情、発声等により、保育士等と気持ちを通わせようとする。 ③身近な人と親しみ、関わりを深め、愛情や信頼感が芽生える。	①保育所での生活を楽しみ、身近な人と関わる心地よさを感じる。 ②周囲の子ども等への興味や関心が高まり、関わりをもとうとする。 ③保育所の生活の仕方に慣れ、きまりの大切さに気付く。	①保育所の生活を楽しみ、自分の力で行動することの充実感を味わう。 ②身近な人と親しみ、関わりを深め、工夫したり、協力したりして一緒に活動する楽しさを味わい、愛情や信頼感をもつ。 ③社会生活における望ましい習慣や態度を身に付ける。
内容	①子どもからの働きかけを踏まえた、応答的な触れ合いや言葉がけによって、欲求が満たされ、安定感をもって過ごす。 ②体の動きや表情、発声、喃語等を優しく受け止めてもらい、保育士等とのやり取りを楽しむ。 ③生活や遊びの中で、自分の身近な人の存在に気付き、親しみの気持ちを表す。 ④保育士等による語りかけや歌いかけ、発声や喃語等への応答を通じて、言葉の理解やなん発語の意欲が育つ。 ⑤温かく、受容的な関わりを通じて、自分を肯定する気持ちが芽生える。	①保育士等や周囲の子ども等との安定した関係の中で、共に過ごす心地よさを感じる。 ②保育士等の受容的・応答的な関わりの中で、欲求を適切に満たし、安定感をもって過ごす。 ③身の回りに様々な人がいることに気付き、徐々に他の子どもと関わりをもって遊ぶ。 ④保育士等の仲立ちにより、他の子どもとの関わり方を少しずつ身につける。 ⑤保育所の生活の仕方に慣れ、きまりがあることや、その大切さに気付く。 ⑥生活や遊びの中で、年長児や保育士等の真似をしたり、ごっこ遊びを楽しんだりする。	①保育士等や友達と共に過ごすことの喜びを味わう。 ②自分で考え、自分で行動する。 ③自分でできることは自分でする。 ④いろいろな遊びを楽しみながら物事をやり遂げようとする気持ちをもつ。 ⑤友達と積極的に関わりながら喜びや悲しみを共感し合う。 ⑥自分の思ったことを相手に伝え、相手の思っていることに気付く。 ⑦友達のよさに気付き、一緒に活動する楽しさを味わう。 ⑧友達と楽しく活動する中で、共通の目的を見いだし、工夫したり、協力したりなどする。 ⑨よいことや悪いことがあることに気付き、考えながら行動する。 ⑩友達との関わりを深め、思いやりをもつ。 ⑪友達と楽しく生活する中できまりの大切さに気付き、守ろうとする。 ⑫共同の遊具や用具を大切にし、皆で使う。 ⑬高齢者をはじめ地域の人々などの自分の生活に関係の深いいろいろな人に親しみをもつ。

〔『人間の教育』〕

フレーベルの主著の一つです。この書には、彼の幼稚園などの教育の活動や思想を特徴づける原理が述べられていて、児童神性論、内発的・連続的・弁証法的発達論、受動的追従的教育、創造的労働教育、協同教育などが主張されています。彼が後年、幼稚園運動などで掲げた「さあ、わたしたちの子どもたちに生きようではないか」の合言葉もこの書の中で初めて語られています。

〔人間力〕

内閣府人間力戦略研究会は、人間力の定義を「社会を構成し運営するとともに、自立した一人の人間として力強く生きていくための総合的な力」としています。社会を構成し、一人の人間として生き抜く力が人間力ということになります。こうした力は乳幼児期から育まれていくものです。乳幼児の時期における親と子どもとの関係から生きる力が育てられ、育児の基本は「ほめる」ことによって形成されていくものだと思われます。

〔認知〕

認知とは、外界を知る活動だといえますが、知る活動は発達によって変化します。ピアジェは行為の構造の発達的変化を次のように分類しています。①感覚運動的段階、②前操作的段階、③具体的操作の段階の三つに分けていますが、他の研究者には異なる説もあります。要するに、生体が環境に対して適切な行動をとることができるのは、実は感覚だけでは不可能で、感覚されたものを通して認知しなければならないとしています。

〔認知の発達〕

生体は環境に対して受動的に反応するだけでなく、積極的な適応行動をとります。そのためには、外界の情報を主体的に処理することが必要になります。しかし、情報処理能力は誕生時に完成しているものではなく、その後、生後の発達過程を通して形成されます。乳児から幼児に生長するにつれて次第と知覚が発達し、自我や生活範囲の拡大により、人間関係の拡大が進み、対人認知が特に重要になり、認知の発達がより進みます。

〔認定こども園〕

「子ども・子育て支援の新しい制度」として平成 27 年 4 月から発足しました。認定こども園は従来の保育所、幼稚園を一体化し「幼保連携型認定こども園」「幼稚園型認定こども園」「保育所型認定こども園」「地方裁量型認定こども園」の 4 種類型からなり、指導者も保育資格と幼稚園教諭免許の併有が求められ、「保育教諭」という新しい職種が必要となります。又保育所には厚生労働省—都道府県—市町村という管轄から内閣府子ども・子育て本部に移りました。幼稚園も同じ文部科学省—教育委員会から内閣府と一本化されました。教育・保育内容の基準も「保育所保育指針」「幼稚園教育要領」更に「幼保連携型認定こども教育・保育要領」となります。

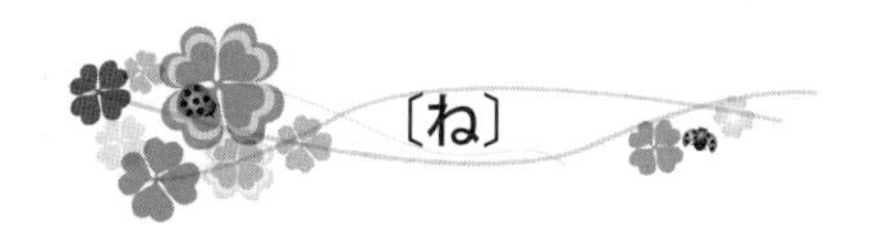

〔ネグレクト〕

「ネグレクト」とは、児童虐待に見られる類型の一つ。育児放棄とも言われます。厚生労働省の定義によると、「家に閉じ込める、食事を与えない、ひどく不潔にする、自動車の中に放置する、重い病気になっても病院に連れて行かない」などとされ、保護者が育児を放棄している状態を指します。

〔寝ごと〕

睡眠中に言葉をしゃべることで、うめき、つぶやき、いびきなどとは違います。

カナーによれば、寝言は普通考えられているより、ずっと一般的なもので、寝言をいう子どもの率は、かなりの数に達しています。

原因としては、家庭・学校・対人関係の中で、不適当なしつけ、心に強く残っている不安、子どもに強い緊張状態に置かれた場合などに起る日中の生活の中の心理的過程が夢となって現われるとの説と、逆に必ずしも夢体験を伴わないという説もあります。家庭・学校・交友関係上情緒的不安定を起させないよう配慮することも大切です。

〔熱けいれん〕

熱けいれんは熱中症の中では比較的軽症ですが、熱い環境のもとで多量に発汗しながら激しい運動や労働をしたときに起こります。適当な水分、特にナトリウムの補給がなされないとき、大量の発汗、めまい、嘔(おう)気とともに身体各部に痛みを伴う筋肉のけいれんを起こします。

処置としては、まずは涼しい場所に移し、衣服を緩め、経口摂取が可能であればスポーツドリンクや１％程度の食塩水を飲ませるなど水分とナトリウム分の補給をします。暑い時期の活動には、こまめな水分と塩分の補給、さらに休憩が必要です。

な行

〔熱射病〕

熱射病は、熱中症のうちで最も重症なものです。暑い日に限界を超えた運動などにより、熱で皮膚の熱放散や不感蒸泄などの体温調整機能を上回り、うつ熱が起こり、体温が40℃以上に急上昇して発症します。顕著な高体温と意識障がい及び無汗症が特徴で、皮膚は乾燥し、頻脈、頻呼吸を合併しています。処置としては、まず高体温を下げる必要があるので、衣服を取り、風を送りながら濡れタオルやアルコール綿で体を拭いたり、頚部、腋窩や鼠径部に氷袋類を当てて体温を下げるように努めるとともに、急いで医療機関に送ります。

〔熱傷(ねっしょう)〕

熱により皮膚や皮下組織が損傷したものをいい、原因としては熱湯、熱い物体、蒸気、炎、薬品などが考えられます。熱傷の範囲が広く、損傷が深いほど重症となります。熱傷面積は全体表面積に対する創面の占める割合を％で示し、最も簡便な測定方法は９の法則です。しかし、乳幼児の場合はブロッカーの法則を用いて調べます。また、深さについては表皮のみの損傷で発赤や灼熱感を伴うものを一度、次いで、真皮までの損傷で水泡形成するものを二度、また、皮下組織までの損傷で痛覚を失い、皮膚の弾力性を失ったものを三度としています。

〔熱中症〕

暑熱や多湿の環境条件に対する生体の適応障害を「熱中症」と総称します。臨床上は熱けいれん、熱疲労、熱射病に分類されますが病態は必ずしも明確に分けることはできません。熱中症は気象条件や環境因子を考慮することによって予防することができます。乳幼児は体温調節機能が未発達であるため、環境条件の影響を受けやすく、容易に適応障害を起こしてしまいます。炎天下や密閉した部屋、自動車内では大人が考えるよりずっと早く危険な状態になるので注意が必要です。

〔熱疲労〕

熱疲労は、一般的には日射病ともいわれています。多量の発汗により、水分の喪失状態に加え、末梢血管が拡張することから心拍出量が必要に追いつけず、循環が維持できなくなった状態のことです。発汗を伴い、頭痛、起立性失神、頻脈、血圧低下、脱力感、嘔気などが症状として現れます。体温は正常か軽度上昇する程度です。処置は、熱けいれんと同様で、涼しい場所に移し、衣服をゆるめ、風を送り、体を冷やします。そしてスポーツドリンクなどで水分・塩分の補給に努めます。

〔ネフローゼ症候群〕

蛋白尿が多くて、酷くむくむ腎臓病をネフローゼ症候群といいます。その原因となる疾患により多少の差はありますが、一般に多量の蛋白尿、浮腫のほか、低蛋白血症、高脂質血症などの症状を伴います。子どものネフローゼ症候群にはステロイド剤がよく効く真性ネフローゼと呼ばれるものが多く、再発を繰り返しますが予後がよいのが特徴です。また、他の腎臓病からネフローゼ症候群を起こしてくる場合もあります。それぞれの病型によって生活規制が違うので、学校や園においては家庭や医療機関との連携のもとでの指導が必要となります。

〔ねらい〕

保育における「ねらい」とは、その指導計画が対象としている期間（年・期・月・週・日・部分）の保育を通して子どもたちに育つことが、あるいは保育者として育てたい「心情・意欲・態度」であるといえます。保育の内容・環境構成・具体的な保育の展開・保育者の指導や援助のあり方は、この「ねらい」が核となって方向づけられますので、「ねらい」をどのように設定するかという問題は、保育・教育の根幹を成すものであると言えます。

幼稚園教育要領（平 29.3 告示）では、第２章「ねらい及び内容」において、「幼稚園教育において育みたい資質・能力を幼児の生活する姿から捉えたもの」として、各領域に３つずつの「ねらい」が示されています。各領域に示されているねらいは「幼稚園における生活全体を通じ、幼児がさまざまな体験を積み重ねる中で相互に関連を持ちながら次第に達成に向かうもの」と定めていますが、１つ目が主として心情に関わるもの、２つ目が主として意欲に関わるもの、３つ目が主として態度に関わるものであり、まず、心情が育つことが第一義的にあり、それが意欲につながり、最終的に態度が形成されるという流れとなっています。

保育所保育指針（平 29.3 告示）では、保育の目標を達成するために、養護に関わるねらい及び内容、教育に関わるねらい及び内容として示されています。「養護に関するねらい」として、生命の保持　①一人一人の子どもが、快適に生活できるようにする。　②一人一人の子どもが、健康で安全に過ごせるようにする。③一人一人の子どもの生理的欲求が十分に満たされるようにする。情緒の安定　①一人一人の子どもが安定感をもって過ごせるようにする。②一人一人の子どもが自分の気持ちを安心して表すことができるようにする。③一人一人の子どもが周囲から主体として受けとめられ、主体として育ち、自分を肯定する気持ちが育まれていくようにする。④一人一人の子どもがくつろいで共に過ごし、心身の疲れが癒されるようにする。「教育に関するねらい」は、幼稚園教育要領と同じく健康、人間関係、環境、言葉、表現の５領域ごとに示されています。⇒〔内容・保育内容・保育課程〕

〔捻挫〕

捻挫は、正常な関節の可動域を超えて力が加わったために、関節が外れかかって元に戻ったものです。脱臼と同様に関節の周囲の靭帯、筋、腱、血管の損傷を伴うことが多くあります。足首、手首、指、膝などに起こしやすく、患部の腫れ、疼痛、皮膚の変色などが見られます。小さな骨折を伴うこともあるので、注意が必要です。手当ては、RICEの法則に基づき、安静・冷却・圧迫・挙上の手立てを行います。

〔年少児〕

幼稚園では、3歳児、4歳児、5歳児が在園しています。それぞれの園児の年齢的な相互関係から三年保育が行われている幼稚園では3歳児を年少児と呼んでいます。二年保育の行われている幼稚園では、4歳児が5歳児より年少であることから、年少児と呼んでいます。従って年少児という表現は、その幼稚園に在園している幼児との関係において使っていますので、特定の年齢を示すものではありません。

今日、三年保育が普及するに伴い、年少児といえば3歳児をイメージすることが多いでしょう。3歳児は、年少児として年長児から可愛がられたり保護されたりすることが多いのですが、一人の独立した存在として行動しようとし、自我がよりはっきりしてくる時期なので、異年齢交流の場合などにはむやみに依頼心や甘えが出ないように配慮しなければなりません。⇒〔3歳児〕

な行

〔年中児〕

年少児の項でも述べたように、幼稚園には3歳、4歳、5歳の園児が在園しています。年中児という場合は、年少児の場合のように年齢が特定できないのとは違って、三年保育の幼稚園において4歳児しか年中児とは呼びません。当然、二年保育の幼稚園では年中児は存在しません。従って、年中児といえば4歳児を指すと考えるのが一般的です。

この時期の幼児は、自分以外の人や物をじっくり見るようになるとともに、年少児や年長児から見られる自分に気づき、自意識が芽生えてきます。年少児には年長として振舞えるようになるとともに、年長児に対しては頼ったり憧れたりする面も見られます。同年齢の友だちとの遊びでは、競争心も起き、けんかも多くなるが不快なことに出会っても少しずつ自分で自分の気持ちを押さえたり、我慢もできるようになります。そのうち年長児への自覚が芽生えるようになります。
⇒〔4歳児〕

〔年長児〕

年少児、年中児と同様に年長児も他児との年齢的な比較の上で、最も年長の幼児を指します。従って幼稚園や保育所において年長児を指すのは、5歳児です。年長児は、園生活の中で年少児や保育者から「年長さん」、「年長組さん」と呼ばれることで、幼稚園や保育所で一番大きいお兄さんやお姉さんだという自覚を持つようです。年長児としての5歳児の発達は、幼稚園や保育所などでの集団生活の中で、年少児を労ったり、手伝ったり、自分の力を精一杯出して役に立とうとしそのことが嬉しく誇らしく感じるようになってきます。もめごとが起きても、自分たちで解決しようとし、相手を許したり認めたりする社会生活に必要な基本的な力を身につけるようになり、仲間の中の一人としての自覚や自信が持てるようになってきます。⇒〔5歳児〕

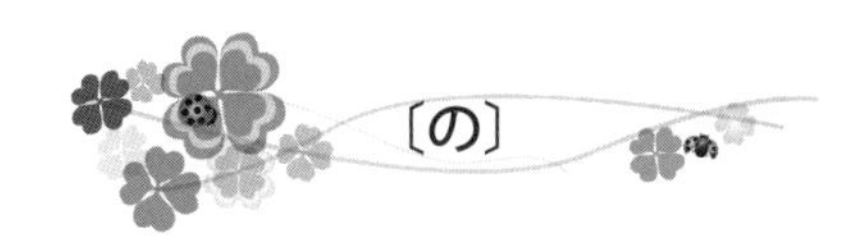

〔脳性小児麻痺〕

胎生期から出生以後１ヶ月以内の新生児期の間に招来した非進行性の脳病変による、永続的な、しかし変化しえる運動機能や姿勢の異常・障がいのことです。

原因はさまざまですが、妊娠中の母体の疾患や分娩障がい、胎児脳への血液循環障がいによる脳細胞への酸素の供給不足などが上げられています。

治療には、まず早期発見と的確な診断が重要で、出生児の診断には原始的姿勢反射の有無が重要となります。また、保育や教育の面での教育は単なる運動障がいの改善や軽減のみに重点をおかず、精神的自立や社会適応能力を伸ばす対応が必要です。

〔脳貧血（脳の虚血）〕

脳の血流量の減少によって脳が機能障がいを起こしたもので、急に目の前が暗くなり、吐き気を催し、冷や汗が出て顔面蒼白となります。また、一時的な意識の消失をきたしたりもします。主な原因は精神的要因であるとされ、神経質な人に、また女子に多く見られるといわれます。その他、疲労や空腹時、睡眠不足など体調不良時にも起こしやすいとされています。

手当てとしては、頭部を低くするか足部を高くした状態に寝かせるとともに、衣服を緩めて緊張を和らげることです。

〔能力開発〕

生まれつき持っている能力を発見し、教育や訓練によって、その能力をより一層向上させることです。国によっては、国家的必要性から、中等教育より大学まで各人の能力の発見につとめ、その能力を最大限に伸ばすための措置が一貫してとられているようです。能力開発は英才教育ではなく、各自の能力の優秀性が開発の対象となっています。

〔ノーマライゼーション（normalization）〕

1952年ころ、スウェーデンの知的障がい者運動家ニーリェ（Nierje, B.）やデンマークのバンク・ミケルセン（Bank Mikkelse, N. E.）等による知的障がい者施設の改善運動として起こった障がい者の基本的理念を示すことばです。1981年の『国際障がい者年』及び『国連障がい者の10年』の中で「ある社会からその構成員のいくらかの人々をしめ出す場合、それは弱くてもろい社会である」と示された考え方から、障がい者の基本的人権と、一市民としての権利を保障し、障がい者の地域社会への完全参加と平等を目指す基本理念を表しましたが、現在では、障がい者のみならず高齢者等を含めた社会福祉の基本的理念となっています。

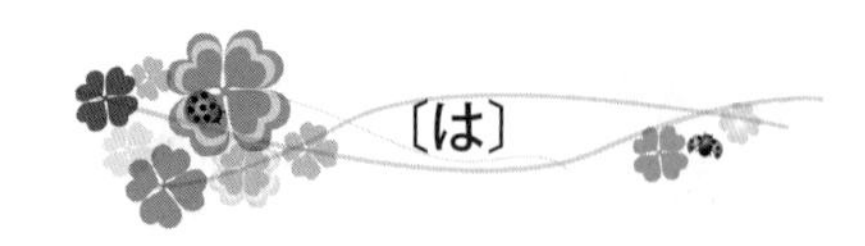

〔パーソナリティ〕

心理の分野では、パーソナリティの概念は多義にわたり立場によってとらえ方のニュアンスも異なっています。特に日本の場合では、人格と訳されていますが、人格には倫理的な意味がつきまとっていて、心理学的概念を表すには不適切であるし、人格を性格と置きかえても狭義になるので、原語のままパーソナリティといっています。パーソナリティは個々人の、気質・性格・能力及びそれに関する自他の評価を含む概念と説くこともあり、種々に使用されています。

〔パーソナリティの変容〕

最近の教育でよく問題になっているのは、児童・生徒の人格の変容が急務だといわれていますが、それより以前に教える者のパーソナリティの変容が先決と考えます。

このことは、カウンセリングや心理療法において、カウンセラー（治療者）とクライエント（被治療者）との治療的人間関係において生起するクライエントの直接的な体験過程に基づいて現われるパーソナリティの機能的・構造的な変化をいいます。では、パーソナリティ変容の条件を考えますと、① カウンセラーがクライエントに対して絶対的尊重の態度であること、② カウンセラーはクライエントの内的準拠枠について共感的態度、理解ができていること、③ カウンセラーが自分に対して無条件に共感的態度で接してくれている――などが挙げられ、これが満たされると自然に受容的態度が生じカウンセリング効果が高まり、クライエントのパーソナリティの変容となるのです。

〔バイタルサイン〕

「生命兆候」とも訳され、日常的には脈拍・呼吸・体温や血圧など、人間が生きていくために必要とする極めて重要な生命機能をひとまとめにして表現したものです。

〔HSC（Highly Sensitive Child　ハイリー・センシティブ・チャイルド）〕

「HSC」とは、アメリカの心理学者エレイン・N・アーロンが研究し提唱した概念です。

アーロンは「感覚や気持ちに敏感で傷つきやすい子ども」と定義しました。生まれつき繊細なな子どものことを言います。①刺激に敏感である、②感覚がするどい、③物事の考え方が深い、④共感しやすい、という 4 つの特徴があります。子どもの 15 ～ 20%、30 人のクラスでは 5、6 人に 1 人はいると言われいます。

〔バウムテスト〕

コッホがドイツ語で「バウムテスト」・「精神診断学的補助手段」としての樹木画テストとして発表しました。投影法のテストの一つとして分類されています。日本では 20 世紀後半より研究が進められるとともに平行して、このテストが実施され評価されてきました。実施法は次の通りです。

被験者に A4 判用紙（白い画用紙）4 B の鉛筆、消しゴムを渡し、「一本の実のなる木を書きなさい」と問題を出します。集団でもいいが、個別的に実施する方がいいでしょう。樹木画の全体的印象が大切で、空間のどんな位置にどんな程度の空間を占めて、どんなふうに木が書かれているかが重要な解釈上の観点となります。

〔歯ぎしり〕

普通、睡眠中に上下の歯を間欠的に、または相当継続的に強く摩擦することによって発する音が問題となります。神経性習癖中の睡眠異常の一つといわれています。情緒的な緊張や感情のもつれによって起る一種の歯ぎしりもあります。その他、口腔内の異常が誘発するものや中枢神経の器質的損傷によるものもあります。治療法としては、さまざまですが、① 心理療法、② 薬物療法、③ 歯科的処置などが行われています。

〔箱庭療法（はこにわりょうほう）〕

この療法は、クライエントが自由に自分の内的な世界を遊びながら箱庭として表現することにより、心の癒しが得られる心理療法です。

箱庭は内法 57×72× 7㎝、角の内側が青色に塗られた砂箱、そして、人、動植物、花、怪獣、乗り物、建物、家具、柵、石、神仏などのミニチュア玩具が準備されます。砂は、無意識の世界を表し、箱は外界からの守りです。また、外界と箱の中の力の拮抗が生じた場合には、箱の中に変化が生じ、人の心の変容と成長が行われる過程が箱庭療法で展開します。現在では、子どもや大人の遊戯療法やカウンセリングの中に取り入れられています。日本では、1965（昭 40）年に河合隼雄が「箱庭療法」という呼称で紹介し、教育、相談、病院等のさまざまな場で心理療法の技法として用いられています。

は
行

〔橋詰良一（1871 ～ 1934）〕⇒家なき幼稚園

「家なき幼稚園」の設立者です。露天保育を提唱し、その実践に努めました。兵庫県尼崎市に生まれ、神戸師範学校卒業後、小学校教師を経て大阪毎日新聞社の記者となって活躍しました。病にかかり静養中に露天保育を思い立ち、1922（大 11）年、大阪市郊外の池田に「家なき幼稚園」を開設しました。子どもの自主性を重視し、自然保育を提唱した倉橋惣三の理論とともに当時の保育界を賑わしました。また、若い女性や母親の啓発のために、「愛と美」など雑誌も発刊しました。代表的な著作に「家なき幼稚園の生涯と実像」があります。

〔破傷風（はしょうふう）〕

土壌にみられる破傷風菌が外傷部などから感染することをいいます。感染後３日～３週間の潜伏期があり、創傷部で生産された外毒素は運動神経に作用し、筋強直、痙攣、腱反射亢進などの症状を引き起こします。この菌による感染は傷口の大小に関わらず重篤な病状に移行するので、早期の創傷部浄化、特に傷が深い場合では切開し、同時に抗生物質での殺菌、血清での毒素中和を試みます。予防には生後３か月から 13 歳未満までの三期に分けて接種する三種混合ワクチンが主であり、また感染の恐れがあるときは破傷風抗毒素血清を使用します。

〔バズ学習〕

全体で討議する前に、小集団のグループを編成してグループ学習をする方法をいいます。バズとは、ハチがブンブンいうことであり、活発な話し合いを形容して名づけたものです。これは全体の討議を小集団単位に分散させて、共通の課題を討議させ、その結論を各集団の責任者が発表して、全体討議を進めるというバズ・セッションの原理に基づいて、より多くの子どもの意志を引き出そうとする学習方法として、学校のみならず多くの場所で活用され効果を上げています。

〔罰〕

罰とは、生命力を有する人間に不快な状態を経験させることといわれています。それには、生理的水準のもの、衣食住全般にわたって肉体的苦痛を与えるものと、社会的側面からのもの、恥・叱責・不承認というようなもので、教育の場合は主として社会的関係によるものが多くなっています。

罰はある反応を禁止したり抑制する働きがありますが、賞とは異なって必ずしも望ましい反応を生じさせる機能とはいえません。また罰を回避さえすればよいといった反応が生じやすいので、賞ほど有効な訓練手続きとはいえません。

〔発想法〕

発想法とは単純に考えると、アイデアを創り出す方法であり、論理学的には、各種の資料・情報から新しいアイデアを創り出すということを意味しています。現在は情報化社会といわれ、情報の洪水現象といってよいほどで、その情報をどのように活用すべきか情報が社会や個人に与える影響力を考えるとき、教育においては実に憂慮すべきことが山積みしています。それらの情報を取捨選択することによって発想の起こり得る道が開けることもあり、学問的研究によって、新しい発想が生ずることも多々あります。また空想から現実的発想が生まれることもよくあります。

〔発達〕

人間が受精から死亡まで、個体が発生とともに生育し、その心身の構造と機能を変化させていく過程を、一般的に成長と呼びますが、そうした変化を特に形成的・展開的な視点から捉える場合を発達と呼びます。発達という語が広義に使われる場合は、熱帯低気圧が台風に発達するとか、文化が飛躍的に発達した、など物理的または社会的事象についても用いられていますが、発達の概念が特に重視されるのは人間の生命現象についてです。さて、人間の発達を規定するのは遺伝と環境ですが、その論争が今日では遺伝と環境の相互作用であるというのが定説になっています。狼に育てられた二人の少女などがその例として挙げられます。

〔発達課題〕

人間が健全に成長するための必須条件として、各発達段階において達成しなければならない課題があります。これを発達課題と呼びます。各時期の課題を達成することができなければ、次の段階の課題達成が困難となります。各段階での発達課題を達成すれば次の段階の課題が容易になります。達成すれば社会からも認められ、幸福な生活を送ることができます。各時期の発達課題は、その時期の具体的教育目標ともなりますが、絶対的なものでなく、社会や文化の違いによってその内容も異なります。各段階の発達課題は保育所保育指針・幼稚園教育要領が参考になります。

〔発達障がい〕〔発達障害者支援法〕（平 16、法律 167）（最終改正平 28 法 64）

何らかの原因によって、自閉症、自閉傾向、自閉症スペクトラム障がい、LD（学習障がい）などの徴候を示す子どもたちは、一般的に対人関係、社会性、言葉によるコミュニケーション等に問題があり、行動様式もパターン化し、固執性が強いという特性をもっています。こうした行動様式は知的障がいにもみられますが、知的障がいとは区分されます。現在の日本における学校教育体系の中では、知的障がい教育の対象として位置づけられていますが、本来的には異なるものです。例えば自閉症の場合は高機能障がいによるものであり、自閉症スペクトラム障がいの場合は、言葉のおくれも知的障がいも多くの場合ありません。ADHD の場合でも、多動、多弁、衝動的行為が特徴で散漫的行動が多くみられます。LD にしても、ある特定の教科の分野に学習の偏りがみられるのが特徴です。こうした徴行から知的障がいと区分して発達障がい、発達障がい児としています。

こうした知的能力には問題がないにもかかわらず脳機能障がいを伴う子どもたちの「発達障害者支援法」が施行され、学校教育の中に位置づけられます。① 乳幼児健診などによる早期発見、② 保育、教育、就労など地域における生活支援体制の整備、③ 発達障害者支援センターの指定などが規定されています。

〔発達段階〕

心身の成長・成熟における発達の課程において、いくつかの特色が見られ、その特色によって、成長・成熟の発達をいくつかの段階に区分する研究が進み、こうして区分された段階を発達段階といいます。区分の方法としては、大別して、① 身体発育を基準とする、② 特定の精神的機能の発達を基準とする、③ 全般的精神構造上の変化を重視する――方法があり、発達段階の区分として一般化されているのが、心身の発達と社会制度を統合した一般的区分です。乳児期・幼児期・学童期・青年期が多く利用されていますが、また年齢区分的なものは、性差その他の個人差を考慮する必要があります。

〔発達の最近接領域〕

最近発達領域他者（= なかま）との関係において「あることができる（= わかる）」という行為の水準ないしは領域のこと。すなわち、発達と教育との関係を考えるに当たって、教育が発達の後を追って発達に寄与するということではなく、また、教育が無制限に発達をもたらしたり促進したりするものでもなく、教育による子どもの学習は、既に発達によって形成されている水準と、教育によって次に達成できる水準があることをいいました。この二つの水準の間の開きを「発達の最近接領域」といいます。発達の最近接領域では、今、子どもたちができることや持っている力の水準に近づき、教えたり、誘導したり、ヒントを与えたり、援助することによって、さらに発揮される水準であり、現在発達しつつある形成途上の領域であるとされます。この領域が明確になると、子どもの教育に対する課題とプログラムを考えることができ、教育が発達を方向づけ、ある程度先導しうる可能性が示されたといえます。このようなヴィゴツキーの発達観は、自然主義的発達観を否定し、社会が人間特有の発達形式を作り上げるのだという、新しい発達観を提示したことになります。

〔パブロフ（1849～1936）〕

条件反射学を創始したロシアの生理学者で、1904年消化腺の研究でノーベル賞を受賞しました。モスクワ近くの農村の司祭の家に生まれ、1870年セント・ペテルブルグ大学に入って生理学を学びました。その後ドイツに留学し、帰国後ペテルブルグ軍医学校の薬物学教授や生理学教授を勤め、1890年から死去までは、実験医学研究所の生理学実験室の主任を勤めました。彼の反射理論は、決定論（反射理論）の原理、分析と総合の原理、構造性の原理の三つの基本原理から構成されています。晩年は、人間の高次精神活動に関心を抱き、第二信号系理論を作り上げ、神経症、精神症に関する独自の考えを示しました。それらは、アメリカの心理学での学習理論、ロシアの生理学や心理学に多大の影響を与えました。主著に『条件反射学』などがあります。

〔早寝早起き朝ごはん運動〕

最近の子どもの学習意欲や体力の低下は、家庭における食事や睡眠などの基本的生活習慣の乱れとの相関が指摘されるなど、家庭の教育力の低下がその要因となっています。また、食生活については、2005（平17）年7月から食育基本法が施行されました。このようなことから、早寝早起きや朝食を取るなど、子どもの望ましい基本的生活習慣を育成し、生活リズムを向上させるため、PTA等民間団体と連携し、「早寝早起き朝ごはん」運動として民間主導の国民運動を展開しています。

〔ハロー効果〕

対人認識の基本傾向として「単純化」「一貫化」「自己中心型」などがありますが、外部からの情報による加工、処理の仕方によって、歪みが生じます。歪みの諸類型のうち、主要なものの一つとして、一貫化傾向による歪みがあり、「背光効果」「寛容効果」とに分かれます。これがハロー効果（ハローエフェクト）です。ある人が「何かよく目立つ良い（悪い）特徴を持っている」とその人の持っているあらゆる特徴を肯定的（否定的）に見てしまうという傾向があります。教師が子どもを見る場合、成績が良いとか素直な子だとかの一つの側面を全てに適応する歪んだ見方となるので、子どもの各側面に対して、弁別的に注意深い目を注ぐ習慣をつけなければなりません。

〔反社会的行動〕

日常生活で正常な行動基準から逸脱した不適応行動のうち、特に攻撃的性格の強いもので、正常な他人、もしくは健全な社会にとって積極的な迷惑を及ぼす行為を反社会的行動といいます。正常な行動とは、その社会全般に認められている価値・規範に基づくものですが、それはいつの場合も社会的価値・規範は一定不変なものでありません。時代・文化によって異なります。ある個人や集団の行動が社会的に適応か否かは、その所属する社会の規範との相対的関係で決定するもので、全てがマイナス的価値とはいえません。また、狭義には、犯罪や背徳的な行動を反社会的行動と呼んでいます。

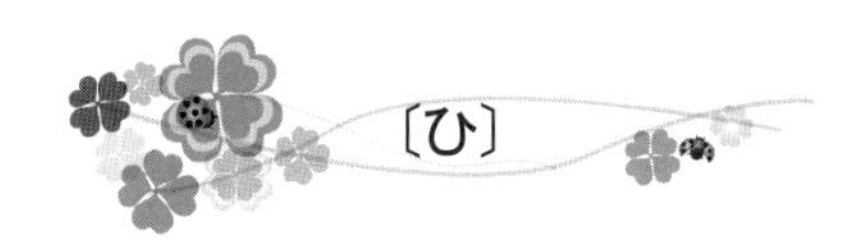

〔PISA〕（国際学習到達度調査）

《Programme for International Student Assessment》OECD（経済協力開発機構）加盟国を中心に３年ごとに実施される 15 歳児の学習到達度調査。主に読解力、数学的リテラシー、科学的リテラシーなどを測定する。多肢選択式と記述式で構成され、得点は OECD 加盟国の受験者平均が 500 点、標準偏差が 100 点となるよう換算される。

PISA2015 調査の国際比較

科学的応用力	読解力	数学的応用力
①シンガポール 556	①シンガポール 535	①シンガポール 564
②日本 538	②香港 527	②香港 548
③エストニア 534	③カナダ 527	③マカオ 544
④台湾 532	④フィンランド 526	④台湾 542
⑤フィンランド 531	⑤アイルランド 521	⑤日本 532
⑥マカオ 529	⑥エストニア 519	⑥北京・上海 531
⑦カナダ 528	⑦韓国 517	⑦韓国 524
⑧ベトナム 525	⑧日本 516	⑧スイス 521

〔ピアジェ（1896 ～ 1980）〕

スイスの発達心理学者です。ジュネーブ大学教授として発生的認識論研究を提唱し、その発展に貢献しました。彼は、子どもと大人との思考構造の違いを研究し、子どもの思考の特徴として自己中心性に基づく見方、考え方を上げました。この特徴を示すものとして、① アニミズム（あらゆるものに生命があると考える）、② 実念論（あらゆるものがこの世に実在すると考える）、③ 人工論（あらゆるもの全てを人間が創ったものと考える）――を示しました。また、行動を起こす元となる精神構造をシェマと呼び、精神発達における四つの要素―― ① 自己中心性（自他の区別・現実と自己との区別ができない）、② 保存（存在し続けるという認識）、③ 操作（対象に働きかけ、外界に適応しようとする過程）、④ 均衡化（現実に応じて自分の行動シェマを変える）と同化（現実を自分の行動シェマに取り入れる）――を示しました。さらに発達段階として次の四段階――Ⅰ．感覚運動的知能の時期（０～２歳）、Ⅱ．前操作的思考の時期（２～７歳）、Ⅲ．具体的操作の時期（７～ 11 歳）、Ⅳ．形式的操作の時期（11・12 歳以後）――を示しました。このようにピアジェは、心理学を行動的科学と捉え発生的認識論を発展させました。また、臨床的観察法によって実証的研究を行い幼児教育に大きな影響を与えました。

〔皮下脂肪厚〕

肥満の判定に利用される数値で、皮膚を摘み上げ、その厚さを一定の方法により測定したものを皮下脂肪厚といいます。肥満は、体内に異常に脂肪が蓄積することですから、体内にある脂肪の量を測定し、これが異常かどうかを判定するのが理論的には最も正確といえます。そこで、皮下脂肪厚と体脂肪の量が相関しているのを利用して肥満の判定をしようとするものです。しかし、測定位置の確定や手技が面倒で熟練を要するなど課題も多くあります。

〔ピグマリオン効果（教師期待効果）〕

子どもは、教師（保育者）がその子どもに期待をかける程、効果が期待されるという心理行動をいいます。保育者が子どもに期待をかけると、子どもは子どもなりに意欲を増し、期待に応えようとする傾向があります。保育者の日常保育活動における子どもへの関わりが重視されます。

〔非社会的行動〕

人間の正常な対人的、社会的接触を避けようとする、行動基準から逸脱している不適応行為を指します。通常、臨床的に非社会的行動として問題にされるものを挙げてみますと、① 逃避的傾向、② 退行、③ 自信喪失、④ 臆病、⑤ 劣等感などがあります。原因としては、神経症型で、依存性が高く、抑制的な条件づけが固定されやすいとされています。従って、フラストレーション反応よりは、防衛機能が優位を占め、葛藤を内在させた反応が特徴といえます。また発達的傾向としては、より過保護で制約の強い背景や不安を起させるような背景が問題になります。治療や対策は、個々のケースによって異なり、心理療法、医学療法などが考えられます。

〔鼻出血（びしゅっけつ）〕

鼻に外力が加わると、鼻腔内の粘膜に断裂を生じ、出血を起こしますが、特に出血しやすい部位は、鼻中隔の最も入口（外鼻孔）に近い部分の粘膜です。ここはキーゼルバッハ部位と呼ばれ、毛細血管が粘膜の表面近くに浮き出ているため、少しの外力や鼻を強く噛んだときなどの刺激によっても出血します。

鼻（小鼻の部分）をしっかりつまみ、（やや顎を引いて、口で呼吸します）椅子に座るか壁に寄りかかる（坐位）などして、しばらく安静にします。また、額から鼻の部分を冷やすのも有効です。ちり紙や綿花などを鼻に詰めることは、出血部位をかえって擦（こす）ることにもなるのでよくありません。

〔B 型肝炎〕

血液や体液を介して感染するウイルス性肝炎で、小児への予防はウイルスを持つ母親からの感染防止に重点がおかれ減少していますが、最近保育所等で血液や体液を通して、感染者が現れ、厚生労働省は生後 2 カ月から 3 回 B 型肝炎ワクチンの定期接種化が検討され、2016 年度から実施される予定となっています。

〔ビネー（1857 ～ 1911）〕

フランスの心理学者で、知的能力の総合的、実験的に検証しました。人間の知能を客観的に測定しようとし、医学者シモンと協力し、ビネー・シモン知能尺度を完成し、更に、1908 年に精神年齢（MA）と暦年齢（CA）を比較し、知能の測定を行いました。

〔飛沫感染（ひまつかんせん）〕

病原体が感受性のある人に感染される形式の一つで、患者の鼻腔や咽頭で増殖した病原体がそのまま唾液や粘膜液の微細な粒とともに撒き散らされ、その飛沫を吸い込んだ感受性者に直接感

は行

染するのが飛沫感染です。飛沫感染は、人から人へと直接感染してしまうために、経口感染症や昆虫媒介感染症のように環境衛生を良くしても感染を防ぐことはできません。その対策としては唯一、感受性のある個体に免疫を与える方法に頼ることになります。飛沫感染する疾病には、インフルエンザ、百日咳、麻疹、流行性耳下腺炎、風疹、水痘等があります。

〔肥満（児）〕

肥満とは体内の脂肪が異常に増加した状態をいいます。そこで一般的には、外観上太って見えることや同身長の子どもの平均体重と比較して体重の重い者を肥満児と呼んでいます。しかし、いかなる基準を持って肥満とするかについてはさまざまな判定法があり、決定的なものはありません。判定法の一つは、指数によるもので、身長と体重から算出した各種の体格指数（ローレル、カウプ指数など）を利用しています。その他、肥満度と呼ばれるもので、ある基準体重に対して実際の体重が過剰になっている割合を％で示し、判定するもの（身長別標準体重から算出される肥満度）などがあります。

〔百日咳〕

百日咳菌による細菌性呼吸器感染症で潜伏期間は７日～ 10 日、乳児期から幼児期に多く発症します。また年齢が低いほど重い症状を呈します。

症状の典型例はけいれん性の咳が頻発で、咳のために眠れなかったり顔が腫れたりしますが発熱することはあまりありません。乳児では咳に伴う呼吸困難や肺炎、中耳炎、脳症の合併も起こりやすく、命に関わることがあります。

飛沫感染・接触感染を防ぐため、予防には患者の隔離が大切です。また、乳幼児に対する定期予防接種が大切です。

〔評価〕

評価という言葉は、優劣を決めたり、ランクを付けたりする成績表のようなイメージで受け止められることから、幼児期の教育に評価は不必要だとする意見もあります。しかし、教育を行う上で評価は欠くことのできないものです。保育における評価は、指導の過程の全体に対して行われるものです。この場合の評価は、幼児の発達の理解と保育者の指導の改善という両面から行うことが大切です。幼児理解に関しては、幼児の生活の実態の理解が適切であったかどうか、幼児の発達の理解が適切であったかどうかなどを重視することが大切です。指導に関しては、指導計画で設定した具体的なねらいや内容が適切であったかどうか、環境の構成が適切であったかどうか、幼児の活動に沿って必要な援助が行われたかどうかなどを重視しなければなりません。さらに、これらの評価を生かして指導計画を改善していく必要があります。このような評価は、一人だけで行うだけでなく、他の保育者に保育や記録を見てもらったり話し合うなどして、多面的に評価することも必要です。このような評価は、特別な枠組みがあったり特別な時期があったりするものではなく、日々の保育と評価は常に一体となっているものであり、ごく日常的なものです。

〔表現〕

幼稚園教育要領や保育所保育指針、幼保連携型認定こども園教育・保育要領に示されている五領域の中の一つです。この領域では、感じたことや考えたことを自分なりに表現することを通して、豊かな感性や表現する力を養い、創造性を豊かにする観点からねらいと内容がまとめられています。ねらいでは、いろいろなものの美しさに対する感性、感じたことや、考えたことを自分なりに表現して楽しむこと、生活の中で豊かなイメージを持ち、さまざまな表現を楽しむことが示されています。内容の取り扱いに当たっては、身近な環境と関わる中で心を動かす出来事などに出会い、教師と共有しながら表現を通して豊かな感性を養うこと、教師は幼児の素朴な表現を受容し、幼児らしいさまざまな表現を大切にすること、表現意欲が発揮できるような遊具や用具を環境として整えることなどについて述べています。表現の指導では、絵画や音楽などの特定の表現活動の技能に偏らず、幼稚園等の生活のあらゆる場面で表現する過程を大切にしたいものです。

〔病児保育〕

病児保育は、発熱や嘔吐・下痢などの症状(ウイルス感染症が多い)により一般の保育園・幼稚園・学校などに出席できない子どもを、仕事中の親に代わって日中の病児保育を行うものであり、安全に十分配慮しつつ、症状が悪化した際には、医師の診察を依頼するかどうかの判断をしなければならないなど、高度な観察力、対応力が要求されるため、健康な子どもを預かるベビーシッターとは異なる。また、病児保育は、子どもの健康回復と生活の質を保障することはもちろん、家庭での看護を具体的に示し、親子のきずなを深め、親が自らの子育てに自信を持ち、自らの健康生活をプロモートすることに寄与する等から、「究極の子育て支援」であるといわれています。

病児保育を行う者を「病児保育士」と呼び、保育士、看護士であること、かつ、2年以上の実務経験が必要です。

〔標準テスト〕

テストといっても、いろいろな目的を持ったテストがあります。その中で標準テストは、次の条件を満たしたものをいいます。

① 検査の目的や対象に対して適切な検査問題や項目が選ばれ、予備実験によって、検討されていること。
② 検査の実施方法や条件が、はっきり規定されていること。
③ 検査結果の採点が統一され、採点の客観性が高いこと。
④ 検査する母集団から出る標本が明確な基準尺度で構成され、標本相互の成績を比較できること。
⑤ 検査の妥当性、信頼性が検討されていること。

これらの条件をすべて満たしている知能検査・性格検査などを標準テストといいます。

〔ヒル(1868~1946)〕

アメリカの進歩主義保育の代表的指導者で、大型の改良積み木「ヒル氏の積木」の考案者です。また、世界で広く愛唱されている『ハッピーバースデー・トゥユー』の作詞者でもあります。ヒルは、子どもの活動性、発達の連続性を重視し、目標に縛られず過程を大切にする保育を目指しました。早くからデューイなどと緊密な協力関係を持ち、それらを科学的な根拠のもとにカリキュラム化しようと試みました。晩年においても精力的に活躍しました。

〔貧困・貧困率〕

最近子どもの貧困の問題が種々論議されています。一般的に貧困には絶対的貧困―生きるのに必要なものが足りない状態と、相対的貧困―子ども貧困率といった時は相対的貧困で、経済協力開発機構（OECD）がさだめています。全国民の手取り収入を少ない順に並べてその中間、例えば2012年は244万円で、その半分の122万円に届かない人の割合が相対的貧困率になります。2014年に政府の子ども貧困大綱は「子どもの貧困に関する指標」として次のように示されています。

子どもの貧困にかんする指標
- ●子どもの貧困率、ひとり親家庭の貧困率
- ●生活保護世帯やひとり親家庭の子どもの進学率や就職率
- ●ひとり親家庭の親の就業率
- ●奨学金貸与基準を満たす希望者のうち認められた人の割合

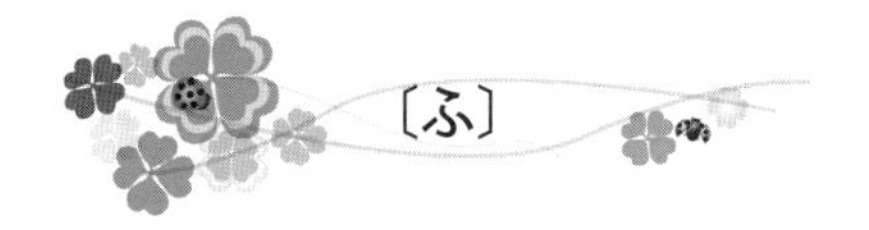

〔ファカルティー・ディベロップメント（FD）〕

ファカルティーは「教員」、ディベロップメントは「開発」という意味があり、明確な定義はありませんが、「教員が授業内容・方法を改善し、向上させるための組織的な取り組みの総称」と文部科学省では定義づけています。

〔ファロー四徴症（よんちょうしょう）〕

先天性心疾患のうち、心室中隔欠損、心房中隔欠損に次いで多い疾患で、チアノーゼ性心疾患のうちでは最も多いものです。

心室中隔欠損、肺動脈狭窄、大動脈右位の三つに右心室肥大を伴い四つの徴候が同時にあるものを、その発見者の名前をとってファローの四徴と呼んでいます。時には肺動脈弁狭窄も伴っています。このような解剖学的な構造上、肺へ流れる血液が少なく、全身に酸素が十分供給されないため、1～2歳になって泣いたり、動いたりすると唇が紫色になったり（チアノーゼ）、苦しくなってすぐ横になったり、しゃがみこんだりすることになります。

〔フィンガーペインティング〕

手の指や手のひらに直接絵の具をつけて描く技法のことです。この場合の絵の具は、普通の絵の具に糊を混ぜたものでドロドロの状態です。指絵の具として市販されているものもありますが、小麦粉を糊状に煮たものや市販の洗濯糊に粉絵の具を溶いて混ぜると簡単に作れます。

初めて経験する幼児には、抵抗を示すものもありますが、もともと泥遊びの好きな幼児ですのですぐ慣れて楽しめるようになります。描くことに抵抗を示す幼児や概念的な表現をする幼児に、自由な思いで表現できるきっかけを与えます。この活動を効果的に楽しむためには、季節的に夏がよく、開放的な気分で取り組めます。ビニールシートなどツルツルして吸水性の弱い用紙など

の上で、指先だけでなく、腕全体を使って描くようにします。画用紙などを利用するときは、裏表に軽く水をスプレーしておくと、置いた紙が滑らず、表面の水が指の滑りをよくしてくれます。

〔風しん（三日ばしか）〕

風しんウィルスが原因で、38℃前後の発熱とともに、顔、頸部、体幹部、手足に発しんができ、耳後、頸部などのリンパ節が腫れます。

発しんは、麻しんよりも小さく、色も薄く、これらの症状は三日くらい続いて、その後治るもので、麻しんに似た軽い病気というところから、三日ばしかとも呼ばれます。風しんは軽い病気ですが、脳炎を起こしたり、また妊娠初期に罹患すると胎児に異常をきたす恐れがあります。これを先天性風しん症候群といい、症状としては白内障、先天性心疾患、難聴が三大症状として知られています。

〔フェニルケトン尿症〕

1934年ノルウェーのフェーリングにより報告されたもので、高度の知能障がいを伴うアミノ酸代謝異常症の代表的疾患です。本症発見後20年間、知能障がいは先天的なものであるとされていましたが、病態の解明が進むにつれて、知能障がいは出生後に生じるものと考えられるようになりました。低フェニルアラニン食による治療が試みられた結果、治療が効を奏するためには早期発見、早期治療開始が不可欠となり、現在では新生児期スクリーニングが実施されています。

〔腹式呼吸〕

呼吸運動は外肋間筋の収縮による肋骨と横隔膜の収縮による胸腔の拡張によって行われますが、このうち横隔膜の伸縮が主に働く場合を腹式呼吸といいます。椀を伏せた形をした横隔膜の収縮下降で胸腔が前下方に広がって吸息し、続いて横隔膜が弛緩すると腹部内臓圧によって上昇して呼息します。一般に、男子は腹式呼吸の傾向が強く、女子は肋骨の挙上による胸式呼吸の要素が多いとされています。なお、乳児期においては胸郭が前後経と左右経がほぼ同じで肋骨がほぼ水平に並んでいることから呼気と吸気の差ができにくいとされています。

〔副鼻腔炎〕

鼻は固有鼻腔と副鼻腔から形成されており、副鼻腔に感染が広がって膿がたまった状態を副鼻腔炎といいます。本症は感染症であると同時に免疫、アレルギーという生体反応が関与し、発症の基盤として先天的あるいは後天的な体質が関与しているともいわれています。

幼児期では鼻炎と軽度の副鼻腔炎が主で就学の頃になると病型が多彩になり、10～14歳位で自然治癒することが多く、一部は症状が固定し、成人の副鼻腔炎に移行します。主な症状は鼻閉（鼻詰まり）、鼻汁で、時に頭痛を伴い、注意力散漫から学力低下につながることもあるようです。

〔不顕性感染〕

生体に病原微生物による感染が成立しても何ら臨床症状を認めることができないまま、抗体産生をみることを不顕性感染といいます。不顕性感染であっても、病原体は生体内で増殖するので、他の健康者に対する感染源にはなり得ます。不顕性感染が長期間続いて病原体を生体との間に平衡関係が保たれている状態を潜伏感染といいます。

不顕性感染としてはポリオ、日本脳炎が知られており、潜伏感染としては単純ヘルペスが好例です。

〔二葉幼稚園（ふたば）〕

1900（明33）年、野口幽香と森島峰の二人の若いクリスチャンによって造られた「貧民幼稚園」です。日本の資本主義が進む中では、段々と貧富の差が大きくなり、都市ではスラム化する地域が増えてきました。その時期、華族女学校付属幼稚園に努めていた野口幽香、森島峰の二人は東京麹町鮫ヶ橋付近のスラム街で埃（ほこり）にまみれて遊んでいる子どもたちを見て、彼らを少しでも良い環境の中で教育したいと願い、小さなアバラ家を貸りて16名で発足しました。父母の育児上の苦労を軽くし、家業を営む余裕を与えるため、一日7～8時間の保育をし、恩物主義、知育主義を排し、遊びを中心にして、貧困からくる生活を改善しようとするものでした。1916（大5）年に保育園と名称を変え、その後新宿などに分園や母子寮（母子自立支援施設）を設立しました。現在は、保育園だけでなく、乳児院、児童養護施設などを含む社会福祉法人二葉保育園として運営されています。

〔物的環境〕

幼稚園や保育所における保育・教育の基本は、環境を通して行うものです。幼児が自ら身近な環境に関わり、さまざまな活動を生み出すための環境は、基本的には幼児を取り巻くもの全てであるといえます。それらは即ち、場や空間、物や人、身の回りに起こる事象、時間などを関連づけて作り出された状況が保育における環境といえます。一般的に、環境は大きく分けて人的環境と物的環境に分けられています。保育の場における物的環境とは、園の施設設備、遊具用具、材料、素材、絵本などの出版物、テレビ、ビデオ、パソコンなどの情報機器、飼育栽培物などが含まれます。これらの物的環境は、既に固定されて幼児や保育者の手で動かせないものも多くあるが、幼児や保育者で必要なものをどのように準備したり空間に配置したりするのかを考えて、多様な活動が生まれるようにしなければなりません。特に物の配置では、適切な時期に適切に出し入れをして、活動のマンネリ化を防ぎ、新たな刺激となるような配慮が必要です。また、固定された環境であっても、幼児の豊かなイメージによって遊びの中に取り込める物となり意味を持つようにもなります。物的環境の構成を考えるに当たっては、子どもたちの自主的で主体的な活動を促すように有機的な関連を考えなければなりません。

〔フリースクール〕

何らかの原因によって、不登校となる児童・生徒は年々増加の傾向にあります。そうした児童・生徒に対して、教育支援センターとかNPO法人など全国で約1,100か所あるフリースクールに通学しています。それらの児童・生徒は二重の学籍をもち、小学校・中学校の卒業認定を受ける者もいます。文部科学省は、こうしたフリースクールに研究委託を2005（平17）年度から実施し、フリースクールでの通学によって、就学義務を履行しているものと認定しようとする傾向があります。不登校児童は、2003（平15）年度24,077人、中学生102,149人とされ、10年前の約2倍となっているとされています。文部科学省は2015（平27）年3月に319施設からの回答によると、1 施設平均 13 人で小学生 1,833 人、中学生 2,363 人、合計 4,196 人在籍していると報告されています。

〔ブルーナー（1915 ～ 2017）〕

アメリカの認知心理学者です。彼の研究は、知覚・学習などの実験心理学から始まりましたが、神経生理学以外の社会的条件の関わりを重視することにより、知覚研究に新しい方向性を示し、共著としてまとめた『思考の研究』はその後の認知心理学の発展の基礎となりました。また、アメリカの教育問題改善に関わるウッヅホール会議の報告書としてまとめた『教育の過程』は、従来の発達観を根本的に覆し、教育の現代化運動の糸口となりました。彼は「どのような教科でも、どの年齢のどの子どもに対しても、知的生活をそのままに保って、効果的に教えることができる」という大胆な仮説を持つ教育理論を展開しました。これは、ゲゼルなどの発達におけるレディネスの上に立った指導を激しく批判するもので、子どもの教育的条件を積極的、人為的に変え、有効適切に働きかければ、年少の子どもでも知的好奇心を充足させ、「発見学習」を可能にするという、知的早教育を肯定したものです。

〔フレーベル（1782 ～ 1852）〕

世界で最初の幼稚園の創設者として知られています。ドイツの田舎町に生まれ、後イエナ大学に学び、ペスタロッチに師事し教育の道に入りました。1816 年に一般ドイツ教育所で教育活動を始め、翌年カイルハウに移り、教育実践を行い、1826 年には主著『人間の教育』を著しました。その後生地ブランケンブルクを活動の場と定め、1837 年「自己教授と自己教育とに導く直観教授の施設」を設立し、ここで恩物を考案しました。恩物を正しく幼児に指導できる保育者を養成するため、1839 年に幼児教育指導者講習科を開設し、この講習生のための実習の場を「遊びと作業の学園」と名づけ、この学園の名称を 1840 年に Kindergarten（子どものたちの庭）としました。1844 年には、母親を教育する書物『母の歌と愛撫の歌』を著しています。1851 年プロイセン政府は、幼稚園は子どもを無神論に導くという誤ったことを理由に禁止令を出し、フレーベルの没後 1860 年に撤廃しました。フレーベルは、子どもの中に神が内在するとし、この創造性としての神性を自由と自己決定によって発現させるところに教育の使命があるとしました。特に幼児教育の重要性を説き、遊びが幼児期における最も重要な活動であると主張し、世界の幼稚園教育の源流となりました。明治初期に創設されたわが国の幼稚園もフレーベルの影響を強く受けています。

〔フロイト（1856 ～ 1934）〕

オーストリアの精神医学者で、精神分析学者です。ブロイヤーとともに神経症の治療にあたり、催眠浄化法を経て、自由連変法という治療法を確立しました。1918 年に『精神分析入門』を著し、無意識・抑圧・転移という概念を用いて人格治療法を体系化し、精神分析法は後世のケースワークの診断に多大の影響を及ぼしました。

〔分離不安〕

ジョンソンは、「分離不安とは、子どもと親（通常母親）双方が相互間に密接な身体的接近を保ちたいという激しい欲求を相手に向けることによって、その行動が特徴づけられるような、一種の病的な感情状態である。」と定義しています。子どもの幼少時代における母子分離は、精神分析学においては、重要な外傷の一つに考えられていると論じられています。多くの場合、子ども側の分離不安は、本来母親側の分離不安が原因となっています。簡単に分離不安を定義すれば、「子どもが親と片時も離れることができず、親（特に母親）の姿が見えないと異常な不安に襲われる状態」をいいます。

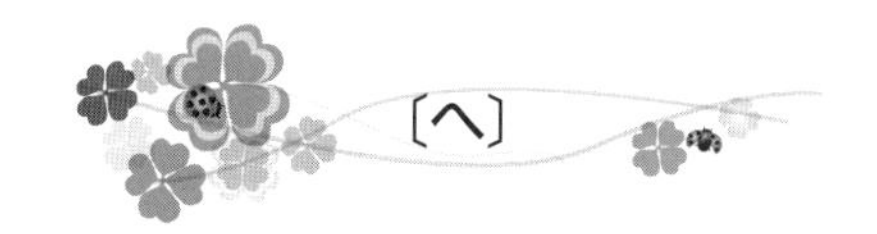

〔平行遊び〕

パーテンによる遊びの分類によるもので、他児と同じ場にいるが互いの交流はなく、それぞれが自分の遊びをしている状態をいいます。入園当初の幼児や３歳児、４歳児によく見られる遊びの姿です。ただ、一見互いに無関係に遊んでいるように見えても、場を同じくしているということは、周りに関心を持ち始め、社会参加への兆しと捉えることもできます。５歳児くらいになってからでも平行遊びの状態が見られる場合は、友だちとの関わりの様子などに留意する必要があるでしょう。平行遊びから早く脱却させようと焦るのではなく、保育者も幼児に寄り添いながら、子どもの様子を温かく見守り活動を支えていきたいものです。平行遊びは、幼児が社会化していくための一つのステップととらえ、幼児が安心して自分の好きな遊びが楽しめるように援助していくことが、やがて次の発達をもたらすこととなります。

〔平均寿命〕

厚生労働省は毎年日本人の平均寿命を男女別に公表しています。2023年の日本人の平均寿命は女性が87.14歳、男性が81.09歳でした。前年比女性は0.05歳、男性は0.04歳延びました。

これは、新型コロナウィルス感染症による死亡数が減少したことが影響したと考えられます。

100歳以上の高齢者は、92.139人で過去最高を更新しました。また、平均寿命の国別順位では女性が前年と同じく世界１位で、男性は４位から５位に下がりました。女性は２位がスイス（85.9歳）、３位がフランス（85.75歳）。男性は１位スイス（82.3歳）、２位スウェーデン（81.58歳）、３位ノルウェー（81.39歳）となりました。

〔ペープサート〕

明治から大正にかけて街頭で演じられた「立絵」が消滅した後に、戦後ペープサートという名称で保育現場に用いられるようになりました。B5の半分くらいの厚めの用紙２枚を重ねて張り合わせ、中に手で持つ棒を入れた丁度うちわにも似た形状のものです。２枚の用紙の裏表には、人物や動物などを描きますが、裏表の表情や動きを変えることで、多様な演じ方ができます。

保育者が手軽に手作りできる上に、紙芝居と違って描かれた絵に動きを持たせることができるので、保育教材として多く用いられています。また、簡単に作れることから、幼児自身が作って遊ぶということにも用いられます。その場合、自分の好きな絵を描いてペープサートを作る場合と、演じたいストーリーがあってそれにふさわしいペープサートを作る場合とがあります。いずれにしても幼児らしい発想や表現を大切にしながら、見やすく演じやすいものに仕上げることが必要です。

〔ペスタロッチ（1746 ～ 1827)〕

スイスの教育思想家であるとともに教育実践家でもありました。「スイス国民の父」と呼ばれているように、彼の実践活動はノイホーフでの子どものための貧民学校、シュタンツの孤児教育があります。中でも、特にブルクドルフやイヴェルドンの初等教育には、幼稚園の創設者フレーベルも訪れ、影響を受けました。彼の教育思想は、これまでの言語中心の主知主義的教育を排し、愛を基盤とした諸能力の調和的な発展と自立的人間の育成を主張しました。さらに幼児教育における家庭の役割、中でも母親の役割を重視しました。母子関係の中に道徳教育の芽生えを見い出し、人間愛や思いやりの心は母やそれに代わる人との関係の中で育っていくとしました。そのことから彼の教育思想は、「居間の教育学」といわれています。主著には、『隠者の夕暮れ』『幼児教育の書簡』などがあります。

〔ペスト〕

ペスト菌によって起こる急性細菌性感染症で、感染症予防法に一類感染症として分類されています。主に腺ペスト、ペスト敗血症、肺ペストがあり、治療が遅れた場合の致死率は50％以上ですが、現在は化学療法の使用などによってそれほど予後は悪くありません。自然宿主は主にげっ歯類で、ノミなどの昆虫媒介でヒトに感染されます。また、肺ペストは飛沫感染による直接感染によります。

日本では 1926（大 15）年以降ペスト患者の発生はありませんが、世界各地では少数ながら患者の発生があり、旅行などの際には十分な予備知識が必要です。

〔ヘルス・プロモーション〕

ヘルス・プロモーションは、1986 年に世界保健機関（ＷＨＯ）が提唱した概念です。これは、「人々が自らの健康をコントロールし、改善することができるようにするプロセスである」といわれており、次の二つの柱が考えられています。

① 個人が健康を増進する能力を備えること。

② 個人を取り巻く環境を健康に資するよう改善すること。

従来のように「健康」が究極の目的というのではなく、生活の質を高め、自己実現を果たしていくことこそが究極の目標であり、「健康」はその資源であるとする視点に立ったものです。

〔ヘルニア〕

ヘルニアとは、臓器あるいは組織が体腔壁の組織の欠損部や裂隙から外方に突出あるいは脱出することをいいます。身体のどの部分であってもよい訳ですが、一般にヘルニアといえば腹部のものを指しており、その代表的なものがそけいヘルニア（脱腸）です。その他には大腿ヘルニア、臍ヘルニア、横隔膜ヘルニアなどがあります。発生原因は先天的あるいは後天的に腹壁に抵抗の弱い部位や裂隙を生じることや何らかの原因で腹腔内圧が亢進することであり、これらが互いに関係し合って発症します。

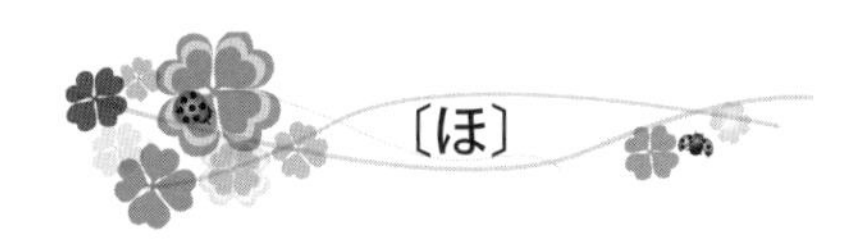

〔保育カンファレンス〕

カンファレンスの意味は、会議とか協議ということです。保育カンファレンスと言う場合は、保育現場において保育者によって保育の内容や保育者の指導、幼児理解などについて行われる研究会議であるといえます。子どもと保育者との日常的な関わりを教育的な活動として捉え直し、これに分析検討を加えてさらに保育者の指導を高めようとする意図があります。これらのことは、保育の反省や評価とも密接なつながりがあります。

〔保育課程〕

保育所における全体的な計画をいいます。幼稚園における教育課程に相当するものです。保育課程では、それぞれの保育所に入所している子どもの生活全体を通じて保育の目標が達成されるように全体的な計画を立てます。また、保育課程は、保育の目標とそれを具体化した各領域ごとのねらいと内容で構成され、さらにそれらが各年齢を通じて一貫性のあるものとする必要があります。保育計画は、各年齢段階相互間の縦の系列における発展を示すものであり、各年度に、各組が作成する指導計画の基本となるものです。従って保育課程は、各園に一つ作成されます。また、指導計画のように毎年更新するものではありません。⇒〔教育課程・指導計画〕

〔保育教諭〕

2012（平 24）年に改正された「認定こども園法」第 14 条に「幼保連携型認定こども園」に主幹保育教諭、指導保育教諭、主幹養護教諭、等の種類の職員を置くことができることとなり、幼稚園の免許状と保育士の登録を受けたものでなくてはならないとされています。(第 15 条第 1 項)従って、幼稚園教諭免許状と保育士の資格を有する者を「保育教諭」と呼ぶこととなります。

〔保育形態〕

保育形態といえば、一般的に自由保育、一斉保育、設定保育、縦割り保育、コーナー保育など外観によって規定された名称を持つものを思い浮かべます。しかし、幼稚園や保育所での保育は、幼児期にふさわしい生活を保障することです。従って、保育の形態が先にあるのではなく、子どもや保育者の願いを踏まえた生活をすることで、保育の形態が生まれてくるのです。そのためには、一応保育形態を考える観点を定めておくことが必要です。保育形態を考える観点には、保育者側から、また子ども側からなどさまざまな整理の仕方があるが、次のように分類するのが分かりやすいでしょう。① 活動の人数の構成から―― 個の活動・グループの活動・クラス一斉の活動・園全体の活動など、② 活動の自由度から―― 自由な活動・設定活動・課題活動など、③ 保育者の働きかけから――自発的・誘導的・教導的、④ クラス編制から――年齢別・縦割り・横割り・オープンなどです。これらの形態は、子どもたちの一日の生活の中では相互に関連し、絡み合っています。保育形態は、それだけでどれがふさわしいのかを決めるのではなく、一人一人の子どもやクラスの状態に柔軟に対応する保育者の姿勢が必要です。

〔保育参加〕

幼稚園や保育所では、従来から保護者との連携の一環として、園での子どもの様子を見てもらうために保育参観が行われていました。乳幼児期の教育では、園と家庭とが互いに連携を保ちながら協力していくことが欠かせません。特に今日のように少子化や地域の連携が希薄化している中では、自分の子どもだけでなく同年齢または年齢の近い多くの子どもたちを知ることは、孤立し一人で悩みがちな保護者を支援することになります。そこで、近年は、保護者がただ受け身で保育を参観するだけでなく、積極的に保育に参加する形態を取り入れる園が多くなってきました。保育参加の方法は、各園のさまざまな工夫があります。子どもとともにいろいろな遊びを楽しんだり、保護者の得意な分野、例えば絵本の読み聞かせや折り紙などで子どもに関わってもらったり、子どもと一緒に草抜きや種蒔き、球根植えをするなどが行われています。保護者が一度に大勢参加すると子どもの活動が十分行えないこともあるので、年間にバランスよく配分して行うことも必要です。また、入園当初に保護者と離れにくい子どもは、保護者とともに保育に参加することで、安定し、母子分離がスムーズにいくこともあります。基本は、保護者に保育を理解してもらい協力してもらうことにあります。

〔保育士〕

は
行

保育所、乳児院、養護施設、障がい児施設等の児童福祉施設において、乳児、幼児、児童（18歳未満）の保育に従事する職員をいいます。これらの職員には、従来「保母」という名称が使われていたが、1977（昭52）年に児童福祉法施行令が改正され、男子にも保母資格が与えられました。保育に従事する男性保育者を通称「保父」と呼んでいましたが、法令上の呼称は「保母」であるため、男性保育者から法の改正が求められていました。1998（平10）年に法が改正され「保育士」と改められました。

資格の取得に当たっては、厚生労働大臣が指定した保育士を養成する学校、その他の施設を卒業するか、都道府県が実施する保育士試験に合格しなければなりません。

児童福祉法18条4

> この法律で、保育士とは、第十八条の十八第一項の登録を受け、保育士の名称を用いて、専門的知識及び技術をもって、児童の保育及び児童の保護者に対する保育に関する指導を行うことを業とする者をいう。

〔保育士確保プラン〕

待機児童解消のために厚生労働省は2015（平27）年1月1 4日に「保育士確保プラン」を公表しました。

待機児童解消のために厚生労働は2015年「保育士保育プラン」を公表しました。平成29年末までに国全体として必要な保育士の数69,000人の保育士を確保するために新たな取組を実施しました。

- 保育士試験の年2回実施の推進
- 保育士に対する処遇改善の実施
- 保育士養成施設で実施する学生に対する保育所への就職促進を支援
- 保育士試験を受験する者に対する受験のための学習費用を支援

・保育士・保育所支援センターにおける離職保育士に対する再就職支援の強化
・福祉系国家資格を有する者に対する保育士試験科目等の一部免除の検討

従来の保育士確保実施についても、①人材育成、②就業継続支援、③再就職支援、④働く職場の環境改善を「4本の柱」として、引き続き確実に実施するとともに、保育士確保に関する関係機関等との連携強化や施策に関する普及啓発を積極的に行うなど、さらなる推進を図る

〔保育所〕

児童福祉法第39条の規定により保育を必要とする乳児・幼児を日々保護者の下から通わせて保育を行うことを目的とした施設です。保育所には、認可保育所と無認可保育所があります。認可保育所は、設置主体によって公立（市町村立）と私立（社会福祉法人）があります。児童福祉施設の設備及び運営に関する基準により、保育所の施設、設備、職員数などが決められています。また、保育所保育指針によって、養護と教育の両面から内容が示されています。女性の就労の増加や就労形態の多様化によって夜間保育や一時緊急型保育、時間延長保育など多様な保育サービスが行われています。

保育内容については、保育所保育指針に示され、「保育所保育に関する基本原則」として、保育所の役割・保育の目標・保育の方法・保育の環境・保育所の社会的責任等について明示されています。

〔保育所児童保育要録〕

保育所保育指針（平30年3告示）の「第2章保育の内容」の項に、「子どもに関する情報共有に関して、保育所に入所している子どもの就学に際し、市町村の支援の下に、子どもの育ちを支えるための資料が保育所から小学校へ送付されるようにすること。」とあります。右のような様式の参考例（A4）が示されています。こうした要録は、幼稚園から小学校へ、小学校から中学校へは児童指導要録として送付されています。

また、幼保連携型認定こども園においても、こども園教育・保育要領第1章総

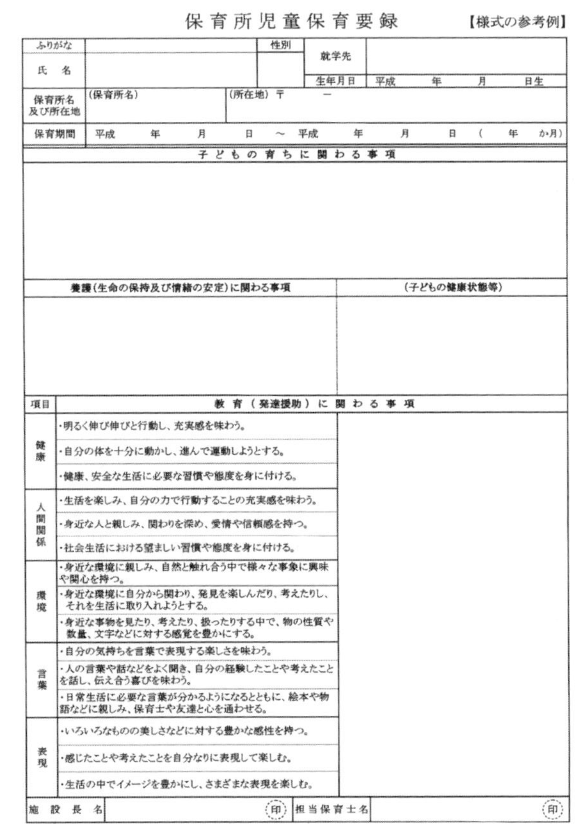

保育所児童保育要録　【様式の参考例】

ふりがな		性別	就学先	
氏　名			生年月日	平成　年　月　日生
保育所名及び所在地	(保育所名)	(所在地) 〒　－		
保育期間	平成　年　月　日　～　平成　年　月　日（　年　か月）			

子どもの育ちに関わる事項	
養護(生命の保持及び情緒の安定)に関わる事項	(子どもの健康状態等)

項目	教育（発達援助）に関わる事項	
健康	・明るく伸び伸びと行動し、充実感を味わう。	
	・自分の体を十分に動かし、進んで運動しようとする。	
	・健康、安全な生活に必要な習慣や態度を身に付ける。	
人間関係	・生活を楽しみ、自分の力で行動することの充実感を味わう。	
	・身近な人と親しみ、関わりを深め、愛情や信頼感を持つ。	
	・社会生活における望ましい習慣や態度を身に付ける。	
環境	・身近な環境に親しみ、自然と触れ合う中で様々な事象に興味や関心を持つ。	
	・身近な環境に自分から関わり、発見を楽しんだり、考えたりし、それを生活に取り入れようとする。	
	・身近な事物を見たり、考えたり、扱ったりする中で、物の性質や数量、文字などに対する感覚を豊かにする。	
言葉	・自分の気持ちを言葉で表現する楽しさを味わう。	
	・人の言葉や話などをよく聞き、自分の経験したことや考えたことを話し、伝え合う喜びを味わう。	
	・日常生活に必要な言葉が分かるようになるとともに、絵本や物語などに親しみ、保育士や友達と心を通わせる。	
表現	・いろいろなものの美しさなどに対する豊かな感性を持つ。	
	・感じたことや考えたことを自分なりに表現して楽しむ。	
	・生活の中でイメージを豊かにし、さまざまな表現を楽しむ。	

施設長名	印	担当保育士名	印

*「子どもの育ちに関わる事項」は子どもの育ってきた過程を踏まえ、その全体像を捉えて総合的に記載すること。
*「養護（生命の保持及び情緒の安定）に関わる事項」は、子どもの生命の保持及び情緒の安定に関わる事項について記載すること。また、子どもの健康状態等について、特に留意する必要がある場合は記載すること。
*「教育に関わる事項」は、子どもの保育をふりかえり、保育士の発達援助の視点等を踏まえた上で、主に最終年度（5、6歳）における子どもの心情・意欲・態度等について記載すること。
*子どもの最善の利益を踏まえ、個人情報保護に留意し、適切に取り扱うこと。

は行

則　第２教育及び保育の内容並びに子育ての支援等に関する全体的な計画等　２指導計画の作成と園児の理解に基づいた評価　(4）のイ「評価の妥当性や信頼性が高められるよう創意工夫を行い、組織的かつ計画的な取組を推進するとともに、次年度又は小学校等にその内容が適切に引き継がれるようにすること。」として、認定こども園においても「教育・保育要録」を作成することとなっています。⇒〔幼稚園幼児指導要録〕

〔保育所保育指針〕

旧厚生省によって1964（昭40）年、保育所における保育内容の指針として全国に通達したものが最初です。それには、保育所における保育は、養護と教育が一体となってなされることを示し、幼稚園と同じように教育が行われることを明示しました。それまで、保育所においては、子どもを安全に守るという面が強調され、幼稚園のような教育はしなくてもよいと考えられていました。その後、社会の変化と子どもを取り巻く環境の変化により平成元年幼稚園教育要領が改訂、告示され平成２年度より実施されることになりました。これを受けて旧厚生省は、1990（平２）年３月保育指針を改訂しました。

幼稚園教育要領・保育所保育指針等の変遷

年	幼稚園教育要領（文部省・文部科学省）	保育所保育指針（厚生省・厚生労働省）
昭和23	保育要領（幼児教育のてびき）	
25	学校教育法施行規則で「幼稚園の教育課程は保育要領を基準とする」と定める。	
28	「保育要領」を「幼稚園教育要領」と学校教育法施行規則の改正	「保育指針」刊行
31	「幼稚園教育要領」を刊行	
39	「幼稚園教育要領」改訂、告示	
平成 元	「幼稚園教育要領」改訂、告示（平2.4施行）	「保育所保育指針」を通知
10	「幼稚園教育要領」改訂、告示（平12.4施行）	「保育所保育指針」を通知
20	「幼稚園教育要領」改訂、告示（平21.4施行）	「保育所保育指針」改訂、告示
26	「幼保連携型認定こども園教育・保育要領」告示（内閣府）（平27.4施行）	
29	「幼稚園教育要領」改訂、告示（平30.4施行） 「幼保連携型認定こども園教育・保育要領」改訂・告示（内閣府）（平30.4施行）	「保育所保育指針」改訂、告示（平30.4施行）

〔保育施設等事故〕

内閣府こども家庭庁は2023年の保育施設における事故報告の結果を公表しました。対象は幼稚園や保育園、小学生を預かる放課後児童クラブ（学童保育）など約11万施設。自治体を通じて国への報告を義務づけている死亡や意識不明、全治30日以上のけがを負った重大事故を計上している。前年から311件増加し2772件で過去最多を更新しました。このうち死亡事故は９件（0歳４件、1･2歳で１件、小学生３件）あり前年から４件の増加です。事故の内容は骨折が最多で、2189件（前年比292件増）と全体の８割近くを占めました。

施設別の事故件数（死亡事故除く）は、認可保育園が最も多く1268件（78件増）、次いで学童保育が651件（86件増）でした。

〔保育内容〕

幼稚園や保育所において、保育のねらいを達成するため園生活の中で展開されることが望まれる内容のことです。保育内容は、時代とともに変化してきましたが、現在は幼稚園教育要領において、国の定める基準として公示されています。保育所では、保育所保育指針において厚生労働大臣の告示として出されています。幼稚園教育要領においては、「健康」「人間関係」「環境」「言葉」「表現」の五領域別にねらい、内容、内容の取り扱いとして示されています。保育所保育指針では、「養護に関わるねらい及び内容」と「教育に関わるねらい及び内容」からなり、養護に関わるものとして、「ア　生命の維持　イ　情緒の安定」のそれぞれのねらいと内容が示され、教育に関わるものとして、「健康、人間関係、環境、言葉、表現」の５領域のねらい・内容が示されています。これらを踏まえて行われる日々の保育では、それぞれの園や地域の実態を踏まえて、子どもたちにとって楽しく充実した園生活が展開できるよう具体的な保育内容を絶えず創造することが必要です。

〔保育日誌〕

自分が担当する子どもの出欠・健康、家庭との連絡事項、クラスの出来事、子どもの園生活の状況等を記入した日誌です。様式は一定のものはありませんが、一人一人の子どもについて日々の保育状況、活動状況について記入し、常に子ども理解、指導方法の改善、環境構成に努めるようにすることが大切です。

〔保育４項目〕

1899（明 33）年、幼稚園に関する我が国最初の国家規程として「幼稚園保育及設備規程」が定められました。その第６条の中で、保育内容が「遊嬉（ゆうぎ）、唱歌、談話及手技」の４項目に整理されて示されました。わが国で最初に設置された東京女子師範学校附属幼稚園では、フレーベルの恩物を中心とした保育が行われ、その教育内容と方法が以後に設立されていった幼稚園のモデルとなりました。しかし恩物中心の保育は、幼児の実態にそぐわないという批判も出るようになり、恩物を用いた保育は、「手技」として最後におかれることになりました。「遊嬉」を一番最初に持ってきたことも、幼児の立場から考えられたことです。「遊嬉」は、「随意遊嬉」と「共同遊嬉」の二つに分けられました。「随意遊嬉」は、一人一人の幼児がそれぞれに運動することで、「共同遊嬉」は、歌曲に合わせてみんなで、いろいろな運動をするとしています。「唱歌」は、平易な物を歌わせて、聴くこと、発声、呼吸の仕方などを練習して「発育を助けるとともに明るく快活に徳性を涵養（かんよう）する。」とあります。「談話」は、有益で興味のある事実、寓話とし、「徳性を涵養するとともに、注意力や観察力を養い、合わせて正しい発音や言葉を練習させる。」とあります。「手技」は、幼稚園恩物を用いて、「手や眼を練習し心意発育に資する。」としています。

〔ホイジンガ（1872 ～ 1945）〕

オランダの文化史家です。1938 年に刊行された『ホモ・ルーデンス』では、人間存在の根源的な様態を、「人間は遊ぶ存在である」として理解し、文化現象としての遊びを文化史的に検討しました。このことは、保育研究に止まらず、他の分野や領域における遊びの概念や領域の研究に大きな影響を与えています。

〔ボウルビィ（1907～1990）〕

ケンブリッジ大学で医学を学び、後に精神医学・心理学に関心を寄せ、児童精神医学の研究に従事しています。乳幼児期における母親あるいは母親に代わる人物との人間関係を重視し、この関係が親密にかつ継続的に行われ、心身ともに満足感、幸福感が得られる経験を持つことが、その後のパーソナリティの発達にとって重要であることを強調しました。このような愛情豊かな人間関係が欠如した状態を母性的養育の喪失（マタール・デブリベーション）と呼んでいます。人間的な関わりの中でみられる愛情の絆は、アタッチメントと呼ばれ、笑いかける、見つめ合う、抱く、体を揺する、一緒に遊ぶなどの愛情によって生じる働きかけを指しています。ボウルビィは、特にこのような豊かで人間的な関わりが、３歳までは重要であることを主張しています。

〔放課後児童クラブ〕（学童保育）

共稼ぎや、一人親の家庭等昼間に保護者が不在で小学生が放課後を過ごす生活の場です。児童福祉法で規定される「放課後児童健全育成事業」を市町村は実施しなくてはならない。児童福祉法第６条の３の２で「小学校に就学しているの児童であって、その保護者が労働等により昼間家庭にいない者」を対象とし、市町村が「放課後児童健全育成事業」として実施されています。平成27年から対象者を小学校全学年にし、特別支援学校小学部児童が対象となり、平成27年３月31日付けで「放課後児童クラブ運営指針」が策定されました。

全国学童保育連絡協議会の平成29年５月１日現在の実態調査によると次のとおりです。

平成29年５月１日現在、	利用する児童数	1,147,855人（前年比11,284人増）
	実施箇所	29,271ヶ所（前年比1,633ヶ所増）
	待機児童数	16,832人（前年比993人増）

となっています。

2018（平30）年９月14日に、厚労省、文科省は「放課後児童クラブ」（学童保育）の定員を2019～2023年度の５年間で30万人増やして、152万人分とすることを公表し、また、職員の配置も２人以上となっているが１人でも容認する（平30.1.19）ことになりました。小学校入学後預け先が見つからず保護者が離職する「小一の壁」を解消したいとしています。

〔放課後等ディサービス〕

６歳～18歳までの障害を受けている子どもたちの放課後や長期休暇中に施設で、個別の支援計画を作り、遊びや学習などを通して発達を支援することを目的とした施設です。学童保育を利用しづらい障害を持つ子どもの支援の場として2012年に制度化されました。約8,400か所、11万人が利用していますが、平成28年に運営指針が出され、今後厚生労働省は資格要件の整備等を検討しています。

〔母子健康手帳〕

母子健康法に基づき、母性の尊重かつ保護を図るとともに、乳児並びに幼児の健康の保持及び増進を目指すため、市町村又は政令市特別区の長が妊娠の届け出をした妊婦に対し、交付する手帳のことです。内容としては、妊娠中の経過や出産の状態、また、早期新生児期の経過に始まり、

は行

その後の各月齢・年齢時の健康審査や各種予防接種の記録などの項目が含まれています。
この手帳は妊婦・出産・育児に関する母と子の一貫した健康記録となるばかりでなく、手引きとしても役立ち、保健指導の際にも重要な参考資料として利用されるものです。

〔ホスピタリズム〕

広義の定義は、「病院や施設のように家庭生活とは異なる環境においてはっきり分かる子どもの発育障がいをいう」となっていますが、教育の場における定義（狭義）は、「両者（親と子）の愛着関係の欠落によって生ずる社会的に出る発達障がい」をいいます。これは、子どもの発達過程における比較的早期の母性的養育の欠如や歪みによって生ずるもので、子どもと母親との相互作用が原因なので、指導はその面から改善することが必要です。

〔ボタロー管（動脈管）〕

胎児期の血液循環で重要な役割を持つ管で、大動脈弓の左鎖骨下動脈起始部の反対側と肺動脈幹とを連絡している血管のことです。
この管を発見した人物の名前をとってボタロー管と呼ばれています。出生による肺呼吸の開始でこの管は機能を失い、生後1～6週間以内に閉鎖します。生後塞がってしまうべきこの動脈管がいつまでも開いていると、胎児期とは逆に、左心室から大動脈に出て体の各部に行くべき血液の一部がこの管を通って再び肺動脈に流れていきます。生後この管が閉鎖しないで開いたまま存続している状態を動脈管（ボタロー管）開存症といいます。

は
行

〔ボツリヌス菌〕

土壌中に広く分布し、体内で食中毒を起こす嫌気性菌です。食品中で菌が増殖し、そこで産生された外毒素を食品と一緒に摂取することによって腸管から毒素が吸収され、血流に乗って全身に至り、神経・筋接合部での神経末端に作用します。この為に全身の筋肉に麻痺が生じ、その予後は悪く、症例の約25%が10日以内に死亡します。潜伏期間は12～24時間位で悪心、嘔吐などの消化器症状に次いで麻痺症状が現れます。
ボツリヌス菌はSIDSの一要因であるとする考えもあるので、非加熱の食品（特に蜂蜜）を乳幼児に与える場合には注意が必要です。

〔補導〕

広義の補導とは、非行少年や不良行為少年を発見し、検査や調査をして関係機関に通告や送致したり、家庭・学校へ連絡し、注意や指導することを指しています。狭義には、非行少年には該当しませんが、自己または他人の徳性を害する行為をしている少年（不良行為少年）を発見し、注意・助言をしたり、保護者・学校などと協力して指導にあたることを指しています。これを少年警察活動といいます。主たる補導内容として、① けんか・乱暴、② 怠学、③ 家出・無断外泊、④ 飲酒・喫煙、⑤ 薬物濫用、⑥ 婦女誘惑・いたずら・不純異性交遊―― 多岐にわたっています。対策としては、街頭補導・少年相談などがあります。

〔ほふく室〕

ほふく室とは２歳未満児頃までの乳児がハイハイしたりつかまり立ちをしたり歩行の訓練をする部屋のことです。児童福祉施設の設備及び運営に関する基準第 32 条では「乳児又は満２歳に満たない幼児を入所させる保育所には、乳児室又はほふく室、医務室、調理室及び便所を設けること」とされています。そしてほふく室の面積は乳児又は２歳に満たない幼児一人につき 3.3 平方メートルであることとされています。

〔母乳栄養〕

乳児の栄養法の一つで、母乳のみによるものを母乳栄養といいます。母乳栄養は、乳児にとって最も自然な栄養法であり、特に新生児にとっては理想的な食品です。

母乳は乳房から直接適切な温度でいつでも新鮮かつ清潔な乳を与えることができ、人工栄養のように器具の消毒や調乳などがなく、まったく自然です。さらに、母乳栄養の心理的側面を見ると母親と乳児が皮膚を触れ合うことは、母と児の自然な姿ということができます。また、早期の授乳は母乳分泌を促し、母子関係や母乳栄養の確立に有効であることなどが明らかになっています。

〔母乳栄養児便〕

母乳栄養で養育されている乳児の便で、色は卵黄色、硬さは軟膏様で酸臭があり、放置すると便中のビリルビンが酸化し、緑色になることがあります。一方、人工栄養児の便はやや硬く、有形で不快な便臭があるとされていましたが、最近の粉乳は母乳に近づくように調整されているので、両者の便にはかつてほどの大きな差は見られなくなってきています。

〔哺乳(ほにゅう)反射〕

新生児は一連の反射によって哺乳を行っています。これらの反射は新生児期に最も強い反応を示し、生後２～３か月以降は随意的な哺乳運動が見られるようになります。

① ルーティング反射（乳さがし反射、乳探索反射）：新生児の頬または口角部に軽く圧を加えると、児は刺激の方向に頭を回転し、口を開く反射運動を示します。

② 口唇の捕捉反射：ルーティング反射に次いで、与えられた乳首を口唇及び舌によって捕捉する運動が起きます。

③ 吸啜反射：口腔内に陰圧を作って乳汁を吸い込む動作と舌や口蓋で乳首や乳房を圧迫する運動の二つの要素から成り立っています。

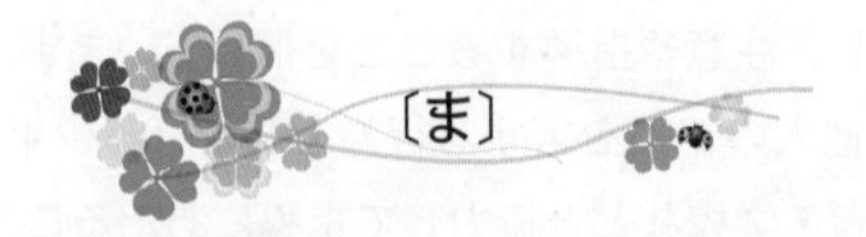

〔マイコプラズマ感染症〕

マイコプラズマとは細菌より小さく、細菌に類似していますが細胞壁の欠如した生物のことをいいます。現在までに人から分離されたマイコプラズマは８種で、代表的なものがヒトに肺炎を起こす肺炎マイコプラズマです。

肺炎マイコプラズマに感染すると２～３週間で徐々に、あるいは急速に発症し、発熱、咳嗽、喀痰などの症状を現します。治療には抗生剤が有効で、治療後の経過は良好です。通常5歳以後、10～15歳に多く見られ、感染力は弱いですが、飛沫感染による家族内感染や再感染も起こります。

〔マカレンコ、A. C.（Anton Semynovich Makarenko 1888-1939）〕

ウクライナ出身の、旧ソビエト連邦で活躍していた教育者・作家で、1920年、未成年不良児の保護施設をつくり、少年たちの更生教育の実践を通して、集団主義教育の理論を構築しました。

彼の集団主義教育理論は、幼児期における遊びを重視し、その遊び集団を仕事の集団へと組織化していくこと、その上で、生産労働を基礎においた望ましい生徒集団の中で、集団主義的な規律や生活スタイル、態度を形成していくことを目指しており、ソビエトの社会主義の発展に寄与する人物を養成することが教育の目的となっていました。その中で、集団の発展段階、生徒の自治を前提とした集団の内部組織、個々の生徒の動機・意欲を社会的関心に結びつけ発達させていく「見通し路線」の理論などの、体系的な実践理論を作り上げています。マカレンコの集団主義教育は、日本でも数多く翻訳され、日本の集団主義教育の発展に大きな影響を与えました。

〔マザーリング〕

リブルは、マザーリングという一般用語を学問的に説明を加えました。彼は「乳児は生来的に母親との接触を求める要求を持つものであって、親密な母子の接触が乳児の発達を促進させる」と述べ、「乳児は誕生直後から母性的人物によって、やさしく触れられ抱かれなければならない」と意義づけました。「乳児期におけるマザーリングが欠落すると、乳児は良い環境で十分な栄養が与えられても、次第に消耗し、死に至ることもある」ともいっています。

マザーリングとは簡単にいいますと、「乳児に対する母性的愛撫」のことですから、特に保育に関係する教師は、乳幼児との対応に配慮して欲しいものです。

〔麻しん（はしか）〕

はしかのことです。麻しんウィルスによる感染症の強い熱性発しん性疾患で、一度かかると終生免疫ができて二度とかかることはありません。乳幼児期の最も重要な感染症で、ときに中耳炎や肺炎などの重篤な合併症を併発し、かつては死に至ることもありました。感染後10日程の潜伏期を経て38℃前後の熱が2～3日続きます。初めは風邪のような症状で、食欲不振、目脂、くしゃみ、咳などのほか、咽頭が赤くなったり、特有の口膣粘膜しんが見られたりします。その後発しんが耳後・頸部に現れ、額、胸に続いて背中、腹部、腰部に広がり3～4日すると手足の先にまで及びます。しかし、最近では予防接種の施行によりその有効性が現れ始めています。

〔マールブルグ病〕

感染症予防法の一類感染症に分類されるウィルス性出血熱です。アフリカから実験用動物としてドイツのマールブルグ研究所へと送られたアフリカミドリザルから研究員に感染し、数名が死亡したことからマールブルグウィルスと命名されました。アフリカ中東部・南アフリカなどでまれに発生し、症状はエボラ出血熱に類似していますが比較的軽症であるとされています。ウィルスの自然宿主はいまだ不明ですが、上記の通りサルへの感染力及びサルからヒト、ヒトからヒトへの感染力があるので患者・感染動物の血液・体液の取り扱いには注意が必要です。

〔マルトリートメント〕

虐待の新しい定義としてマルトリートメントという概念が一般化しています。「マルトリートメント」は、大人の子どもに対する不適切な関わりを意味しており、虐待より広い概念です。マルトリートメントでは、虐待者を親または親に代わる保護者に限定せず、大人あるいは行為の適否に関する判断の可能な年齢の子ども（およそ 15 歳以上）とし、例えば、学校・塾などの教師や保育所の保育士などによる体罰など、家庭外での不当な行為もマルトリートメントとしています。さらに、従来の虐待の定義では、心身の問題が生じている場合のみとされてきましたが、明らかに危険が予想されたり、子どもが苦痛を受けている場合も含めています。

〔満３歳児保育〕

幼稚園は、学校教育法第 26 条において「幼稚園に入園することのできる者は、満３歳から小学校就学の始期に達するまでの幼児とする。」と述べています。この条文によれば、制度的には満３歳での就園は可能です。しかし、従来からは４月に入園することが通例となっており、満３歳に達した後、随時入園した者に対しては、国の助成の対象にはなっていませんでした。しかし、近年少子化が進行する中で、遊び相手や集団活動を求めて低年齢から短時間の集団保育を望む保護者のニーズが強まり、満３歳に達した時点での幼稚園入園について期待が高まってきました。そこで、文部省（現文部科学省）は、2000（平 12）年度に幼稚園就園奨励費補助金の対象を拡大し、満３歳に達した時点で随時入園する者も補助対象に含めました。また、満３歳児入園について望ましい保育内容や留意事項についての研究を平成 12 年度から実施し、2001（平 13）年度３月に策定された「幼児教育振興プログラム」においても、入園を希望するすべての満３歳児の就園を目標に条件整備を推進し、各都道府県で１地域以上実施されることを目標に、核となる実践研究を推進することとしています。

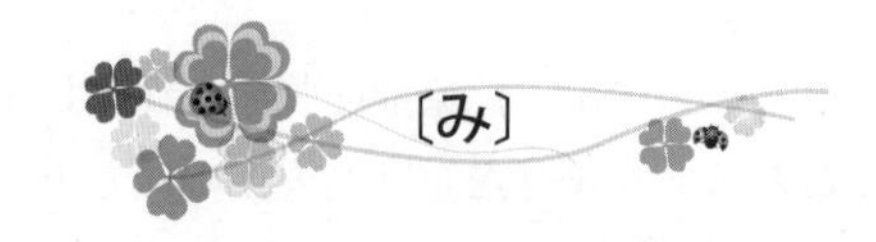

〔未就園児〕

まだ、幼稚園や保育所などの集団保育施設に入園していない子どもを総称して未就園児と呼んでいます。近年、少子化対策や保護者の子育て支援の立場から、幼稚園等において未就園児を対象に園を開放したり、さまざまな園行事に招待したりすることが多くなってきています。未就園児を対象に行う場合は、保護者同伴で登園し、親子で保育室で自由に遊んだり、在園児と交流したりします。在園児の保育時間に行う園開放には、原則として保育者は関わりません。土曜日などの休業日に行う園開放では、保育者の合法的な勤務形態の元で保育者も環境を整えたり、遊びの援助をすることがあります。最近では、未就園児の活動に参加する子どもたちの年齢も低年齢化し、１歳半くらいから保護者とともに登園するようになってきました。保護者も園開放に参加することで、子育てのことを話し合う仲間ができたり、近隣での遊びにもつながっていくようです。

〔未熟児〕

従来のWHO（世界保健機関）定義では在胎期間に関係なく、出生の体重が2,500 g未満の新生児を未熟児と定義していましたが、早産の低体重は当然として、正期産（在胎期間37～42週）でもまれに過期産でも体重が少ないこともあることから、出生時の体重が2,500 g未満の新生児を改めて低出生体重児、そして在胎28週未満、または出生体重が1,000 g未満の新生児を超未熟児と定義しました。しかし、未熟児という単語は低出生体重児と同じ意味合いで現在でも一般的に使用されています。

〔水痘（みずぼうそう）〕

全身の皮膚、口腔粘膜に水疱を生ずるヘルペスウイルスによるものです。感染から10日～20日の潜伏期を経て発症します。感染力は水疱のあらわれる約1日前から発疹が全部痂皮（かさぶた）化するまでが強いです。かゆみが強く、掻くと化膿しやすいです。登園停止期間は全水疱が痂皮化するまでです。白血病やネフローゼで治療中の患児、免疫不全の状態の子どもが罹患すると重篤になります。この場合、予防接種を行うことが大切です。アシクロビールは本症に有効な抗ウイルス剤です。

〔見立て〕

子どもが、いろいろな物を理解していく過程で、そこには実物がなくても自分の体の動きや身近にあるおもちゃなどを用いてそのものを表そうとする行為をいいます。イギリスの心理学者ローウィによれば、見立て行為は、次のような発達過程をとるといわれます。12か月：空のコップで飲むまねをする、15～18か月：長い棒をスプーンに見立て、空のコップをかき混ぜる、21か月：人形を人に見立て、空のコップで飲ませる、30か月：遊びに必要な物でそこにない物を求めたり、代用物を必要品に見立てて使う、36か月：人形を家族の一員として家事をする。――このことから、見立て行為は自己関係的なものから操作的なものへと変容していくこと、21か月頃が変容の分岐点にあたること、また、見立て行為とシンボル（言葉）の習得過程とが基本的に対応していることが指摘されています。

〔脈拍〕

心臓の拍動に従って動脈中に生じる圧の変動を脈拍といいます。脈拍の触診は古くから行われていた検査法の一つで、日常よく測定に用いられるのは橈骨動脈です。測定は橈骨動脈の上に検査者の示指、中指、薬指の三指を置き、1分間の脈拍数を測定します。脈拍数は、乳児では毎分120回、幼児では毎分100回前後のことが多く、以後次第に減少し、成人では毎分60～80回となります。成人で毎分100回以上の脈拍数の場合を頻脈といい、反対に毎分60回以下の場合を徐脈といいます。脈拍数は運動、食事、精神的緊張などで増加するので注意が必要です。

〔民生委員〕

民生委員は、厚生労働大臣から委嘱され、それぞれの地域において、常に住民の立場に立って相談に応じ、必要な援助を行い、社会福祉の増進に努める方々であり、「児童委員」を兼ねています。委員の任期は3年で、再任も可能です。児童委員は、地域の子どもたちが元気に安心して暮らせるように、子どもたちを見守り、子育ての不安や妊娠中の心配ごとなどの相談・支援等を行います。

また、一部の児童委員は児童に関することを専門的に担当する「主任児童委員」の指名を受けています。

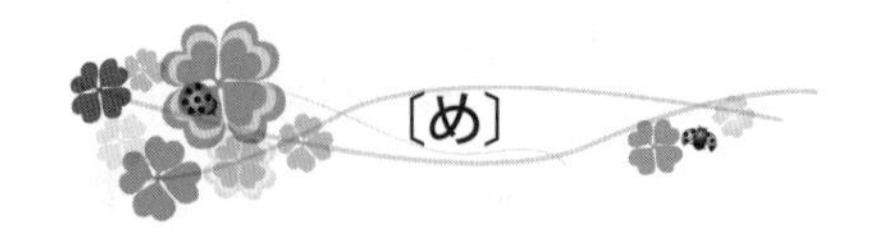

〔滅菌〕

対象とする物体に付着もしくは混入している病原性又は非病原性の微生物（ウィルス・細菌・芽胞・真菌類）を完全に死滅させるか除去することです。滅菌された状態を無菌といいます。

その方法としては、① 理学的方法である焼却法、火炎法、煮沸消毒法、高圧蒸気滅菌法や紫外線の照射、② 化学的方法であるガス滅菌法、薬物消毒法―― などがあります。②でよく利用される消毒薬にはアルコール及びアルデヒド製剤、クロル化合物製剤、ヨウ素及びヨウ素化合物製剤、石灰酸及びクロルフェノール製剤、陽性石鹸製剤などがあります。

〔メラトニン〕

メラトニンは、朝起きて16時間くらいして暗くなると出てくるホルモンです。脳の松果体が夜になるとメラトニンの分泌を促進させメラトニンの血中濃度を高めて眠くなります。メラトニンの働きとしては、第1に抗酸化作用があります。第2には、リズム調整作用（鎮静、催眠）があります。第3には、性的な成熟の抑制です。メラトニンは、1歳から5歳に一番多く分泌されるホルモンです。「子どもは、メラトニンシャワーを浴びて成長する」と言えます。子どもたちが夜更かしをして夜明るい環境で過ごす時間が長いと、本来浴びるべきメラトニンシャワーを浴び損ねるということが心配されます。子どもたちの寝る時間とメラトニンの濃度の関係を調べると就寝時間の遅い子は、早く寝る子に比べて朝のメラトニンの濃度が低い傾向にあるということが分かっています。

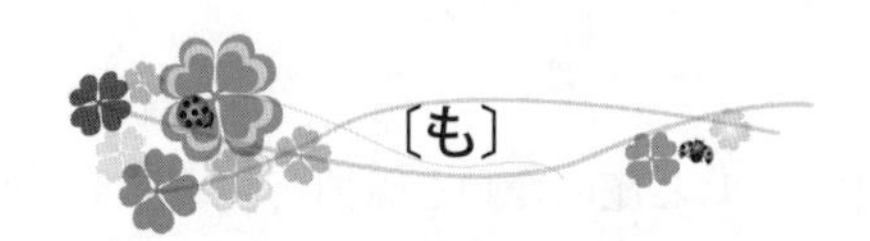

〔文字環境〕

「数量や図形、標識や文字などへの関心・感覚」「標識や文字などに親しむ体験を重ねたり、標識や文字の役割に気づいたりし、自らの必要感に基づきこれらを活用し、興味や関心、感覚を持つ」これは、幼稚園教育要領第一章総則第二項幼稚園教育において育てたい資質・能力及び「幼児期の終わりまでに育って欲しい姿」の一部分です。また、「子どもが日常生活の中で文字などを使いながら思ったことや考えたことを伝える喜びや楽しさを味わい、文字に対する興味や関心を持つようにすること」保育所保育指針第二章保育の内容の一部です。幼稚園・保育所では、文字そのものについての指導は基本的には行いませんが、子どもの生活の中で文字に触れるような環境の整備、文字に対する興味・関心を育てる保育は大切な保育活動です。

〔模範幼稚園〕

大阪で最初に設置された幼稚園のことです。大阪府女子師範学校附属幼稚園（現大阪教育大学教育学部附属幼稚園）の前身といわれています。大阪府では、1876（明９）年の文部省年報によると、子守学校と呼ばれていた児傳学校、小学校の裁縫教場に付設された女紅場（にょこうば）で幼児教育が始められていました。当時の大阪府知事渡辺昇は、幼児教育に関心が深く、専門の知識を持った保母（保育士）による幼稚園教育の必要性を感じ、1878（明 11）年に保母（保育士）見習いとして小学校教員氏原鋹と木村末の２名を東京女子師範学校附属幼稚園へ派遣しました。府費によって見習いを終えた２名の保母（保育士）によって、全国で２番目の幼稚園として明治 12 年５月に開園されました。３歳以上５歳までの男女児 48 名を集め、開園式を行いました。模範という名の通り、これから各地に設定されるモデルとして、当時の最新の設備を備えていたようです。保育の内容は、当時の東京女子師範学校附属幼稚園に準拠したものと考えられ、恩物を中心とした保育が行われました。当時は、保育を開誘、保育室を開誘室といいました。また、保母（保育士）養成も行い、修了生によって大阪府下に幼稚園を広めようとしました。その後、渡辺知事の栄転後府会議員の理解が得られず経費支出を否決され、1880（明 13）年６月に設立された愛珠幼稚園の盛況から府立幼稚園は不必要とされ、1883（明 16）年７月に廃園となりました。

〔モロー反射〕

新生児特有に見られる原始反射の一つで、脊髄・橋レベルの反射のことです。新生児が驚いた時など、肘関節を伸展し、手を開き、上肢を外排し、その後上肢を屈曲し、抱きつくような手の動きをして元に戻ります。こうした行為は生まれながらに持っている反射行為で、原始的反射或は生得的反射行為と呼んでいます。⇒原始反射

〔モンテッソーリ（1870 ～ 1952)〕

モンテッソーリ教具を考案し、1907 年にローマ市からの委嘱で「子どもの家」を創設し、ここで３歳から７歳までの幼児を対象として、感覚教具を用いる教育法、モンテッソーリ・メソッドと呼ばれる教育方法を樹立しました。最初は、知的障害の子どもの研究と治療に取り組み、後に幼児教育の道に進みました。モンテッソーリは、どのような子どもでも発達する力を内部に持っているという考えに基づき、教育者は子どもの環境を整え、子どもをよく観察し、子どもの自由な自己活動を尊重し、援助することが大切であるとしています。さらに、幼児期に、精神的発達の基礎として、感覚の訓練が特に重要であるとの観点から教具を作りました。この理論と実践がモンテッソーリ・メソッドと呼ばれるものです。これは、その後欧米各地の幼児教育者に注目され普及していきました。我が国には、明治期に紹介されたが、定着するには至らず、戦後になって注目され、研究されるようになりました。現在、モンテッソーリ教育法を取り入れた幼稚園もあり、その教員を養成する講習会や研究会が行われています。モンテッソーリの主著には、『幼児の秘密』『子どもの発見』『モンテッソーリ・メソッド』などがあります。

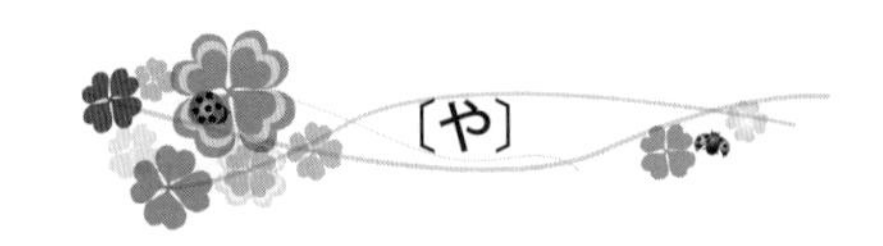

〔や〕

〔夜間保育〕

夜間の保育については、特別保育事業の一つとしての夜間保育とトワイライトステイとしての夜間保育があります。特別保育事業としての夜間保育には、「保育所は、多様化する保育需要に積極的に対応するとともに、地域に開かれた社会資源として、保育所の有する専門的技能を地域住民のために活用…（厚生労働省保育所地域事業実施要綱の趣旨より）」とあり、夜間保育推進事業が図られています。「夜間保育所の設置認可等について」（平 13. 3.30 児発 298）によると夜間保育所は定員 20 人以上とし、夜間、保護者の就労等により保育に欠けるとき、市町村が行うとされています。開所時間は原則として概ね 11 時間とし、午後 10 時までとされています。

〔夜尿（やにょう）〕

一般に「おねしょ」と呼ばれるもので、睡眠中に無意識的に排尿する行為を夜尿といい、毎晩や週に数回の夜尿を「夜尿症」と呼びます。人は 3 ～ 4 歳で膀胱機能の調節を獲得するとされているので 3 歳頃までは生理的と見なされますが、この年齢以降の小児が無意識に排尿するのを遺尿症といい、これが主として夜間に現れるので夜尿症といいます。

小児の 5 ～ 6 %に見られ、その大多数は思春期が近づくにつれて消失します。「起こさず、焦らず、怒らず」を原則として気長に対処するのが望ましいようです。

〔ヤングケアラー〕

法律上の定義はありませんが、一般的に本来大人が担うべき家事や家族の世話を日常的に行っている子どものことをいいます。

「ヤングケアラー」とは、両親のどちらかが離婚・死別によりいない、あるいは仕事などで忙しい場合、子どもが介護を担わざるをえなくなる状況になり、要介護状態の家族のために大人が担うような介護の責任を引き受け、家事や家族の世話、感情面のサポート（介護）も行っている子どもや若者のことです。また、要介護状態の祖父母世代と同居している場合、親世代に代わり子ども世代が介護のサポートをする・引き受けるという状態も増えています。ヤングケアラーの現状、これらの家族の介護により、友人関係が稀薄になりがちで孤立してしまう。あるいは進学や就職を断念せざるを得なくなってしまう、といったケースが頻発しており、ヤングケアラーをめぐっては、近年その問題性が強く指摘されています。ケアの内容としては「家事」が最も多く、力仕事、外出時の介助・付き添い、感情面のサポートと続いており、直接的に行う介護だけでなく、多様なケアを担っていることが明らかになっています。

大阪市の全市立中学生に対するヤングケアラー実態調査の結果　※ 複数回答可

2022 年 7 月 15 日毎日新聞

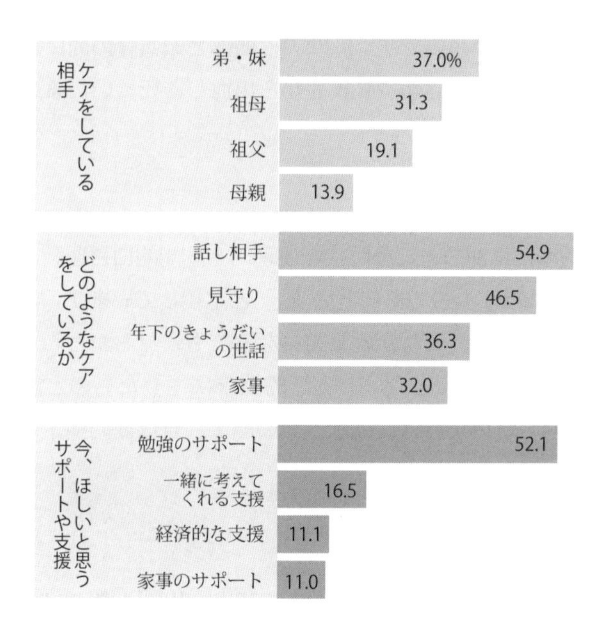

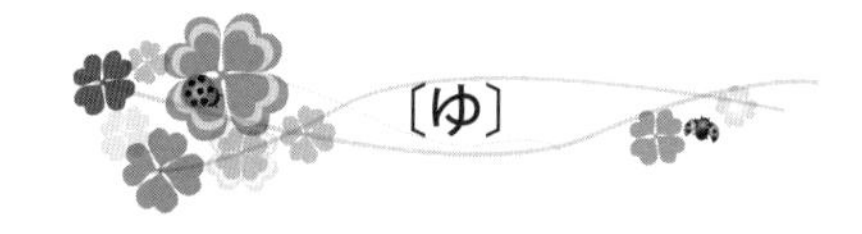

〔誘導保育〕

倉橋惣三の著書『幼稚園真諦』の中で、倉橋の幼児教育論として誘導ということが述べられています。そこでは、幼児の保育は、幼児のありのままの生活を生かすことから始め、保育者が子どもを引っ張るのではなく、子どもの興味に即して、保育者が子どもの活動を方向づけることが誘導であると述べています。倉橋惣三によって提唱された保育方法としての「誘導保育」は、保育の過程を「自己充実（設備・自由）－充実指導－誘導－教導」の四つの段階に分けています。「自己充実」は、保育者の幼児の自己充実の力への信頼を前提とし、幼児自身によってそれがなされるように、環境を整え、その自由を保障することに重きがおかれます。そして、自己充実したくてもできない場合には、それを助け指導する「充実指導」が必要になるといっています。こうした「自己充実」「充実指導」を保育の基本として、さらに幼児の興味を一人一人の事物への興味から生活全体に対する興味へと展開させるような「誘導」の必要性を説きました。最後に保育者が先に立って知識や技術を教える「教導」がされます。幼稚園では、最後のごくわずかなものであるといっています。この誘導保育の考えに立って、1935（昭 10）年「系統的保育案の実際」が編集され、幼稚園における保育案作成に大きな影響を与えました。

〔ゆさぶられっこ症候群〕

ゆさぶられっこ症候群とは、乳幼児の頭や頚部に手を添えることなく強く揺さぶることにより、頭と頚部が強く動揺し、結果として頭蓋内出血が引き起こされるもので、その予後は悪く、死亡や脳性まひ・精神運動発達遅滞・視力障害などの後遺症をおこすことがあります。ゆさぶられっこ症候群は 1974 年アメリカにおいて、虐待のひとつの形として報告され、普段の子育ての中にも「高い・高い」等ゆさぶられっこ症候群の原因になる場合もあります。

保育中の過度なゆさぶりやあやしには注意が必要です。乳幼児は頭部と頭蓋骨の間にかなりの隙間があり、頭が強く揺さぶられると頭蓋骨内の静脈や脳表面から出血し、死にいたることもあります。

〔指しゃぶり〕

フロイトは、「初期幼児性欲を口唇的満足に認め、この時代の生理的・本能的口唇運動の要求についての障害が、後の人格発達に影響を及ぼすものであるという。」と定義しています。乳児期の指しゃぶりは多くの場合、自然に消失しますが、これが就学前になっても、なお癖として存在するときは、問題視する必要があります。一過性の場合は、本能的欲求に従ったものと解釈されます。就学前になっても、癖として固執してい場合は、欲求不満の結果、自己愛的満足に退行しているものと考え、心理的指導が必要です。

〔ユネスコ（UNESCO）〕

国際連合教育科学文化機関（United Nations Educational Scientic and Cutural Organigation）の略で、1945年に国際連合の専門機関として創設され、日本は1951（昭26）年に60番目の加盟国となります。ユネスコの役割は、さまざまな人びとの異なった文化や思想を理解し、国や民族を超えて相互に認め尊重しあう人びとが協力することを学び、友情と連帯の心を育て、共に生きる平和な地球社会を作っていくこととされています。

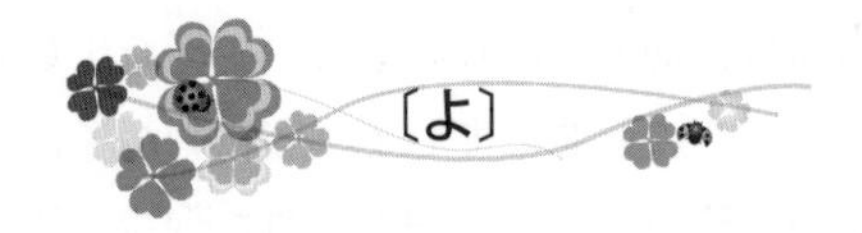

〔よい保育施設の選び方10か条〕

両親が働いている場合などでは、その時間帯に子どもを預ける保育施設が必要になります。保育施設は、子どもが生活時間の大半を過ごすところで、その環境や保育内容によっては、子どもの安全や健康面だけでなく、健全な発達にも影響を与えることがあります。そのため平成12年厚生労働省ではよりよい保育施設を選ぶときのチェックポイントをつくりました。2001（平13）年度からは、母子健康手帳の副読本にも掲載されています。10か条の項目は次の通りです。

●保育施設の選び方10か条

① まずは情報収集を――市区町村の保育担当課で、情報の収集や相談をしましょう。

② 事前に見学を――決める前に必ず施設を見学しましょう。

③ 見た目だけで決めないで――キャッチフレーズ、建物の外観や壁紙がきれい、保育料が安いなど、見た目だけで決めるのはやめましょう。

④ 部屋の中まで入って見て――見学のときは、必ず、子どもたちがいる保育室の中まで入らせてもらいましょう。

⑤ 子どもたちの様子を見て――子どもたちの表情が生き生きとしているか、見てみましょう。

⑥ 保育する人の様子を見て――保育する人の数が十分か聞いてみましょう・保育士の資格を持つ人がいるか聞いてみましょう・保育する人が笑顔で子どもたちに接しているか、見てみま

しょう・保育する人の中には経験が豊かな人もいるか、見てみましょう。

⑦ 施設の様子を見て――赤ちゃんが静かに眠れる場所があるか、また、子どもが動き回れる十分な広さがあるか、見てみましょう・遊び道具が揃っているかを見て、また、外遊びをしているか聞いてみましょう・陽当たりや風通しが良いか、また、清潔か、見てみましょう・災害のときのための避難口や避難階段があるか、見てみましょう。

⑧ 保育の方針を聞いて――園長や保育する人から、保育の考え方や内容について、聞いてみましょう・どんな給食が出されているか、聞いてみましょう・連絡帳などでの家庭との連絡や参観の機会などがあるか聞いてみましょう。

⑨ 預け始めてからもチェックを――預け始めてからも、折に触れて、保育の仕方や子どもの様子を見てみましょう。

⑩ 不満や疑問は率直に――不満や疑問があったら、すぐ相談してみましょう。誠実に対応してくれるでしょうか。

〔要求水準〕

ホッペは、「成功と失敗」を研究し、成功や失敗の体験は客観的な成績が到達できたかどうかでなく、主観的な要求水準が達成されたかどうかで決まることを明らかにしました。要するに、何かをしようとするときに、これだけは成し遂げたいという、期待・決心・願望の程度をいいます。要求水準が能力を上回ると結果は失敗に終り、そのような経験の累積は、成功や社会的承認の欲求を満たさず、子どもを劣等感に追いやることになります。年少児では親が要求水準をあてがう場合、子どもの能力に適した水準を与えないと問題が生じます。あまり高い水準を与えると、自信を無くし、不安に怯えることになるので気をつけて接することが大切です。

〔幼児教育振興プログラム〕

幼児教育振興施策の効果的な推進に向け、幼稚園教育の条件整備を中心とする総合的な実施計画を検討してきた文部科学省は、2001（平13）年3月29日、「幼児教育振興プログラム」を策定しました。このプログラムは、中央教育審議会報告「少子化と教育について」を受けて設置された協力者会議での具体的な施策を踏まえて策定されたものです。実施期間は、2001（平13）年度から17年度までの5年間、更に2006（平18）年度から2010（平22）年度までの5年間のプログラムが出されました。プログラムの基本的な考え方は、地域社会の中で、家庭と幼稚園が十分な連携を図り、幼児一人一人の望ましい発達を促していく教育環境の整備を重視しています。幼稚園については、① 集団生活を通して「生きる力」の基礎や小学校以降の生活・学習の基礎を培う、② 地域の「親と子の育ちの場」として機能する幼児教育センター的役割、③ 小学校との連携、④ 保育所との連携――を求めています。また、家庭教育の重要性について見つめ直し、考える機会の提供や、体験活動の機会の充実など、地域で子どもを育てる環境の整備を図るとしています。

〔幼児理解〕

幼児期の保育を考えるとき、幼児理解は保育者の重要な役割の一つです。幼児を理解することから保育が始まるといってもよいでしょう。幼児を理解するといっても、幼児の行動を分析して、その意味を決めつけて解釈したり、年齢段階での一般化された姿に幼児を当てはめて優劣をつけるものではありません。目の前にいる一人一人の幼児と直接に触れ合いながら、幼児の言動や表情から、その幼児の良さや可能性、発達する姿、心の動きなどを受け止め、理解しようと努力することです。幼児と生活をともにしながら、表面に表れた行動から内面を推し量ってみることや、内面に沿っていこうとする姿勢が大切です。また、集団における幼児の活動を捉えることも必要です。そのためには、幼児がこれまで生活や遊びでどのような経験をしているのか、今の活動はどのように展開してきたかなど、時間の流れを理解することと、自分の学級の幼児がどこで誰と何をしているのかといった集団としての動きを空間的な広がりで捉えることが大切です。これらの理解には、幼稚園生活だけでなく、家庭との連携を図り入園までの生活経験や毎日の家庭での様子などを把握することも大切です。

〔陽性石鹸（せっけん）（逆性石鹸）製剤〕

皮膚への刺激性がなく、腐食性も少ないことから消毒薬として広く活用されています。手指の殺菌・消毒や創傷の殺菌・消毒の他、食器、器具、家具などの消毒に用いることができます。使用時は必ず目的に合った濃度に薄めて使用します。ただし、汚物などの蛋白質や陰性石鹸成分があると効力が低下するので、それらが付着したままでは用いることはできません。塩化ベンザルコニウム（オスバン液）、塩化ベンゼトニウム（ハイアミン液）という名称で市販されています。

〔幼稚園教育振興計画〕

文部省（現文部科学省）が、1964（昭39）年度から幼稚園教育の普及・充実に資するために行った計画的整備をいいます。振興計画は、第一次から第三次まであります。第一次振興計画は、1971（昭46）年度末までに、人口1万人以上の市町村における就園率を63.5%までに高める目標を達成し、第二次振興計画では、1971（昭46）年8月の中央教育審議会の答申に沿って基本方針が示され、1973（昭48）年度から1982（昭57）年度当初までに幼稚園に入園を希望する全ての4，5歳児を就園できるよう計画的整備が行われました。第三次の振興計画は、1991（平3）年度から10年間に入園を希望する全ての3～5歳児を就園させることを目標としました。この振興計画の一環として、父母の経済的負担を軽減するため、市町村が国の補助を受けて入園料、保育料を減免する「幼稚園就園奨励事業」や「経常費助成費国庫補助」「施設整備費補助」などの制度が設けられました。

第2期幼稚園教育振興計画が2013（平25）年6月に閣議決定され、幼稚園設置の促進、就園奨励費の充実、幼稚園教育要項の実施などが示されました。

〔幼稚園教育の基本〕

「幼児期の教育は、生涯にわたる人格形成の基礎を培う重要なものであり、幼稚園教育は、学校教育法に規定する目的及び目標を達成するため、幼児期の特性を踏まえ、**環境を通して行うものであることを基本とする。**」と幼稚園教育要領（平29 文科告62）で規定され、「幼児とともによりよい教育環境を創造するように努める」とし、「次の3事項を重視して教育を行わなければならない。」としています。

1　幼児は安定した情緒の下で自己を十分に発揮することにより発達に必要な体験を得ていくものであることを考慮して、幼児の主体的な活動を促し、幼児期にふさわしい生活が展開されるようにすること。

2　幼児の自発的な活動としての遊び、心身の調和のとれた発達の基礎を培う重要な学習であることを考慮して、遊びを通しての指導を中心として第2章に示すねらいが総合的に達成されること。

3　幼児の発達は、心身の諸側面が相互に関連しあい、多様な経過をたどって成し遂げられていくものであること。また、幼児の生活経験がそれぞれ異なることなどを考慮して、幼児一人一人の特性に応じ、発達の課題に即した指導を行うようにすること。

とし、さらに

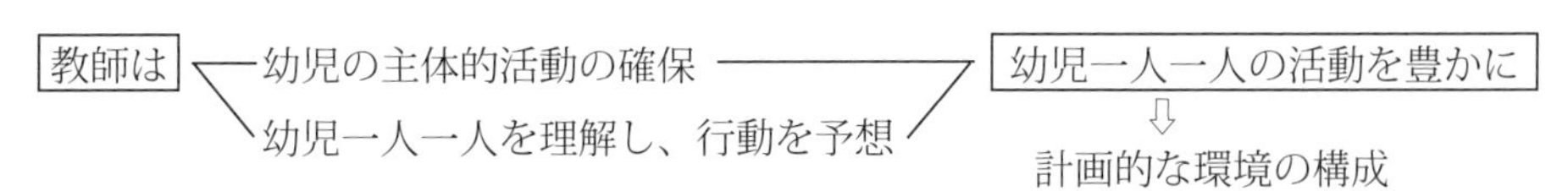

が示されています。

〔幼稚園教育要領〕

学校教育法第22条、同法施行規則第38条に規定されているように、幼稚園教育要領は、文部科学大臣が公示するもので、幼稚園の教育内容の国家的基準を示すものです。従って、各幼稚園において教育課程を編成し、指導計画を作成するためには、ここに示された内容に準拠することが法的に求められます。幼稚園教育要領は、1956（昭31）年に最初に告示されて以来1989（平元）年の改訂を経て、1998（平10）年改訂、更に2008（平20）年3月に改訂され今回平成29年3月に告示されました。平成元年の改訂では、幼稚園教育の基本は環境を通して行うことを明記し、幼児の発達の側面から五領域を設定しました。1998（平10）年の現行の教育要領では、幼稚園教育をめぐる状況の変化と時代の変化に対応した幼稚園教育の在り方を踏まえて基本理念の継承と充実、改善点の明確化が図られました。また、平20年の改訂では、第3章として指導計画及び教育課程に係る教育時間の終了後等に行う教育活動などの留意事項が示され、教育活動外に行われていた、いわゆる預り保育の位置づけがなされました。特に、幼稚園教師の責任と指導の下で実施されることとなりました。

平成29年3月告示の幼稚園教育要領では「教育基本法第一条に定める・・・」教育の目的と「教育基本法第二条に掲げる目標」を達成するよう行われなくてはならないとして

1）幅広い知識と教養を身に付け、真理を求める態度を養い、豊かな情操と道徳心を培うとともに、健やかな身体を養うこと。

2）個人の価値を尊重して、その能力を伸ばし、創造性を培い、自主及び自律の精神を養うとともに、職業及び生活との関連を重視し、勤労を重んずる態度を養うこと。

3）正義と責任、男女の平等、自他の敬愛と協力を重んずるとともに、公共の精神に基づき、主体的に社会の形成に参画し、その発展に寄与する態度を養うこと。

4）生命を尊び、自然を大切にし、環境の保全に寄与する態度を養うこと。

5）伝統と文化を尊重し、それらをはぐくんできた我が国と郷土を愛するとともに、他国を尊

重し、国際社会の平和と発展に寄与する態度を養うこと

五項目を挙げこれからの幼稚園には、学校教育の始まりとして、こうした教育の目的及び目標の達成を目指しつつ、一人一人の幼児が、将来、自分のよさや可能性を認識するとともに、あらゆる他者を価値のある存在として尊重し、多様な人々と協働しながら様々な社会的変化を乗り越え、豊かな人生を切り拓き、持続可能な社会のひら創り手となることができるようにするための基礎を培うことが求められる。

幼児期にふさわしい生活をどのように展開し、どのような資質、能力を育むようにするのかを教育課程において明確にし、社会との連携、協働、社会に開かれた教育課程の実現が重要であると述べ、幼稚園教育要領には次のように述べられています。

幼稚園教育要領とは、こうした理念の実現に向けて必要となる教育課程の基準を大綱的に定めるものである。幼稚園教育要領が果たす役割の一つは、公の性質を有する幼稚園における教育水準を全国的に確保することである。また、各幼稚園がその特色を生かして創意工夫を重ね、長年にわたり積み重ねられてきた教育実践や学術研究の蓄積を生かしながら、幼児や地域の現状や課題を捉え、家庭や地域社会と協力して、幼稚園教育要領を踏まえた教育活動の更なる充実を図っていくことが重要である。

〔幼稚園教諭〕

教育職員免許法の規定により、専修、一種、二種などの免許状を取得し、幼稚園教育に従事している者をいいます。保育の場に従事する教諭は、発達を見通した保育の中で、幼児一人一人の行動と内面を理解し、計画的な環境の構成と適切な援助が求められます。さらに友だちとの関わりの中で、その子の良さが発揮できる集団づくりや集団生活のルールを身につけさせることも大切な役割です。このような役割を果たすためには、教諭間の連携や協力が必要になります。クラス担任としての自覚だけではなく、幼稚園全体の教職員で子どもたちの育ちを支えるという視点が必要です。環境を通して行う幼稚園教育においては、教諭自身も重要な環境の一部であるという自覚を持って臨まなければなりません。その意味からも、これからの幼稚園教諭に求められる専門性を追求し、ふさわしい幼稚園教諭としての研鑽を積むことが必要です。

2007（平 19）年の学校教育法の改正によって、幼稚園には、副園長、主幹教諭、指導教諭、養護教諭、栄養教諭、事務職員、養護助教諭、その他必要な職員を置くことができるようになりました。

〔幼稚園教員資格認定試験〕

2003（平 15）年３月の規制改革推進３か年計画に基づいて、保育士として一定の在職経験を有する者が、幼稚園教諭の資格を得ようとする場合に行われる資格認定試験です。幼稚園と保育所の一元化や、総合施設等今後の乳幼児の保育形態が大きく変化していくと思われます。保育士資格のみでは、勤務を継続することができなくなる時代が予想され、文部科学省では 2005（平 17）年度より「幼稚園教員資格認定試験」が実施されることとなりました。合格すれば、幼稚園教諭二種免許状が授与されます。

〔幼稚園保育及設備規定〕

1890（明23）年の小学校令の改正で、市町村に幼稚園を設置することが規定されましたが、幼児教育は法制的に学校体系に位置づけられることはありませんでした。そこで、1899（明32）年、旧文部省は幼稚園に関する単独の法令として「幼稚園保育及設備規定」を制定しました。幼稚園の保育の目的、編成、組織、保育内容、施設設備に関して、国として定めた最初の法令です。これによると、幼稚園の入園年齢を、満3歳から小学校に就学するまで、保育時間は食事時間を含んで5時間以内、保姆一人の受け持つ幼児数は40人以内、1幼稚園の幼児数は100人以内とし、特別の事情のあるときでも150人以内とすることを定めました。幼稚園の目的を「心身ヲシテ健全ナル発育ヲ遂ゲ善良ナル習慣ヲ得シメモッテ家庭教育ヲ補ハンコト」としました。保育の内容は、遊嬉、唱歌、談話、手技の四項目とすること、幼稚園の建物は、平屋建であること、園には恩物、絵画、遊戯道具、楽器、黒板、机、腰掛け、時計、寒暖計、暖房器などを備えることが定められました。また、1900年の第三次小学校令改正で、施行規則の中に組み込まれました。

〔幼稚園幼児指導要録〕

学校教育法施行規則第24条において、校長は在籍する児童等の指導要録を作成しなければならないとされています。また、児童が進学した場合は、指導要領の抄本又は写しを進学先に送付しなければなりません。また、転学した場合には、写しを作成して転学先に送ることが決められています。ここでいう校長は、幼稚園の場合は園長となります。また、同施行規則第28条において「学校において備えなければならない表簿」の一つであり、学籍の記録は20年間、指導に関する記録は5年間保存しなければならないとされています。従って指導要録は、指導の過程とその結果を評価して記録するという性格と、外部に対して証明が必要な場合の原簿の役割を持ったものです。幼稚園幼児指導要録では、様式として学籍の記録と指導の記録からなっています。学籍の記録には、保護者の欄、入園、転退園、修了の年月日、入園前の状況、進学先等の欄があります。この欄は、原則として学年当初及び異動の生じた時に記入することとなっています。幼稚園では、保育者は日々の指導の過程を記録し、一年間のまとめを指導要録の指導の記録に記入することになっています。その他出欠の状況も記入します。このように、指導要録は法的に定められた公簿であり、各園に必ず備えておかなければならないものです。

〔幼稚園令〕

1926（大15）年に公布された幼稚園に関する初めての単独勅令です。これまでの幼稚園についての国の規程は、小学校に関する勅令の中に含められており、各地の保育関係団体による幼稚園令制定を求める運動が全国的に繰り広げられました。規程の内容は、従来のものとほとんど変わりませんでしたが、一日の保育時間は特別に規程せず、文部省訓令によって「早朝ヨリ夕刻ニ及ブモ亦可ナリトス」とされました。これは、父母ともに就労している家庭に対して、幼稚園で家庭の教育を補おうとするものです。また、家庭のためには、3歳未満の幼児を入園させてもよいとされました。幼稚園の自由化が認められ、託児所的機能を加えようとするものでした。しかし、実際にはそのようなことはほとんど行われませんでした。保育内容は、従来の保育四項目に新たに「観察」が加えられ「遊嬉」「唱歌」「観察」「談話」「手技等」の五項目となりました。「等」という言葉が入ることにより、地域の実情に即した保育が保育者の工夫によって展開できる余地が残されました。さらに、保姆（保育士）の免許状を設け、公立幼稚園の園長の資格を定めました。この法令は、昭和 24 年に学校教育が改革されるまで用いられました。

〔幼児教育・保育の無償化〕

子ども・子育て支援法（平 24、法 65）が、令和元年 5 月に改正されて、幼児教育・保育の無償化の改正が成立しました。無償化の対象は、認可保育所・幼稚園に通う 3 歳～ 5 歳児、住民税非課税世帯の 0 ～ 2 歳は全額、共働き世帯で自治体が必要と認め、認可外保育施設を利用する場合は 3 ～ 5 歳児は月 37,000 円、住民税非課税世帯の 0 ～ 2 歳児月 42,000 円を上限として補助する制度が 2019（令元）年 10 月から実施されました。ベビーシッター、病児保育等も対象となります。

〔幼保連携型認定こども園教育・保育要領〕

子育て三法の改定によって、現行の就学前幼児の教育・保育制度が大きく変わり、従来の保育所・幼稚園の保育・教育制度を一本化し、認定こども園法が新しく制度化されました。それに伴い平成 26 年 4 月に「幼保連携型認定こども教育・保育要領」平成 29 年 3 月に新しく告示されました。

第 1 章総則　第 2 章ねらい及び内容並びに配慮事項　第 3 章健康及び安全、第 4 章子育て支援となり、第 3 章指導計画作成にあたって配慮すべき事項の 3 章から 5 章に改められました。

〔抑制〕

抑制の概念は、フロイトによって抑圧と区別されて出たものです。当初は意識から本能的衝動を拒否する傾向を広く意味していました。その後、人格の構造力・力動的見地の導入によって、無意識の深層で主として衝動や情動に対して働く抑圧と区別されて、無意識の表層で、主として観念や表象に対して働く自我の抑制と定義しています。

学問的定義でなく一般的に抑制とは多くの場合、次のように説明されています。

「抑え、とどめる」――精神的・生理的な機能が、他の機能を抑えつけ、その実現を妨げること。

〔予防接種法（昭和 23 年法律第 68 号)〕

予防接種法は、1948（昭 23）年 6 月 30 日に公布され、戦後の伝染病予防に必要な内容を規定し実施され、その後の感染症予防に大きな役割を果たしてきました。

その後の感染症の発生状況、医学医術の進歩、生活環境の変化、予防接種に対する国民の意識の変化等を勘案しての幾度かの改正が行われてきました。2007（平 19）年 4 月 1 日に結核予防法が廃止され、現在は定期予防接種一類疾病に加えられました。予防接種は、国民の義務として推進されてきましたが、国民の自覚を促すことによって自ら進んで予防接種を受ける意志をもつことが望ましいとされ、「受けるよう努めなければならない」（努力義務）となりました。又接種法で規定されている定期接種と任意の接種があります。

平成 27 年 5 月 18 日以降の主な予防接種を示します。

		出生時	生後6週	2か月	3か月	4か月	5か月	6か月	7か月	8か月	9か月	10か月	11か月
定期接種	インフルエンザb型			①	②	③							
	肺炎球菌			①	②	③							
	DPT-IPV				①	②		←―――		③		―――→	
	DT												
	BCG						←	①	→				
	麻疹・風疹混合（MR）												
	水痘												
	日本脳炎												
	インフルエンザ		生後6か月-13歳未満、毎年2回（2-4週間隔）13歳以上1～2回										
任意接種	B型肝炎（母子感染予防）	①	②					③					
	おたふくかぜ（流行性耳下腺炎）												

		1歳	2歳	3歳	4歳	5歳	6歳	7歳	8歳	9歳	10歳	11歳	12歳	13歳	14歳
定期接種	インフルエンザb型	④		③～④は7か月以上あける											
	肺炎球菌	④		①-②-③は27日以上③-④は60日以上あけ、1歳-1歳3か月で接種											
	DPT-IPV		④	Dジフテリア　P百日関　T破傷風　IPB不活性ポリオ　①-②-③は20日～50日あけ③-④は6か月以上あける。											
	DT											←①→			
	BCG														
	麻疹・風疹混合（MR）	①				②		2回目は5歳-就学前に							
	水痘	①	②					②は1.5歳-2歳まで							
	日本脳炎			① ②	③					④					
	インフルエンザ	生後6か月-13歳未満、毎年2回（2-4週間隔）13歳以上1～2回													
任意接種	B型肝炎（母子感染予防）														
	おたふくかぜ（流行性耳下腺炎）	①					②								

〔4歳児〕

4歳児になると、体型のバランスが取れ、自分の体をコントロールする能力も育ち、全身運動や手の動きが巧みになります。自我が発達し自己主張が盛んになり、けんかも多くなります。その中では、自己統制の力も育ってきますが、大人の対応によっては反抗的になります。できるだけ禁止や圧力を控え、十分に自己発揮させることが必要です。回りの人や物にも関心が高まり、それらに関わる中でさまざまな感情体験をしたり、物の性質を知ったりします。空想力や想像力も豊かになり、ごっこ遊びなどで人や物になりきって遊ぶことを好みます。また、さまざまな自然物に触れて遊びながら疑問を抱き、いろいろな質問を多くする時期でもあります。

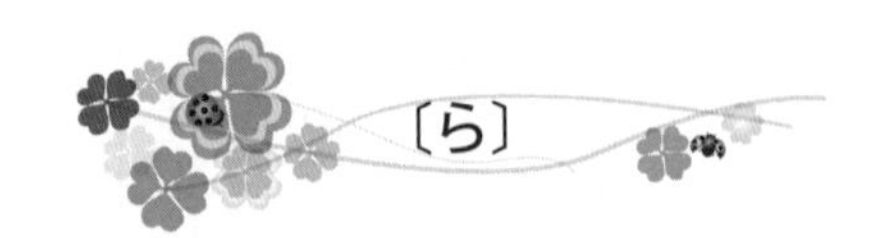

〔ラッサ熱〕

ラッサウィルスによるウィルス性出血熱で、感染症予防法の一類感染症に分類されています。中央アフリカ・西アフリカ一帯で年間約20万人の感染者を出し、自然宿主はアフリカに生息するネズミの一種です。宿主や感染動物の糞尿等の濃厚接触、または患者の血液・体液への接触によって感染します。症状はエボラ出血熱やマールブルグ病に類似し、発病した場合の致死率は1～2％です。

国際的にも輸入感染症の最重要疾患とされ、日本にも輸入例があるので、疾病流行地への旅行者や現地からの輸入動物に対する検疫が重要です。

〔ら抜き言葉〕

最近「ら抜きことば」が多く使われるようになってきました。もともと「言葉」は、例えば「見られる」が正しい言葉であったとしても多くの人が「見れる」と使うようになると本来は間違った使い方が、正しい言葉使いになるという性質をもっています。「見られる」が「見れる」という使い方もそうした意味からすると一概に間違った使い方とはいえなくなります。「おきられる」→「おきれる」「食べられる」→「食べれる」など、「ら」を抜いた言葉が使われる場合か多くなってきました。しかし、現段階では正しい言葉使いとはいえないと思います。

〔ラポール〕

セラピストとクライアントの間の、情緒的信頼関係や、緊張感を除去する親密な、楽な雰囲気をラポールと定義します。教育相談、面接場面では、クライアントとカウンセラーの出会いで最小限の必須条件といえます。面接場面では、クライアントは最初、特別な場所で初めて会うカウンセラーに対して、すごく緊張しています。そこでまずカウンセラーは、その緊張したクライアントに対して、それを、解きほぐして楽な気持ちにしてあげることが大切です。

〔ランドルト環視力表〕

フランスのランドルトが考案した環を視標とした視力表で国際基準に準拠しています。単位の視標は、外形7.5ミリ、太さ1.5ミリ、切れ目の幅1.5ミリで、この切れ目の向きを5メートルの距離から見分ける能力があるときの視力を1.0としています。学校（園）においては集団検査に向いた学校用並列（字詰まり）視力表が用いられます。また、幼児や小学校低学年用としては単一（文字一つ）視力表を用い、ランドルト環の切れ目が上下左右にあるもののみとして検査します。

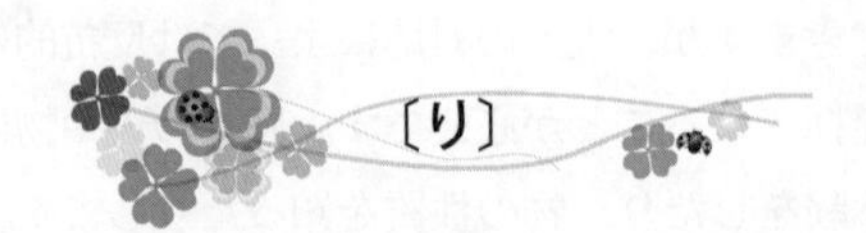

〔リカレント教育〕

リカレント教育とはいったん学校を卒業して、社会に出てからも、必要に応じてまた教育・訓練を継続しておこなうことが可能な教育システムのことをいいます。1969（昭44）年ヨーロッパ文部大臣会議でスエーデンのパルメ文部大臣が最初に使用したと伝えられています。

〔リズム楽器〕

幼児が、歌曲のリズムを感じ取り、それを表現しようとするときに用いる楽器を総称して、保育現場ではリズム楽器と呼んでいます。リズム楽器と呼ばれているものには、カスタネット、タンブリン、鈴、ウッドブロック、拍子木などが一般的であります。幼児が歌曲のメロディーを旋律楽器で演奏することは、難しいこともあり、歌唱と合わせてリズム楽器を用いたりもします。リズム楽器の取り扱い方は、まず幼児自身がその楽器に親しみを持つということが大切です。保育環境の一つとして保育室に常設しておいて自由に触れさせるという方法もありますが、粗雑に扱わないように留意しなければなりません。また、一つ一つの楽器の持つ音色の美しさにも気づかせる必要があります。そのためには、子ども自身が好きな歌に合わせて、自分で楽器を選び、演奏の仕方を工夫できるような場を作っておくことが望ましく、音色の美しさと、楽器の扱い方には密接な関係があることに気づかせ、正しい持ち方や演奏の仕方を指導することが必要です。

〔リッチモンド, M（1861 ～ 1928)〕

アメリカの慈善組織協会活動の指導者で、友愛訪問制度を専門援助技術としてレベルを高め、「ケースワークの母」と呼ばれています。ボランティア活動として行われていた友愛訪問を、個別援助技術（ケースワーク）として理論化・体系化し、社会診断という概念を取り入れました。主著に、『社会診断論』(1917)、『ソーシャルケースワークとは何か』(1922) があり、後世に大きな影響を与えました。

〔リトミック〕

スイスの音楽教育家で作曲家でもあったエミール・ジャック・ダルクローズが開発した音楽教育の手法で、人間の身体と音楽に共通の要素があることに着目して、リズム教育を体系化した音楽教育方法です。日本の音楽教育の草分け山田耕筰もダルクローズを訪ね、大いに影響を受けました。日本には、大正初期に導入され、現在多くの幼稚園・保育所・幼児教室などで実践されています。又、障がい児教育にも盛んに取り入れられ、一部に、知育と組み合わせて英才教育としての効果を説く幼児教室や教育産業もありますが、それはリトミックの本来の趣旨とは異なるものです。保育においては、音楽を身体で感じ、表現する楽しさを味わうことが大切であり、活動として、無理なく継続しやすい形で指導することが望まれます。

〔離乳〕

離乳とは、母乳又は育児用ミルクなどの乳汁栄養から幼児食に移行する過程をいいます。この間に乳児の摂食機能は乳汁を吸うことから、食物を噛み潰して飲み込むことへと発達し、摂食する食品は量や種類が多くなり、献立や調理の形態も変化していき、また摂食行動は次第に自立へと向かっています。

単に母乳を与えることを止めること（断乳）や、果汁やスープなどの液状のものを与えることではなく、月齢が進むにしたがって乳汁のみでは不足する栄養素を補うとともに、咀嚼機能の発達過程としても重要なものです。

〔流行性角結膜炎〕

アデノウィルス８型による感染性疾病で、２～ 14 日の潜伏期を経て急激に発病し、まぶたの腫れ、結膜の充血、目脂などが起こります。低年齢では眼瞼結膜に偽膜まで現れ、そこから出血も生じることがあります。このアデノウィルスは伝染力が強く、通常の消毒薬では消毒効果が期待できません。そこで家族内や集団において接触による感染を起こしやすいので、患者の眼に触れた手指は流水によりブラシでよく洗い、患者の眼や手に触れたタオル等は十分に煮沸消毒しなければなりません。

〔流行性耳下腺炎（ムンプス）〕

ムンプスウィルスによる感染症で幼児や学童に小流行します。感染者の唾液中のウィルスが飛沫感染によって非感染者にうつるもので、感染してから１日～４日（平均２日）の潜伏期の後、38℃前後の発熱とともに片方あるいは両方の耳下腺の腫脹・疼痛を伴います。両方の耳下腺が腫れると「おたふく」の顔のように見えることから、おたふく風邪とも呼ばれます。時には耳下腺の他、顎下腺や舌下腺が腫れることもあり、また、幼児では髄膜炎、脳炎となることや思春期以後の男性がかかると睾丸炎、女性では卵巣炎となることがあり、不妊の原因ともなります。（学校感染症の項参照）

〔領域〕

幼稚園や保育所における教育内容のまとまりを表す言葉として、1956（昭 31）年に制定された幼稚園教育要領で初めて用いられました。「領域」という表現で教育内容を区分したことで、これまでの保育要領で「楽しい経験」として羅列されていたものが、組織的に区分されることになり教育としての組織化が容易になり、より計画的な保育が行われやすくなりました。しかし、一方で小学校の教科のように捉えられて領域別の保育が行われたり、保育内容に偏りが生じるなどの弊害も見られました。その後、平成元年の幼稚園教育要領改訂において、小学校の教科と混同するような領域の具体名を改め、「領域」を幼児の発達を見るための一つの側面として捉えることと定義しました。幼児教育の具体性、総合性といった独自性から考えても、小学校の教科と全く異なるものであることは明らかです。⇒〔五領域、六領域〕

〔臨時休業〕

学校保健安全法第 20 条に「学校の設置者は、感染症予防上必要があるときは、臨時に、学校の全部又は一部の休学を行うことができる」と規定されています。

これは、学校における感染症予防の出席停止以外の重要な措置です。感染症による出席停止が、児童生徒等の個々の者に対して行われる措置であるのに対して、臨時休業は同じく感染症予防上の措置ではありますが、臨時に学校の全部または一部の授業を行わないこととする（いわゆる学校閉鎖や学級・学年閉鎖）ものであって感染症の流行を防止するためのより強力な措置のことです。

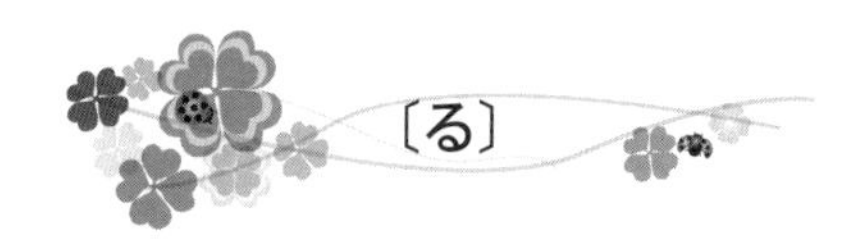

〔ルソー（1712 ～ 1778）〕

ルソーは、スイスの生まれですが、フランスの啓蒙思想家として知られています。ルソーは、子どもを一つの人格を持った存在として認め、人間として尊重する考え方を示し、それが近代教育の始まりとなりました。彼の教育論は、主著『エミール』の中において余すところなく語られています。彼は、この書の中で彼の生きた当時のフランス社会の不自由性、不平等性を変革するためには教育によらなければならないとして、自由、平等な社会に生きる真の自然人を形成することを『エミール』という子どもの教育をテーマとした小説の中で語っています。彼は、「自然に帰れ」を教育の根本原理とし、自然主義の教育を提唱しました。自然に先立って教育してはならないという彼の教育方法は「消極的教育」ともいわれています。ルソーの消極的教育は、外部の強制によって教えるのではなく、子ども自身が自分で知りたいという欲求を起こさせ、真理を発見する方法を学ばせる教育です。消極的教育は、子どもの自由性、自発性を重視することから必然的に生まれ、特に初期の教育は純粋に消極的でなければならないことを力説しました。

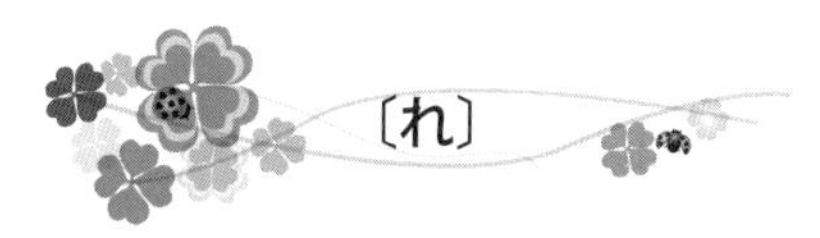

〔レッジョ・エミリアの保育〕

イタリア北部のレッジョ･エミリア市を中心に展開されている保育実践で、マラグッチ（Malaguzzi, L.）を中心に整備されたその理論とは、「子どもたちの 100 の言葉」としてまとめられ、国際的に注目を集めています。レッジョ・エミリアの保育方法の特徴は、グループでのプロジェクトを中心とした保育展開にあります。そのテーマに関心を持った子どもたちが小グループで、数日から数か月にわたってその主題をめぐっての活動を展開することが保育の中核となり、それを子どもたちはさまざまな媒体を用いて表現していきます。レッジョ・エミリアの保育のキーワードは、「協働」であり、そこでは、プロジェクトに取り組む子どもたちの協働はもとより、教師、親、共同体、行政関係者、心理学者や教育学者などの協働も重視され、子どもの活動を支えるシステムが構築されています。

〔劣等感〕

自分が他人より劣っているという感情です。自分が他人より劣っていると引け目な感情が起こります。客観的に劣っていなくても、そう思い込んでいることもあります。劣等感におびえる子どもは自信を無くし、意欲が減退し、今までできていたことも失敗するようになります。他人の評価に敏感となり、ますます劣等感を強めることになります。その結果、ひっこみ思案になったり、非行に走ったり、反抗や退行など自己防衛行動が見られるようになります。治療としては強すぎる劣等感が問題で、これを弱めることが必要ですが、対応によっては逆に失敗することにもなります。

〔レディネス〕

学習する上での準備のできた状態とか、適時期と訳されています。人間の発達は成熟と学習という二つの基本的側面を持っています。成熟は外界の刺激によらない自然発生的な発達をいいます。歯牙の発生や歩行、身長・体重の増加、神経系統の組織の変化などです。学習は、言語の発達や計算能力の習得などのような生後の経験や訓練による行動の変容課程を学習と呼びます。しかし、現実の子どもの発達の様相を見ますと、成熟と学習は交互に複雑に作用し合っています。最近の研究では、成熟と学習といった固定的な区分から脱して、連続性、方向性と順序性、さらに、相互関連性を重視するようになっています。

〔連合遊び〕

1930年代に乳幼児保育園で行動観察を行ったパーテンによる遊びのタイプの分類の一つです。主に4～5歳児における遊びに多く見られます。複数の子どもたちが、ともに遊び、会話をしたり、遊具の貸し借りをしたりしますが、ルールを共有したり、役割を分担したりして遊ぶまでには至らない状態をいいます。パーテンは、社会的行動面からの分類を行い、遊びの初期の段階では他者にまったく興味を示さない「無関心」の状態から「傍観」「一人遊び」「平行遊び」「連合遊び」と順に出現し、最後に役割を交代したり、ルールを共有して一つの遊びを協同で創造する「協同遊び」が出現するとしました。現実の子どもたちの遊びでは5歳児でも一人遊びをしたり、遊びの媒介として平行遊びが現れたりします。

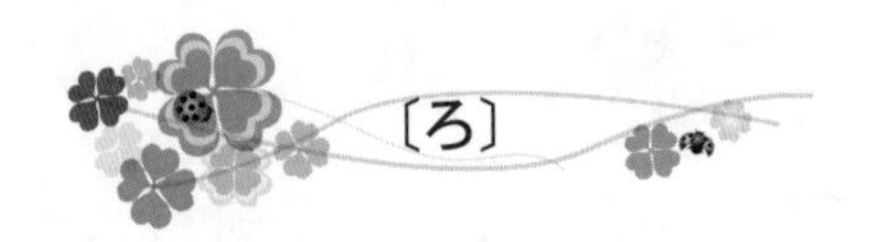

〔6歳臼歯（きゅうし）〕

乳歯列の後ろに最初の永久歯として生えてくる歯で、第一大臼歯のことです。6歳頃に萌出してくるのでこの名前で呼ばれています。これが最初に生えてくる大人の歯（永久歯）であり、死ぬまで使うことになります。噛む力は永久歯の中で最も強く、最大咬合力は50㎏程度であるといわれ、従って最も咀嚼に有効な働きをしており、この歯が一本欠けるだけで咀嚼効率は大きく低下します。また、歯列の乱れの原因になりますので、大切にしなければならない歯です。また、諸条件から虫歯（う歯）になりやすい歯でもあり、歯が生えはじまる直後からの虫歯予防が求められます。

〔六領域〕

1956（昭31）年に制定された幼稚園教育要領において、保育内容を区分するという視点から、「健康」「社会」「自然」「言語」「音楽リズム」「絵画製作」の六つの領域が示されました。それまでは、1948（昭23）年に出された「保育要領」の中で、幼児の活動を12の「楽しい経験」として羅列していました。六領域が示された経緯は、小学校教育と幼稚園教育の一貫性が求められたことにより、学校教育法に基づく幼稚園教育の目的、目標を踏まえて具体的な「望ましい経験」を導き出し、その「経験」を再度学校教育法第78条（現在は第22条・第23条・第24条で「文部大臣が定める」幼稚園教育要領が規定されています。）に示された六つの目標に沿って区分されたものです。その後1964（昭39）年の改訂では、幼稚園で指導する経験や活動を137のねらいとし、六つの領域に区分して保育内容を示しました。ねらいと内容が混同して分かりにくいという批判もあり、1989（平元）年の改訂では五領域に変え領域の示す意味と内容を明確にしました。⇒〔領域・五領域〕

〔ロールシャッハ検査〕

スイスの精神科医ロールシャッハが1921年に発表した人格検査法です。被験者に、左右対象のインクの染みを10枚見せ、それが何に見えるかを尋ねるもので、その際の反応に要する時間（反応時間）、図版のどの部分に注目したか（反応領域）、形または色のいずれに反応したか（決定因）、インクの染みを何と見たか（反応内容）などについて整理集計し、その結果についてさまざまな解釈を行います。検査に要する時間は1時間から1時間半で、個人の人格像を描き出すことを目的としています。

〔ローレル指数〕

1908年にローレルが発表したもので、身体充実指数ともいいます。体重に対する身長の3乗の比で、身長を一辺とした立方体を考えたときの密度に相当するものです。

指数の計算式は、ローレル指数＝体重（kg）/ 身長^3（㎝）×10^7 です。

児童生徒の身体発育評価として広く用いられていますが、この指数の特徴として身長の大きいものほど指数値が小さくなる傾向があるので、一律に適用することは適当ではありません。指数値115～145を正常（普通）とし、160以上を肥満、100以下をやせすぎと判定します。

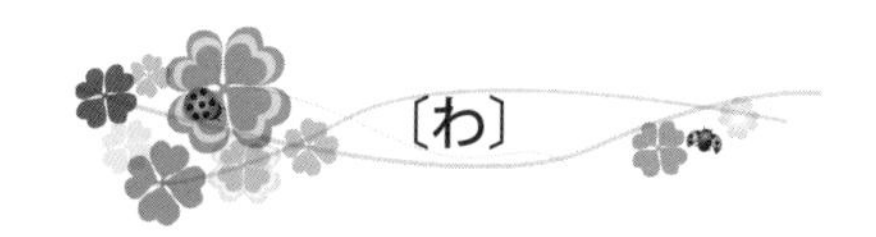

〔若木骨折（わかぎこっせつ）〕

骨折とは、交通事故、スポーツ事故、転落事故などで強い外力が加わることにより、骨が折れたり、ひびが入ったりすることをいいます。しかし、小児の骨の場合、柔らかい粘りのある骨であるのと、骨膜が強靭であることから、骨折の際に骨の連続性が保たれたままの折れ方をすることがあります。骨膜下の不完全骨折のことを若木骨折と呼びます。

一般的に、骨折の場合は激痛や腫れ、変形等の症状を伴いますが、若木骨折の場合は痛みのみで他の症状を欠くことがあります。判断には注意深い観察が必要となります。

〔ワクチン〕

一般に感染症予防のために用いる予防接種液をワクチンといいます。ワクチンは大別すると生ワクチンと不活化ワクチンに分けることができます。生ワクチンは病原体の毒素を弱くして用いるもので、麻疹、風疹、BCGのワクチンなどが例に挙げられます。不活化ワクチンは死菌ワクチンとも呼ばれ、薬品によって殺した病原菌を用いており、百日咳、日本脳炎、インフルエンザなどのワクチンが該当します。また不活化ワクチンの一種で、不活化ワクチンの免疫効果への発現が遅く、持続が良くないという点をカバーするものとしてトキソイドというワクチンもあります。

〔わらべうた〕

わが国における伝承的な子どもの歌をいいます。明治期における唱歌や大正期以降の創作童謡とは区別されています。わらべうたは、世界各地に存在しています。これらは、一種の民族音楽ですが、その国の風土、言語、文化などと大きく関わっているといえます。わらべうたを分類すると、子守歌、赤ちゃんの手遊び歌、遊び歌（まりつき歌、絵かき歌、じゃんけん歌、鬼遊び歌など）、祭事の歌などがあります。これらは、子どもの成長、中でも言葉の獲得と人間関係の広がりとに密接に関係しています。母親の子守歌を聞きながら、自然にことばとメロディーの心地さを覚えていきます。喃語が出始めると「いないいないばあー」などの唱えことばを楽しむようになります。やがて、幼稚園や保育所に入ると友だちと一緒に歌いながら集団で遊ぶようになります。このように歌い継がれることで子どもは成長していきます。わらべうたの旋律やリズムは、日本の伝統音楽の要素が多く取り入れられています。新しく子どもたちによって作られていくわらべうたには、この伝統的な要素以外の旋律やリズムが取り入れられています。特に唱え歌やお手合わせ歌、ゴムなわとび歌、絵かき歌にその傾向が多く見られます。遊び歌の変遷を見ると、おはじき、石蹴り、お手玉、羽根突き、手まり歌などが衰退し、唱え歌、絵かき歌、縄跳び歌、じゃんけん歌、鬼遊び歌が盛んとなっています。当然のことながら子ども集団が形成されやすい所では、活性化されていきます。

《付　録》

保育・教育に関するQ＆A

Questions

一問一問頭の中で解答し、PC、タブレット、スマートフォンなどで随時検索し、確認して下さい。

Answersも含めたすべての内容は左記QRコードまたは下記URLよりダウンロードできます。

https://osaka-kyoiku-tosho.net/pdf/appendix07.pdf

〈幼稚園設置基準〉

Q1　幼稚園にもいろいろな規模のものがあり、施設にしても園によって異なっているように思いますが、設置基準というものはあるのでしょうか？

〈幼稚園の設置者〉

Q2　幼稚園には、小・中学校と同じように、国立・公立・私立の幼稚園がありますか？

〈幼・保・小の連携〉

Q3　幼保小の連携が重視されていますが、連携における施策の経緯や実践の方向性などについて教えて下さい。

〈幼稚園における学校評価〉

Q4　最近いろいろな部所において第三者評価ということをききますが、幼稚園における第三者評価について教えてください。

〈けんかによって傷ついた子どもの保護者への対応〉

Q5　子ども同士で喧嘩をして、A男がB太の顔をひっかいて傷をつけてしまいました。子どもや保護者へは、どのように対応すればよいでしょうか？

〈幼保連携型認定こども園〉

Q6　幼保連携型認定こども園の教育・保育とはどんなものですか？

〈保育教諭〉

Q 7　認定子ども園法の改定に伴って、幼稚園教諭と保育士の二つの資格を取得しないと勤務できないとききますが、特例について教えて下さい。

〈小学校就学の猶予・免除〉

Q 8　自分の子どもを小学校に就学させたいのですが、障がいの状況が重いのです。一年程就学を伸ばしたいと思うのですが、義務教育ではそのようなことはできないのでしょうか？

〈特別支援学級〉

Q 9　障がいを受けている子どもの就学についていろいろ考えているのですが小学校に障がいを受けている子どもを受け入れる学級について教えて下さい。

〈障がいを受けている児童の学級（通級指導）〉

Q 10　小学校の障がいを受けている児童の学級とその種別について教えて下さい。

〈特別支援学校への就学〉

Q 11　知的障がいをもっている子どもを特別支援学校の小学部に就学させたいと思っていますが、どのような手続きをすればいいのでしょうか？

〈入所したい保育所の選択〉

Q 12　保育所に子どもを預けたいのですが、仕事場から遠くの保育所に入所させられると、毎日の送迎に大変だと悩んでいます。希望する保育所に入所はできないのでしょうか？

〈居住地以外の保育所への入所〉

Q 13　勤務先が他の市町村で、その近くの保育所に入所させたいのですが、居住地以外の市町村の保育所に入所するにはどうすればいいのでしょうか？

〈無認可保育所の指導〉

Q 14　無認可保育所における事故防止のために、都道府県等の指導監督は行われないのですか？

〈トワイライトステイについて〉

Q 15　トワイライトステイについて教えて下さい。

〈待機児童について〉

Q 16　保育所入所の申込みに行くと、「入所待機者が本市では○○名いて、今すぐ入所は困難です。」といわれました。待機者が多いということは聞いていましたが、現状はどうなっているのでしょうか。

〈乳幼児健康支援一時預かり〉

Q 17　保育所に通う子どもが、病気等によって通所できなくなり、保護者の就労が困難になった場合、自宅での育児を一時的に保育所等で預かって保育することはできないのでしょうか？

〈家庭児童相談室〉

Q 18　市町村によって「家庭児童相談室」の設置のないところがありますが、虐待等に関わる諸問題を相談する機関として是非必要な機関なのではないでしょうか？

〈保育所で虐待児を発見したとき〉

Q 19　保育所で、虐待を受けている児童を発見したときの取るべき方法を教えて下さい。

〈虐待とその通告義務〉

Q 20　虐待防止法が成立し、子どもと接する職にある者の義務が生じたと聞きましたが、どんな義務が生じたのですか？

〈虐待の種類〉

Q 21　虐待にはどのような種類があるのでしょうか？

〈児童虐待防止ネットワーク〉

Q 22　児童福祉法が改正されて、児童虐待の通告義務の範囲の拡大や地方公共団体等の義務が強化されたと聞きますが、児童虐待防止ネットワークについて説明して下さい。

〈先天性代謝異常検査等〉

Q 23　障害の早期発見、早期療育といわれますが、新生児における先天性代謝異常検査等がどのように行われているのでしょうか？

〈保育・教育時間について〉

Q 24　2020 年より小学校学習指導要領等の改訂によって教育時間が大幅に増えると聞きます。保育所、幼稚園等の保育時間についてどうなっていますか？

参　考　文　献

幼稚園教育要領解説	文部科学省	
幼稚園教育要領	文部科学省	
保育所保育指針	厚生労働省	
幼保連携型認定こども園教育・保育要領	内閣府・文科省・厚労省	
幼稚園における道徳性の芽生えを培うための事例集		
	文部科学省	
指導計画の作成と保育の展開	文部科学省	フレーベル館
ティームティーチング事典	新井邦男他編	教育出版
幼児教育への招待	森上史朗編	ミネルヴァ書房
幼児教育方法論入門	石垣恵美子他編	建帛社
保育情報	保育育研究所	月刊全国保育団体連絡会
幼稚園時報	全国公立幼稚園長会	
初等教育資料「幼稚園教育年鑑」	文部省小学校課・幼稚園課	東洋館出版社
新版学校保健概説第二版	高石昌弘著	同文書院
子ども虐待対応の手引き	厚生省児童家庭局企画課	大成出版社
保育福祉小六法		みらい（株）
児童臨床心理学事典	内山喜久雄監修	岩崎学術出版
教育用語事典	教育調査研究所	教育出版
教育行政事典	相良惟一	教育開発研究所
発達臨床心理学	小林芳郎他	朝倉書店
Biology of Microorganisms	Michel T. Medigan 他	Prentice-Hall, Inc.
保育士のための基礎知識	植原清編	大阪教育図書
現代カリキュラム事典	日本カリキュラム学会編	ぎょうせい
早わかり人権教育小事典	中野陸夫編	明治図書
子どもたちの 100 のことば―レッジョ・エミリアの幼児教育―		
	佐藤学他訳	世織書房
集団教育の本質	宮坂哲文編	明治図書
知ってますか「同和」保育一問一答	大阪同和保育研究協議会	

執筆者

常磐会学園大学	植原　和彦
常磐会短期大学	岡本　和恵
常磐会短期大学	卜田　真一郎
常磐会短期大学	興石　由美子
元大阪成蹊短期大学	福本　絹子
元大阪成蹊短期大学	山口　礼子
	（アイウエオ順）

執筆協力者

常磐会学園大学	向出　佳司
大阪総合保育大学	大方　美香

編集

元学校法人常磐会学園	植原　清

幼稚園／保育士試験
（増補改訂新版）**役立つ保育・教育用語集**

編　者　　植原　清
発行者　　横山　哲彌
印刷所　　岩岡印刷株式会社

発 行 所　**大阪教育図書株式会社**
〒530-0055　大阪市北区野崎町 1-25　　振替　00940-1-115500
電話　06（6361）5936　　FAX　06（6361）5819
E-mail info@osaka-kyoiku-tosho.net
http://www2.osk.3web.ne.jp/~daikyopb

（落丁・乱丁本はお取り替えいたします）　ISBN978-4-271-53146-3　C3337